A EMPREGADA

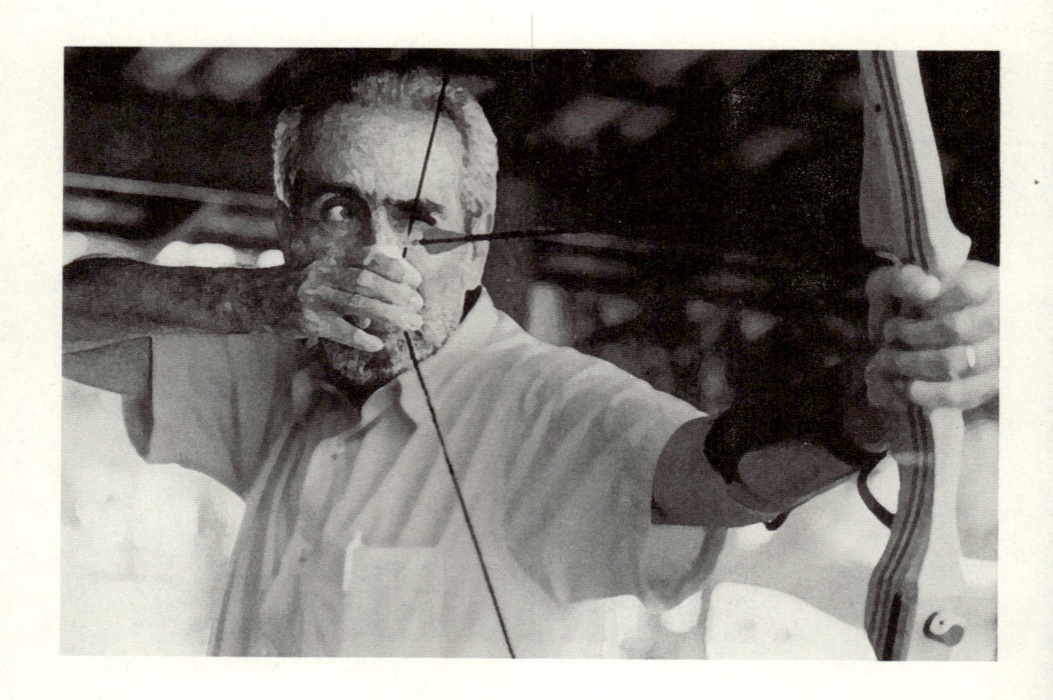

O Arqueiro

Geraldo Jordão Pereira (1938-2008) começou sua carreira aos 17 anos, quando foi trabalhar com seu pai, o célebre editor José Olympio, publicando obras marcantes como *O menino do dedo verde*, de Maurice Druon, e *Minha vida*, de Charles Chaplin.

Em 1976, fundou a Editora Salamandra com o propósito de formar uma nova geração de leitores e acabou criando um dos catálogos infantis mais premiados do Brasil. Em 1992, fugindo de sua linha editorial, lançou *Muitas vidas, muitos mestres*, de Brian Weiss, livro que deu origem à Editora Sextante.

Fã de histórias de suspense, Geraldo descobriu *O Código Da Vinci* antes mesmo de ele ser lançado nos Estados Unidos. A aposta em ficção, que não era o foco da Sextante, foi certeira: o título se transformou em um dos maiores fenômenos editoriais de todos os tempos.

Mas não foi só aos livros que se dedicou. Com seu desejo de ajudar o próximo, Geraldo desenvolveu diversos projetos sociais que se tornaram sua grande paixão.

Com a missão de publicar histórias empolgantes, tornar os livros cada vez mais acessíveis e despertar o amor pela leitura, a Editora Arqueiro é uma homenagem a esta figura extraordinária, capaz de enxergar mais além, mirar nas coisas verdadeiramente importantes e não perder o idealismo e a esperança diante dos desafios e contratempos da vida.

FREIDA McFADDEN

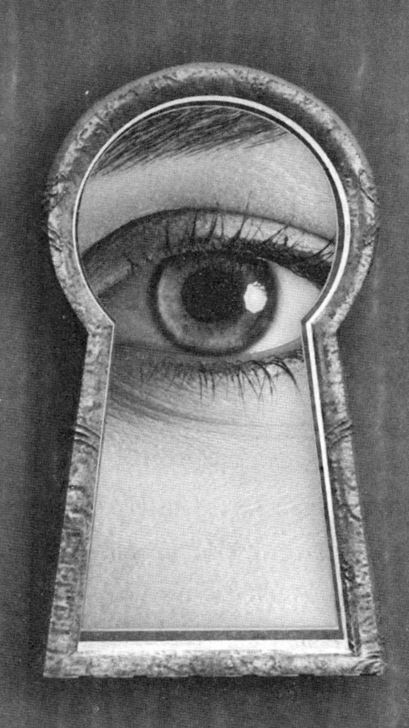

A EMPREGADA

Título original: *The Housemaid*

Publicado originalmente na Grã-Bretanha por Storyfire Ltd, Bookouture.

coordenação editorial: Taís Monteiro

produção editorial: Ana Sarah Maciel

tradução: Roberta Clapp

preparo de originais: Karen Alvares

revisão: Ana Grillo e Mariana Bard

diagramação: Abreu's System

capa: Lisa Horton

adaptação de capa: Gustavo Cardozo

imagens de capa: Golden Dayz (olho); Imagine CG Images (fechadura);
Zebra-Studio (textura da porta)

impressão e acabamento: Lis Gráfica e Editora Ltda.

CIP-BRASIL. CATALOGAÇÃO NA PUBLICAÇÃO
SINDICATO NACIONAL DOS EDITORES DE LIVROS, RJ

M144e
McFadden, Freida
A empregada / Freida McFadden ; tradução Roberta Clapp. – 1. ed. –
São Paulo : Arqueiro, 2023.
304 p. ; 23cm.

Tradução de: The housemaid
ISBN 978-65-5565-506-3

1. Ficção inglesa. I. Clapp, Roberta. II. Título.

CDD: 823
23-82995 CDU: 82-3(410.1)

Meri Gleice Rodrigues de Souza – Bibliotecária – CRB-7/6439

Editora Arqueiro Ltda.
Rua Artur de Azevedo, 1.767 – Conj. 177 – Pinheiros
05404-014 – São Paulo – SP
Tel.: (11) 2894-4987
E-mail: atendimento@editoraarqueiro.com.br
www.editoraarqueiro.com.br

PRÓLOGO

Se eu sair desta casa, será algemada.

Devia ter fugido quando tive chance, mas perdi a oportunidade. Agora que os policiais estão dentro da casa e descobriram o que há lá em cima, não dá mais para voltar atrás.

Estão prestes a me prender, a ler meus direitos. Não sei por que ainda não o fizeram. Talvez estejam achando que podem me convencer a contar algo que não deveria.

Boa sorte com isso.

O policial de cabelo preto meio grisalho está sentado no sofá ao meu lado. Ele remexe o corpo atarracado no couro italiano cor de caramelo queimado, e me pergunto que tipo de sofá tem em casa. Com certeza não custa cinco dígitos como este. Provavelmente, o dele é de uma cor cafona como *laranja*, coberto de pelos de animais de estimação e com alguns rasgos nas costuras. Fico imaginando se ele está pensando no sofá que tem em casa e desejando ter um como este.

Ou, mais provavelmente, se ele está pensando no cadáver localizado no sótão acima de nós.

– Vamos revisar os fatos mais uma vez – diz o policial com seu sotaque de Nova York.

Ele se apresentou mais cedo, mas esqueci completamente seu nome. Policiais deveriam usar crachás vermelhos brilhantes. De que outra forma alguém poderia se lembrar do nome deles em uma situação de estresse elevado? Acho que ele é um detetive.

– Quando você encontrou o corpo?

Faço uma pausa, me perguntando se este seria o momento certo para exigir a presença de um advogado. Eles não tinham que me oferecer um? Estou enferrujada neste tipo de procedimento.

– Mais ou menos uma hora atrás – respondo.

– Por que você foi lá em cima, pra início de conversa?

Contraio os lábios.

– Já disse. Ouvi um barulho.

– E?

O policial se inclina para a frente, os olhos arregalados. Está com a barba por fazer no queixo, como se não tivesse tido tempo de se barbear esta manhã. Sua língua se projeta um pouquinho entre os lábios. Não sou burra – sei exatamente o que ele quer que eu diga.

Fui eu. Sou culpada. Podem me levar.

Em vez disso, me recosto no sofá.

– E é isso. É tudo que eu sei.

A decepção toma conta do rosto do detetive. Ele cerra o maxilar enquanto pensa nas evidências que foram encontradas até agora na casa. Está se perguntando se já tem o suficiente para colocar as algemas nos meus pulsos. Não tem certeza. Se tivesse, já teria feito isso.

– Ei, Connors!

É a voz de outro agente. Rompemos o contato visual, e olho para o alto da escada. O policial, muito mais jovem, está parado ali, seus dedos longos agarrando o topo do corrimão. O rosto sem rugas está pálido.

– Connors – repete o mais jovem. – Você precisa vir aqui… *agora*. Precisa ver o que tem aqui. – Mesmo do pé da escada, consigo ver o pomo de adão dele mexendo enquanto ele engole em seco. – Você não vai acreditar.

PARTE I

Três meses antes

UM

MILLIE

– Me fala de você, Millie.

Nina Winchester se inclina para a frente em seu sofá de couro cor de caramelo, as pernas cruzadas revelando apenas uma nesga de seus joelhos, que espreitam sob a saia de seda branca. Não entendo muito de marcas, mas é óbvio que tudo que Nina Winchester está vestindo é absurdamente caro. Sua blusa creme me faz querer esticar a mão para sentir o tecido, mesmo que um movimento como esse fosse eliminar qualquer chance de eu ser contratada.

Para ser franca, não tenho nenhuma chance de ser contratada.

– Bem… – começo, escolhendo minhas palavras com cuidado. Mesmo depois de todas as rejeições, ainda tento. – Eu cresci no Brooklyn. Tive muitos empregos fazendo tarefas domésticas pras pessoas, como você pode ver no meu currículo. – Meu currículo *cuidadosamente adulterado.* – E amo crianças. E também… – olho ao redor da sala, procurando algum brinquedo de cachorro ou uma caixa de areia para gatos – ... adoro animais de estimação…

O anúncio on-line para empregada não mencionava bichinhos de estimação. Mas é melhor garantir. Quem não aprecia alguém que goste de animais?

– Brooklyn! – A Sra. Winchester sorri para mim. – Eu cresci no Brooklyn também. Somos praticamente vizinhas!

– Somos, sim! – confirmo, embora nada esteja mais longe da verdade.

Há muitos bairros cobiçados no Brooklyn, onde você vai dar um rim por uma casinha geminada. Não foi onde cresci. Nina Winchester e eu não poderíamos ser mais diferentes, mas, se ela quer acreditar que somos vizinhas, fico feliz da vida em concordar.

A Sra. Winchester enfia uma mecha de seu cabelo louro, dourado e brilhante atrás da orelha. Os fios batem na altura do queixo, num corte elegante que não destaca sua papada. Ela está na faixa dos trinta e, com um penteado e roupas diferentes, teria uma aparência bastante comum. Mas ela usa sua considerável riqueza para valorizar ao máximo o que tem. Não posso dizer que não respeito isso.

No que diz respeito à minha aparência, segui exatamente a direção oposta. Posso ser mais de dez anos mais nova do que a mulher sentada à minha frente, mas não quero que ela se sinta ameaçada por mim. Então, para a entrevista, escolhi uma saia comprida de lã pesada que comprei num brechó e uma blusa branca de poliéster com mangas bufantes. Meu cabelo louro-escuro está puxado para trás em um coque austero. Comprei até óculos com armação de tartaruga, grandes e desnecessários, que ficam empoleirados no meu nariz. Pareço profissional e nada atraente.

– Então, o trabalho – diz ela. – É principalmente cuidar da limpeza e cozinhar um pouco, se estiver disposta. Você cozinha bem, Millie?

– Cozinho, sim. – Minha habilidade na cozinha é a única coisa no meu currículo que não é mentira. – Sou uma excelente cozinheira.

Seus olhos azul-claros se iluminam.

– Que ótimo! Na verdade, quase nunca comemos uma boa comidinha caseira. – Ela ri. – Quem tem tempo pra isso?

Eu a julgo, mas engulo qualquer tipo de resposta. Nina Winchester não trabalha; ela é mãe de uma única criança, que passa o dia inteiro na escola, e está contratando alguém para limpar a casa. Inclusive, vi um homem cuidando do seu imenso jardim da frente. Como é que ela não tem tempo para cozinhar uma refeição para sua pequena família?

Eu não deveria julgar a mulher. Não sei nada sobre a vida dela. Só porque ela é rica, não significa que seja mimada. Mas, se tivesse que apostar 100 dólares mesmo assim, apostaria que Nina Winchester é uma riquinha mimada.

– E também vamos precisar de ajuda com a Cecelia de vez em quando – continua a Sra. Winchester. – Talvez levando para as aulas que ela tem à tarde ou para brincar com os coleguinhas. Você tem carro, não tem?

Quase dou risada diante da pergunta dela. Sim, eu tenho um carro – é a *única coisa* que tenho neste momento. Meu Nissan de dez anos de idade está empesteando a rua em frente à casa dela, e é onde moro atualmente. Tudo que tenho está no porta-malas daquele carro. Passei o último mês dormindo no banco de trás.

Depois de um mês morando no próprio carro, você percebe a importância das pequenas coisas da vida. Um banheiro. Uma pia. Ser capaz de esticar as pernas enquanto dorme – é disso que sinto mais falta.

– Sim, eu tenho carro – confirmo.

– Excelente! – A Sra. Winchester bate palmas. – Vou arrumar uma cadeirinha para a Cecelia, é claro. Ela só precisa de um assento de elevação. Ainda não chegou ao peso e à altura ideais pra ficar sem o assento. A Academia de Pediatria recomenda...

Enquanto Nina Winchester fala sem parar sobre os requisitos exatos de altura e peso para assentos de carro, tiro um momento para olhar ao redor da sala. A mobília é toda ultramoderna, com a maior televisão de tela plana que já vi, e tenho certeza de que é um aparelho de alta definição e de que há alto-falantes *surround* embutidos em todos os cantos do ambiente para uma experiência de áudio perfeita. Na ponta da sala está o que parece ser uma lareira em funcionamento, com a cornija cheia de fotografias dos Winchesters em viagens a todas as partes do mundo. Quando olho para cima, percebo que o teto insanamente alto brilha iluminado por um lustre cintilante.

– Você não acha, Millie? – pergunta a Sra. Winchester.

Pisco para ela, aturdida. Tento rebobinar minha memória e descobrir o que ela acabou de me perguntar, mas me escapou.

– Claro? – respondo, meio hesitante.

Seja lá com o que eu tenha concordado, ela fica radiante.

– Estou *tão* feliz que você pense assim também.

– Com certeza – digo com mais firmeza desta vez.

Ela descruza e volta a cruzar as pernas um tanto atarracadas, acrescentando:

– E, claro, tem a questão do pagamento. Você viu a proposta no anúncio, certo? É um valor aceitável pra você?

Engulo em seco. O valor no anúncio é mais do que aceitável. Se eu fosse um personagem de desenho animado, os cifrões teriam saltado de cada um dos meus globos oculares quando li aquele anúncio. Mas o dinheiro quase me impediu de me candidatar ao emprego. Ninguém oferecendo tanto, morando numa casa como esta, pensaria em me contratar.

– Sim – falo, um pouco sufocada. – Está ótimo.

Ela arqueia uma sobrancelha.

– E você sabe que é preciso morar aqui, certo?

Ela está me perguntando se por mim tudo bem deixar o esplendor do banco de trás do meu Nissan?

– Claro. Sei, sim.

– Maravilha! – Ela puxa a barra da saia e se levanta. – Quer conhecer a casa? Pra ver no que você está se metendo?

Eu me levanto também. De salto alto, a Sra. Winchester é apenas alguns centímetros maior do que eu nos meus sapatos de salto baixo, mas parece que é muito mais.

– Por mim, está ótimo!

A Sra. Winchester me conduz em um tour minucioso pela casa, a ponto de eu ficar preocupada de ter errado o anúncio e talvez ela ser uma corretora achando que estou pronta para comprar um imóvel. É uma bela casa *mesmo*. Se tivesse 4 ou 5 milhões de dólares sobrando, eu a arrebataria. Além do térreo contendo a gigantesca sala de estar e a cozinha recém-reformada, no segundo andar fica o quarto principal dos Winchesters, o quarto de sua filha, Cecelia, o escritório do Sr. Winchester e um quarto de hóspedes que poderia ter saído diretamente do melhor hotel de Manhattan. Ela faz uma pausa dramática na frente da porta seguinte.

– E aqui é… – abre bem a porta – ... nosso cinema em casa!

É um cinema de verdade *dentro da casa deles* – além da televisão gigantesca no térreo. Esta sala tem diversas fileiras de poltronas, de frente para uma tela que vai do chão ao teto. Há até mesmo uma máquina de pipoca no canto.

Depois de alguns segundos, noto que a Sra. Winchester está olhando para mim, esperando uma reação.

– Uau! – exclamo, com o que espero que seja o entusiasmo apropriado.

– Não é maravilhoso? – Ela estremece de alegria. – E nós temos uma biblioteca completa de filmes pra escolher. Claro, também temos todos os canais básicos e os serviços de streaming.

– Claro.

Depois que saímos da sala de cinema, chegamos a uma última porta no final do corredor. Nina faz uma pausa, com a mão na maçaneta.

– Este seria o meu quarto? – pergunto.

– Mais ou menos…

Ela gira a maçaneta, que range ruidosamente. Não posso deixar de notar que a madeira desta porta é muito mais pesada do que a de todas as outras. Atrás dela, há um lance de escadas na escuridão.

– Seu quarto é lá em cima. Tem também um sótão todo reformado.

Esta escada escura e estreita é um pouco menos glamourosa do que o resto da casa – e daria tanto trabalho assim colocar uma lâmpada aqui? Mas, é claro, eu sou a empregada. Não posso esperar que ela gaste tanto dinheiro no meu quarto quanto na sala de cinema.

No topo da escada há um corredorzinho estreito. Ao contrário do primeiro andar da casa, o teto é perigosamente baixo aqui. Não sou nem um pouco alta, mas quase preciso me abaixar.

– Você tem o seu próprio banheiro. – Ela indica com a cabeça uma porta à esquerda. – E este é o seu quarto.

Ela abre a última porta. Está completamente escuro lá dentro, até que ela puxa uma cordinha e o cômodo se ilumina.

O quarto é minúsculo. Não há outra forma de definir. Não só isso, como também o teto é inclinado, acompanhando o telhado da casa. O lado mais baixo bate na minha cintura. Em vez da enorme cama king-size do quarto principal dos Winchesters, do imenso armário e da penteadeira marrom, este quarto contém uma caminha dobrável de solteiro, uma estante baixa e uma cômoda pequena, iluminada por duas lâmpadas pendendo do teto.

É um cômodo modesto, mas, por mim, tudo bem. Se fosse bom *demais*, com certeza eu não teria chance de conseguir esse trabalho. O fato de o quarto ser meio ruim significa que talvez os padrões dela sejam baixos o suficiente para que eu tenha uma chance bem pequenininha.

Há algo mais sobre este quarto, porém. Algo que está me incomodando.

– Desculpa, é pequeno mesmo. – A Sra. Winchester faz uma careta. – Mas você vai ter muita privacidade aqui.

Ando até a única janela. Como o quarto, também é pequena, pouco maior que a minha mão. E tem vista para o quintal. Há um jardineiro lá embaixo – o mesmo cara que vi no jardim da frente – aparando uma das cercas vivas com um enorme conjunto de tesouras.

– Então, o que você acha, Millie? Gostou?

Eu me afasto da janela para olhar para o rosto sorridente da Sra. Winchester. Ainda não consigo identificar o que está me incomodando. Há algo em relação a este quarto que está formando uma pequena bola de pavor na boca do meu estômago.

Talvez seja a janela – dá para os fundos da casa. Se acontecesse alguma coisa e eu tentasse chamar a atenção de alguém, ninguém conseguiria me ver aqui. Poderia gritar e berrar o quanto quisesse, mas não seria ouvida.

Mas quem estou querendo enganar? Eu teria sorte se morasse neste quarto. Com um banheiro só para mim e uma cama de verdade, onde poderia esticar minhas pernas por completo. Aquela cama dobrável minúscula parece tão boa, comparada ao meu carro, que eu poderia chorar.

– É perfeito.

A Sra. Winchester parece ficar em êxtase com a minha resposta. Ela me conduz de volta pela escada escura até o segundo andar da casa, e, quando saio dali, solto o ar que não percebi que estava prendendo. Há algo muito assustador naquele quarto, mas, se por algum acaso eu conseguir esse emprego, vou superar isso. Fácil, fácil.

Meus ombros finalmente relaxam e meus lábios estão formando outra pergunta quando ouço uma voz atrás de nós.

– Mamãe?

Paro de repente e, ao me virar, vejo uma garotinha parada no corredor. A menina tem os mesmos olhos azul-claros de Nina Winchester, apenas alguns tons mais suaves, e seu cabelo é tão louro que chega a ser quase branco. A garota está usando um vestido azul muito claro com renda branca. E está me encarando como se pudesse ver dentro de mim. Bem através da minha *alma*.

Sabe esses filmes sobre seitas bizarras em que, tipo, crianças assustadoras conseguem ler mentes, adoram o diabo e vivem em milharais ou algo assim? Bem, se estivessem em busca de atores para um filme desses, essa menininha conseguiria o papel. Eles nem teriam que fazer um teste com ela. Dariam uma olhada e diriam "É isso aí, você é a garotinha assustadora número três."

– Cece! – exclama a Sra. Winchester. – Você já voltou da aula de balé?

A menina assente devagar.

– A mãe da Bella me trouxe.

A Sra. Winchester envolve os ombros estreitos da criança com os braços, mas a expressão da garota não muda e seus olhos azul-claros não abandonam meu rosto em momento algum. Será que tem algo de errado comigo por estar com medo de que essa menina de 9 anos me mate?

– Essa é a Millie – diz a Sra. Winchester à filha. – Millie, esta aqui é a minha filha, Cecelia.

Os olhos da pequena Cecelia são duas gotas do oceano.

– Muito prazer, Millie – diz ela com educação.

Se eu conseguir esse emprego, diria que há pelo menos vinte e cinco por cento de chance de ela me matar enquanto durmo. Mas, mesmo assim, eu o quero.

A Sra. Winchester dá um beijo no topo da cabeça loura da filha e, em seguida, a menininha corre para o próprio quarto. Sem dúvida, ela tem uma casa de bonecas assustadora lá dentro, onde as bonecas ganham vida à noite. Talvez eu seja morta por uma delas. Ok, estou sendo ridícula. Provavelmente essa garotinha é um doce. Não é culpa dela estar vestida com uma roupa de criancinha-vitoriana-fantasma-assustadora. E, em geral, adoro crianças. Não que eu tenha interagido muito com elas nos últimos dez anos.

Assim que voltamos ao primeiro andar, a tensão deixa meu corpo. A Sra. Winchester é bastante simpática e normal – para uma mulher tão rica – e, enquanto fala sobre a casa, a filha e o emprego, estou apenas escutando por alto. A única coisa que sei é que este será um ótimo lugar para trabalhar. Eu daria meu braço direito para conseguir essa vaga.

– Você tem alguma dúvida, Millie? – pergunta ela.

Balanço a cabeça.

– Não, Sra. Winchester.

Ela estala a língua.

– Por favor, me chame de Nina. Se você for trabalhar aqui, vou me sentir ridícula se ficar me chamando de *Sra. Winchester*. – Ela ri. – Como se eu fosse uma velhinha rica.

– Pode deixar… Nina.

O rosto dela brilha, embora possa ser apenas a alga marinha, casca de pepino ou qualquer outra coisa que pessoas ricas passam na cara. Nina Winchester é o tipo de mulher que faz tratamentos regulares em spas.

– Estou com um bom pressentimento, Millie. Estou mesmo.

É difícil não me deixar levar pelo entusiasmo dela, não sentir aquele vislumbre de esperança enquanto ela aperta minha palma áspera em sua mão suave de bebê. Quero acreditar que nos próximos dias receberei um telefonema de Nina Winchester, me oferecendo a oportunidade de vir trabalhar em sua casa e finalmente desocupar a Casa Nissan. Quero muito acreditar nisso.

No entanto, se posso dizer algo sobre Nina, é que ela não é nada burra. Ela não vai contratar uma mulher para trabalhar e morar na sua casa, e ainda cuidar de sua filha, sem antes fazer uma verificação básica de antecedentes. E quando ela fizer...

Engulo um nó na garganta.

Nina Winchester me dá um adeus caloroso da porta da frente.

– Muito obrigada por ter vindo, Millie. – Ela estende a mão para apertar a minha mais uma vez. – Prometo que você vai receber uma ligação minha logo, logo.

Não vou. Essa vai ser a última vez que vou pisar nesta casa magnífica. Nunca deveria ter vindo, para início de conversa. Deveria ter tentado um emprego que tivesse a chance de conseguir em vez de desperdiçar nosso tempo aqui. Talvez algo no setor de fast-food.

O jardineiro que vi da janela do sótão está de volta ao jardim da frente. Ele ainda segura as imensas tesouras e está dando forma a uma das cercas vivas bem na frente da casa. É um cara grande, e veste uma camiseta que mostra músculos impressionantes e mal esconde as tatuagens na parte de cima dos braços. Ele ajusta o boné e seus olhos muito escuros se desviam por um instante das tesouras para encontrar os meus do outro lado do gramado.

Levanto a mão em saudação.

– Olá.

O homem me encara, mas não responde. Não diz "Pare de pisar nas minhas flores". Ele só me olha.

– Prazer em te conhecer também – murmuro baixinho.

Saio pelo portão eletrônico de metal que circunda a propriedade e me arrasto de volta até meu carro-casa. Olho para trás uma última vez em direção ao jardineiro, e ele ainda está me observando. Há algo em sua expressão que me faz sentir um calafrio. Ele então balança a cabeça, quase imperceptivelmente. Quase como se estivesse tentando me alertar.

Mas não diz uma palavra sequer.

DOIS

Quando você mora no seu carro, é preciso simplificar as coisas ao máximo.

Você não vai dar grandes recepções, para início de conversa. Nada de queijos e vinhos, nada de noites de pôquer. Por mim, tudo bem, pois não tenho ninguém para receber. O maior problema é onde tomar banho. Três dias depois de ser despejada da minha quitinete, o que aconteceu três semanas depois de ter sido demitida, descobri uma parada na estrada onde havia chuveiros. Quase chorei de alegria quando vi. Sim, os chuveiros têm bem pouca privacidade e cheiram levemente a dejetos humanos, mas, naquele momento, eu estava desesperada para tomar banho.

Agora estou curtindo meu almoço no banco de trás do meu Nissan. Tenho um fogareiro elétrico que posso ligar no isqueiro do carro para ocasiões especiais, mas, na maioria das vezes, me alimento de sanduíches. Muitos e muitos sanduíches. Tenho uma caixa térmica em que guardo frios e queijos, e costumo arranjar um pão branco – 99 centavos no supermercado. E coisas para petiscar, claro. Sacos de batatas chips. Bolachas com manteiga de amendoim. Bolinhos recheados. As opções nocivas à saúde não têm fim.

Hoje estou comendo presunto e queijo fundido, com um montão de maionese. A cada mordida que dou, tento não pensar em como estou farta de sanduíches.

Depois de me forçar a engolir metade, meu celular toca dentro do bolso. Tenho um daqueles aparelhos de flip pré-pagos que as pessoas só usam se forem cometer um crime ou se voltaram quinze anos no passado. Mas preciso de um telefone e esse é o único que posso pagar.

– Wilhelmina Calloway? – diz a voz seca de uma mulher do outro lado da linha.

Estremeço ao ouvir meu nome completo. Wilhelmina era a mãe do meu pai, que já morreu há muito tempo. Não entendo que tipo de psicopata batizaria a filha de Wilhelmina, mas não falo mais com meus pais (e eles tampouco falam comigo), então é um pouco tarde para perguntar. De todo modo, sempre fui apenas Millie, e tento corrigir as pessoas o mais rápido que posso. No entanto, tenho a sensação de que quem está me ligando não é alguém por quem serei tratada pelo meu apelido tão cedo.

– Ela mesma.

– Srta. Calloway, aqui é Donna Stanton, do Munch Burgers.

Ah, claro. Munch Burgers – o fast-food gorduroso que me concedeu uma entrevista de emprego alguns dias atrás. Eu fritaria hambúrgueres ou cuidaria do caixa. Mas, se trabalhasse pesado, haveria alguma oportunidade de crescer. E, melhor ainda, uma oportunidade de ter dinheiro suficiente para não morar mais no meu carro.

Claro, o emprego que eu realmente adoraria ter era na casa dos Winchesters, porém já se passou uma semana desde que estive com Nina Winchester. Posso dizer sem dúvida alguma que não consegui o emprego dos meus sonhos.

– Eu só queria avisar – prossegue a Srta. Stanton – que já preenchemos a vaga no Munch Burgers. Mas boa sorte na sua busca por emprego.

O presunto e o queijo se reviram no meu estômago. Eu vi na internet que o Munch Burgers não tem políticas de contratação muito rígidas. Que, mesmo com antecedentes criminais, eu poderia ter uma chance. Esta foi a última entrevista que consegui marcar desde que a Sra. Winchester não me ligou de volta – e estou desesperada. Não posso comer mais nenhum sanduíche dentro do meu carro. Simplesmente *não posso.*

– Srta. Stanton – deixo escapar. – Estou aqui pensando... Será que poderia me contratar em qualquer outro local? Sou muito trabalhadora. E muito confiável. Eu sempre...

Paro de falar. Ela já desligou.

Agarro meu sanduíche com a mão direita enquanto seguro o celular com a esquerda. Isso é desesperador. Ninguém quer me contratar. Todo empregador em potencial olha para mim exatamente da mesma maneira. A única coisa que eu quero é começar de novo. Vou me matar de trabalhar se for preciso. Vou fazer tudo que puder.

Luto contra as lágrimas, embora não saiba por que estou me dando ao trabalho. Ninguém vai me ver chorando no banco de trás do meu Nissan. Não há mais ninguém que se importe comigo. Meus pais me largaram de mão há mais de dez anos.

Meu celular toca novamente, me tirando do meu showzinho de vitimismo. Enxugo os olhos com as costas da mão e clico no botão verde para atender à chamada.

– Alô? – Minha voz sai embargada.

– Alô? É a Millie?

A voz soa vagamente familiar. Pressiono o aparelho contra o ouvido, o coração martelando no peito.

– É ela mesma…

– Aqui é Nina Winchester. Você fez uma entrevista comigo na semana passada, lembra?

– Ah. – Mordo meu lábio inferior com força. Por que ela está retornando a esta altura? Presumi que já houvesse contratado alguém e decidido não me informar. – Lembro, claro.

– Então, se ainda estiver interessada, teremos o maior prazer em lhe oferecer a vaga.

Sinto o sangue subir à cabeça e quase fico tonta. *Teremos o maior prazer em lhe oferecer a vaga.* Será que ela está falando sério? Era concebível que o Munch Burgers pudesse me contratar, mas parecia totalmente impossível que uma mulher como Nina Winchester fosse me convidar para dentro de sua casa. Para *morar* lá.

Será que ela não checou as minhas referências? Não fez uma simples verificação de antecedentes? Talvez seja tão *ocupada* que nunca chegou a fazer nada disso. Talvez seja uma dessas mulheres que se orgulham da própria intuição.

– Millie? Você está aí?

Percebo que fiquei em absoluto silêncio do outro lado da linha, de tão atordoada.

– Sim. Estou aqui.

– Então, você ainda está interessada na vaga?

– Estou, sim. – Tento não parecer ridiculamente ansiosa. – Com certeza, estou. Adoraria trabalhar pra você.

– Trabalhar *comigo* – me corrige Nina.

Solto uma risada abafada.

– Isso. Claro.

– Então, quando você pode começar?

– Hum, quando gostaria que eu começasse?

– Assim que puder! Temos uma tonelada de roupas limpas que precisam ser dobradas!

Sinto inveja de como a risada fácil de Nina soa tão diferente da minha. Queria poder estalar os dedos e trocar de lugar com ela. Engulo em seco.

– Que tal amanhã?

– Seria ótimo! Mas você não precisa de tempo pra empacotar suas coisas?

Não quero dizer a ela que tudo que possuo já está no porta-malas do meu carro.

– Sou rápida nisso.

Ela ri novamente.

– Adoro seu entusiasmo, Millie. Mal posso esperar pra você vir trabalhar aqui em casa.

Enquanto Nina e eu tratamos de alguns detalhes sobre o dia seguinte, me pergunto se ela sentiria o mesmo por mim se soubesse que passei os últimos dez anos na cadeia.

TRÊS

Chego à casa dos Winchesters na manhã seguinte, depois de Nina ter deixado Cecelia na escola. Estaciono do lado de fora do portão de metal que cerca a propriedade. Nunca estive em uma casa protegida por um portão antes, muito menos morei em uma. Mas em Long Island, este bairro chique, todas as casas parecem ser assim. Considerando quão baixa é a taxa de criminalidade por aqui, parece meio exagerado, mas quem sou eu para julgar? Se pudesse escolher entre uma casa com portão e uma sem, eu escolheria uma com portão também.

Ele estava aberto quando cheguei no dia anterior, mas agora está fechado. Trancado, pelo que parece. Fico parada por um momento, minhas duas mochilas grandes de viagem aos meus pés, tentando descobrir como entrar. Não parece haver qualquer tipo de campainha ou interfone. Mas o tal jardineiro está de novo cuidando da propriedade, agachado na terra, com uma pá na mão.

– Com licença!

O homem olha para mim por cima do ombro e logo em seguida volta a cavar. Que simpático.

– Com licença! – repito, alto o suficiente para que ele não possa me ignorar.

Desta vez, ele se levanta devagar, *bem devagar*. Não demonstra absolutamente nenhuma pressa enquanto cruza o gigantesco gramado da frente rumo à entrada do portão. Ele tira suas grossas luvas de borracha e ergue as sobrancelhas para mim.

– Oi! – digo, tentando esconder minha irritação com ele. – Meu nome é Millie Calloway, hoje é meu primeiro dia de trabalho aqui. Estou tentando entrar, a Sra. Winchester está me esperando.

O homem não diz nada. Parada do outro lado do jardim, eu só havia notado quão grande ele é – pelo menos uma cabeça mais alto do que eu, com bíceps do tamanho das minhas coxas –, mas, de perto, percebo que na verdade é muito gato. Parece ter uns 30 e poucos anos, cabelos pretos e grossos, úmidos de suor, pele marrom-clara e aparência vigorosa. Mas sua característica mais marcante são os olhos: são muito pretos – tão escuros que não consigo distinguir a pupila da íris. Algo em seu olhar me faz dar um passo para trás.

– Então, é… você pode me ajudar?

O homem finalmente abre a boca. Espero que me diga para dar o fora ou peça que lhe mostre um documento, mas, em vez disso, ele solta algumas palavras bem rápido em italiano. Pelo menos, acho que é italiano – não posso dizer que conheço uma palavra do idioma, mas vi um filme italiano com legendas uma vez e meio que soava assim.

– Ah! – exclamo quando ele termina seu monólogo. – Então, é… nada de inglês?

– Inglês? – diz ele, com um sotaque tão forte que a resposta é óbvia. – Não. Nada de inglês.

Excelente. Dou um pigarro, tentando descobrir a melhor maneira de me comunicar.

– Então, eu… – começo, apontando para o meu peito. – Eu vou trabalhar. Para a Sra. Winchester. – Aponto para a casa. – E preciso… entrar. – Agora aponto para a fechadura do portão. – *Entrar*.

Ele apenas franze a testa para mim. Que maravilha.

Estou prestes a pegar meu telefone e ligar para Nina quando ele chega para o lado e aperta uma espécie de interruptor: os portões se abrem, quase em câmera lenta.

Uma vez que estão abertos, paro um momento para olhar a casa que será o meu lar num futuro próximo. Tem dois andares mais o sótão, estendendo-se sobre o que parece ter a extensão de um quarteirão do Brooklyn. É tão branca que agride os olhos – possivelmente acabou de ser pintada – e a arquitetura parece contemporânea, mas quem sou eu para supor algo assim? Só sei que a impressão que dá é de que as pessoas que moram aqui têm tanto dinheiro que nem sequer sabem o que fazer com ele.

Começo a pegar uma das minhas mochilas, mas, antes que o faça, o cara pega as duas sem nenhum esforço e as carrega até a porta da frente para mim. Elas estão muito pesadas – contêm literalmente tudo que possuo além do meu carro –, então fico grata por ele ter se oferecido para colocar a mão na massa para mim.

– *Gracias* – falo.

Ele me lança um olhar engraçado. Hum, acho que isso é espanhol. Ai, meu Deus.

Aponto para o meu peito.

– Millie.

– Millie. – Ele assente, então aponta para o próprio peito. – Eu sou Enzo.

– Prazer – digo, meio sem jeito, mesmo que ele não vá me entender. Mas, caramba, se ele mora e trabalha aqui, deve ter aprendido um *pouco* de inglês.

– *Piacere di conoscerti* – responde ele.

Assinto sem dizer nada. Já chega de tentar fazer amizade com o jardineiro.

– Millie – repete ele, com seu forte sotaque italiano. Parece ter algo a dizer, mas está tendo dificuldades. – Você…

Ele sussurra uma palavra em italiano, mas, assim que ouvimos alguém começar a destrancar a porta da frente, Enzo corre de volta para onde estava agachado no jardim e de repente parece muito ocupado. Mal consegui entender a palavra que ele disse. *Pericolo*. Seja lá o que for. Talvez signifique que ele queira um refrigerante. *Peri-cola: agora com um toque de limão!*

– Millie! – Nina parece contente em me ver, tanto que joga os braços em volta de mim e me esmaga num abraço. – Estou *tão* feliz por você ter decidido aceitar o trabalho. Senti que você e eu tínhamos uma *conexão*. Sabe como é?

Foi o que imaginei. Ela teve um "pressentimento" em relação a mim, então não se deu ao trabalho de fazer a pesquisa. Agora só tenho que me certificar de que ela jamais tenha motivos para não confiar em mim. Preciso ser a funcionária perfeita.

– Sim, sei exatamente o que você quer dizer. Sinto a mesma coisa.

– Bom, entra!

Nina agarra a dobra do meu cotovelo e me conduz para dentro de casa, alheia ao fato de que estou sofrendo para carregar minhas duas mochilas. Não que eu esperasse que ela fosse me ajudar. Isso sequer teria lhe ocorrido.

Quando entro, não posso deixar de notar que a casa parece muito diferente da primeira vez que estive aqui. *Muito* mesmo. Quando vim para a entrevista, estava imaculada – eu poderia ter comido em qualquer superfície da sala. Agora, entretanto, o lugar parece um chiqueiro. A mesa de centro em frente ao sofá tem seis xícaras com quantidades variadas de diferentes líquidos pegajosos, cerca de uma dúzia de jornais e revistas amassados e uma caixa de pizza dobrada ao meio. Há roupas e lixo espalhados por toda a sala de estar e, na mesa de jantar, os restos da refeição da noite anterior.

– Como dá pra ver, você chegou bem na hora! – exclama Nina.

Quer dizer então que Nina Winchester é uma porca – esse é o segredo *dela*. Vou levar horas para conseguir deixar este lugar em um estado decente. Talvez dias. Mas tudo bem; estou ansiosa para pegar no pesado, fazer um trabalho bom e honesto. E gosto que ela precise de mim. Se conseguir me tornar inestimável, é menos provável que Nina me demita se (ou quando) descobrir a verdade.

– Deixa só eu guardar minhas coisas e já venho arrumar tudo.

Nina solta um suspiro feliz.

– Você é um milagre, Millie. Muito obrigada *mesmo*. Tem uma coisa... – Ela apanha a bolsa na bancada da cozinha e vasculha lá dentro, finalmente pegando um iPhone de última geração. – Comprei isso pra você. Não pude deixar de notar que você estava usando um telefone muito desatualizado. Se eu precisar entrar em contato, gostaria que tivesse um meio de comunicação confiável.

Hesitante, pego o iPhone novinho em folha.

– Uau. É muito generoso da sua parte, mas não tenho como pagar um plano...

Ela dá um tapinha no ar.

– Eu adicionei você no nosso plano familiar. Não custou quase nada.

Quase nada? Tenho a sensação de que a definição dela dessas duas palavras é muito diferente da minha.

Antes que eu possa protestar mais, o som de passos ecoa nas escadas atrás de mim. Eu me viro e vejo um homem de terno cinza descendo os degraus. Ao me avistar de pé na sala, ele para na base da escada, como se estivesse chocado com a minha presença. Seus olhos se arregalam ainda mais quando percebe minha bagagem.

– Andy! – exclama Nina. – Vem cá conhecer a Millie!

Este deve ser Andrew Winchester. Quando eu estava pesquisando a família, meus olhos saltaram um pouco quando vi o patrimônio líquido desse homem. Depois de ver todos aqueles cifrões, o cinema em casa e o portão ao redor da propriedade fizeram mais sentido. Ele é um empresário que assumiu a próspera empresa do pai e desde então dobrou os lucros. Mas, pela sua expressão de surpresa, é óbvio que deixa a esposa lidar com a maioria dos assuntos domésticos, e aparentemente ela se esqueceu de contar a ele que contratou uma empregada.

– Olá... – O Sr. Winchester entra na sala de estar, a testa franzida. – Millie, né? Desculpa, eu não tinha me dado conta...

– Andy, eu falei dela pra você! – Ela inclina a cabeça para o lado. – Disse que a gente precisava contratar alguém pra cozinhar e pra ajudar na limpeza, e também com a Cecelia. Tenho certeza que te falei!

– É, bem... – O rosto dele finalmente relaxa. – Bem-vinda, Millie. Um pouco de ajuda com certeza vai ser bom pra gente.

Andrew Winchester estende a mão para me cumprimentar. É difícil não notar que ele é um homem incrivelmente bonito. Olhos castanhos penetrantes, cabelo castanho bem cheio e uma covinha sexy no queixo. Também é difícil não notar que ele é muito, muito mais atraente do que a esposa, mesmo com a aparência impecável dela, o que me parece um pouco estranho. O homem é podre de rico, afinal; poderia ter a mulher que quisesse. Eu o respeito por não escolher uma supermodelo de 20 anos para ser sua parceira de vida.

Enfio meu novo telefone no bolso da calça jeans e estendo a mão também.

– Prazer em conhecê-lo, Sr. Winchester.

– Por favor. – Ele sorri calorosamente para mim. – Me chame de Andrew.

Enquanto pronuncia essas palavras, algo acontece no rosto de Nina Winchester. Seus lábios se contraem e os olhos se estreitam. No entanto, não sei exatamente o porquê. Ela mesma pediu que a chamasse pelo primeiro nome. E Andrew Winchester não está me secando, nem de longe. Seus olhos se mantêm respeitosamente nos meus e não passam da linha do meu pescoço. Não que haja muito para olhar – mesmo que eu não tenha me dado ao trabalho de usar os óculos falsos de armação de tartaruga hoje, estou vestindo uma blusa simples e uma calça jeans confortável para meu primeiro dia de trabalho.

– Enfim – corta Nina –, você não tem que ir para o trabalho, Andy?

– Ah, sim. – Ele endireita a gravata cinza. – Tenho uma reunião às nove e meia em Manhattan. É melhor eu me apressar.

Andrew dá um beijo demorado nos lábios de Nina e aperta seus ombros carinhosamente. Até onde posso ver, é um casal feliz. E Andrew parece bastante simples para um homem cujo patrimônio líquido tem oito dígitos. É fofo o jeito como ele sopra um beijo para ela da porta de entrada. Este é um homem que ama a esposa.

– Seu marido parece legal – falo para Nina quando a porta se fecha.

O olhar sombrio e suspeito retorna ao rosto dela.

– Você acha?

– Bem, acho, sim – gaguejo. – Quer dizer, ele parece... Há quanto tempo vocês estão casados?

Nina me olha, pensativa. Mas, em vez de responder à minha pergunta, diz:

– O que aconteceu com seus óculos?

– O quê?

Ela ergue uma sobrancelha.

– Você estava usando óculos na entrevista, não estava?

– Ah. – Eu me contorço, relutante em admitir que os óculos eram falsos: minha tentativa de parecer mais inteligente e séria e, sim, menos atraente e ameaçadora. – Eu... é... tô usando lentes de contato.

– Está?

Não sei por que menti. Deveria ter dito que não preciso tanto dos óculos. Em vez disso, agora piorei a situação e inventei lentes de contato que na verdade não estou usando. Posso sentir Nina examinando minhas pupilas, procurando as lentes.

– Tem... algum problema? – pergunto, por fim.

Um músculo se contrai sob seu olho direito. Por um momento, sinto medo de que ela me mande ir embora. Mas então seu rosto relaxa.

– Claro que não! Eu só achei os óculos *tão* fofos em você. Muito marcantes, você deveria usá-los com mais frequência.

– Sim, bem... – Agarro a alça de uma das minhas mochilas com a mão trêmula. – Acho que vou colocar minhas coisas lá em cima pra poder começar.

Nina bate palmas.

– Excelente ideia!

Mais uma vez, Nina não se oferece para pegar nenhuma das minhas mochilas enquanto subimos os dois lances de escada para chegar ao sótão. Na metade do segundo lance, meus braços estão prestes a cair, mas Nina não parece interessada em parar e me dar um momento para reajustar as alças.

Suspiro de alívio quando consigo largar as mochilas no chão do meu novo quarto. Nina puxa a cordinha para acender as duas lâmpadas que iluminam meu pequeno espaço.

– Espero que seja bom o suficiente – diz Nina. – Acho que você prefere ter a privacidade de estar aqui em cima, além de um banheiro próprio.

Talvez ela se sinta culpada pelo fato de seu gigantesco quarto de hóspedes estar vazio enquanto vou ficar em um quarto um pouco maior que um armário de produtos de limpeza. Mas tudo bem. Qualquer coisa maior do que o banco de trás do meu carro é um palácio. Mal posso esperar para dormir aqui esta noite. Estou obscenamente grata.

– É perfeito – respondo com sinceridade.

Além da cama, da cômoda e da estante, noto outra coisa no quarto que não tinha visto da primeira vez. Uma minigeladeira, com cerca de 30 centímetros de altura. Está ligada à parede e cantarola ritmicamente. Eu me agacho e a abro. Ela tem duas pequenas prateleiras e, na de cima, há três garrafinhas de água.

– É muito importante se hidratar bem – diz Nina com seriedade.

– É mesmo...

Ao ver a expressão perplexa no meu rosto, ela sorri.

– Obviamente, a geladeira é sua e você pode colocar o que quiser nela. Só pensei em te dar um incentivo.

– Obrigada.

Não é tão estranho assim. Algumas pessoas deixam balas em um travesseiro. Nina deixa três garrafinhas de água.

– Enfim... – Nina enxuga as mãos nas coxas, embora elas estejam imaculadas. – Vou deixar você desfazer as malas pra poder começar a limpar a casa e me preparar pra minha reunião da APM amanhã.

– APM?

– Associação de Pais e Mestres. – Ela sorri para mim. – Sou a vice-presidente.

– Que incrível! – exclamo, porque é o que ela quer ouvir. Nina é muito fácil de agradar. – Vou guardar tudo rapidinho e começar a trabalhar.

– Muito obrigada. – Seus dedos, quentes e secos, tocam brevemente a parte descoberta do meu braço. – Você salvou minha vida, Millie. Estou muito feliz que esteja aqui.

Pouso a mão na maçaneta enquanto Nina começa a sair do quarto. E é aí que percebo o que está me incomodando neste cômodo desde o momento em que entrei aqui. Um sentimento nauseante toma conta de mim.

– Nina?

– Hum?

– Por que… – Pigarreio. – Por que a tranca do quarto fica do lado de *fora* e não do lado de dentro?

Nina olha para a maçaneta, como se a percebesse pela primeira vez.

– Ah! Sinto muito por isso. A gente costumava usar esse quarto como um depósito, então obviamente queríamos que fosse trancado pelo lado de fora. Depois, quando o converti em um quarto pra funcionários, acabamos não invertendo a tranca.

Se alguém quisesse, poderia facilmente me trancar aqui. E há apenas aquela janela, que dá para os fundos da casa. Este quarto poderia ser um cativeiro. Mas por que alguém iria querer me trancar aqui?

– Será que eu posso ter a chave do quarto?

Ela dá de ombros.

– Nem sei direito onde está.

– Eu gostaria de uma cópia.

Nina semicerra os olhos azul-claros na minha direção.

– Por quê? O que você está pensando em guardar no seu quarto que não quer que a gente saiba?

Minha boca se abre.

– Eu… Nada, só…

Nina joga a cabeça para trás e ri.

– Só estou brincando. O quarto é seu, Millie! Se você quer uma chave, eu te dou. Prometo.

Às vezes parece que Nina tem dupla personalidade. Ela vai de oito a oitenta muito depressa. Diz que estava brincando, mas não tenho tanta certeza. Mas não importa, na verdade. Não tenho outras perspectivas, e este trabalho é uma bênção. Vou fazer isso dar certo. Não importa o que aconteça. Vou fazer Nina Winchester me amar.

Depois que Nina sai do quarto, fecho a porta. Gostaria de trancá-la, mas não posso. Obviamente.

Ao fechar a porta, noto marcas na madeira. Longas linhas finas percorrendo o comprimento da porta mais ou menos na altura do meu ombro. Corro meus dedos nos sulcos. Parecem…

Arranhões. Como se alguém estivesse raspando a porta. Tentando sair.

Não, isso é ridículo. Estou sendo paranoica. Às vezes, a madeira velha fica arranhada. Não tem nada de bizarro nisso.

O quarto de repente parece insuportavelmente quente e abafado. Há uma pequena caldeira num canto, que com certeza o mantém confortável no inverno, mas não há nada para refrescá-lo nos meses mais quentes. Vou ter que comprar um ventilador para colocar bem na frente da janela. Mesmo sendo muito maior do que o meu carro, ainda é um espaço muito pequeno – não fico surpresa de eles o terem usado como depósito. Olho ao redor, abrindo as gavetas para verificar o tamanho delas. Há um pequeno armário dentro do quarto, com espaço suficiente apenas para pendurar meus poucos vestidos. Está vazio, exceto por alguns cabides e um pequeno balde azul no canto.

Tento abrir a pequena janela para que entre um pouco de ar, mas ela não se move. Eu me aproximo, os olhos semicerrados, para investigar melhor. Corro o dedo ao longo da moldura da janela. Parece que foi selada com tinta.

Embora eu tenha uma janela, ela não abre.

Eu poderia perguntar a Nina a respeito, mas não quero que pareça que estou reclamando logo no meu primeiro dia. Talvez na próxima semana eu venha a mencionar isso. Não acho que ter uma janela que funcione seja uma grande exigência.

O jardineiro, Enzo, está no quintal agora, operando o cortador de grama lá nos fundos. Faz uma pausa por um momento para enxugar o suor da testa com o antebraço musculoso e então olha para cima. Ele vê meu rosto na pequena janela e balança a cabeça, assim como fez da primeira vez que o vi. Eu me lembro da palavra que ele sussurrou para mim em italiano antes de eu entrar na casa. *Pericolo.*

Pego meu celular novinho em folha do bolso. A tela ganha vida ao meu toque, enchendo-se de pequenos ícones que direcionam para mensagens de texto, chamadas e previsão do tempo. Esse tipo de telefone ainda não era popular quando fui presa, e não pude comprar um desde que saí. No entanto, algumas das garotas tinham um nas casas de recuperação para onde fui quando saí, então meio que sei como usá-los. Sei qual ícone abre um navegador.

Digito na janela: *Traduzir pericolo*. O sinal deve estar fraco aqui no sótão, porque demora muito. Quase um minuto se passa até que a tradução de *pericolo* finalmente apareça na tela do meu celular:

Perigo.

QUATRO

Passo as sete horas seguintes limpando a casa.

Não tinha como Nina ter deixado esta casa mais suja se tentasse. Todos os cômodos estão imundos. A caixa de pizza na mesinha de centro ainda tem duas fatias dentro, e há algo pegajoso e fedorento derramado no fundo dela. O líquido vazou e a caixa se fundiu à mesa. Foi necessário deixar de molho por uma hora e esfregar bastante por trinta minutos para que ficasse tudo limpo.

A cozinha é a pior parte. Além do que quer que esteja na própria lixeira, há dois sacos de lixo no recinto, transbordando. Um deles está rasgado no fundo, de modo que, quando o levanto para levá-lo para fora, o conteúdo se espalha pelo chão inteiro – e cheira muito, muito mal. Quase vomito.

Há pilhas de pratos imensas na pia, e me pergunto por que Nina não os colocou em seu lava-louças de última geração, até que abro a máquina e percebo que ela também está cheia até a boca com pratos imundos. Essa mulher não entende *mesmo* a necessidade de raspar os pratos antes de colocá-los no lava-louças. Nem, aparentemente, a importância de *ligar* a máquina. São necessárias três rodadas do lava-louças para dar conta de tudo. Lavo todas as panelas separadamente, a maioria das quais tem comida ressecada de dias e dias.

No meio da tarde, consigo deixar a cozinha minimamente habitável de novo. Estou orgulhosa de mim mesma. É meu primeiro dia de trabalho pesado desde que fui demitida do bar (de maneira completamente injusta, mas essa é a minha vida hoje em dia), e me sinto muito bem com isso. Tudo que eu quero é continuar trabalhando aqui. E talvez ter uma janela no quarto que possa ser aberta.

– Quem é você?

Uma vozinha me assusta no momento em que estou guardando a última leva de pratos. Eu me viro. Cecelia tinha parado às minhas costas, os olhos azul-claros cravados em mim. Está usando um vestido branco de babados que a faz parecer uma bonequinha. E, por bonequinha, é claro que estou falando daquela boneca falante assustadora que mata pessoas em *Além da imaginação*.

Nem sequer a vi entrar. E Nina não está por perto. De onde será que ela veio? Se este é o momento em que descubro que Cecelia está morta há dez anos e é um fantasma, estou pronta para me demitir.

Bem, talvez não. Mas talvez peça um aumento.

– Oi, Cecelia! – cumprimento alegremente. – Eu sou a Millie. Vou trabalhar na sua casa de agora em diante… limpando as coisas e tomando conta de você quando sua mãe me pedir. Espero que a gente possa se divertir juntas.

Cecelia pisca os olhos claros para mim.

– Tô com fome.

Preciso me lembrar de que ela é apenas uma garotinha normal que sente fome e sede, fica irritada e usa o banheiro.

– O que você quer comer?

– Sei lá.

– Bom, do que você gosta?

– Sei lá.

Cerro os dentes. Cecelia se transformou de uma garotinha assustadora em uma menininha irritante. Mas acabamos de nos conhecer. Tenho certeza de que depois de algumas semanas seremos melhores amigas.

– Está bem, vou preparar um lanche pra você, então.

Ela assente e sobe em um dos bancos ao redor da ilha. Seus olhos ainda parecem estar me perfurando – como se pudessem ler todos os meus segredos. Eu adoraria que ela fosse para a sala assistir a desenhos animados em sua televisão gigantesca em vez de ficar ali… me observando.

– Então, o que você gosta de ver na TV? – pergunto, esperando que ela entenda a deixa.

Ela franze a testa como se eu a tivesse ofendido.

– Prefiro ler.

– Que ótimo! O que você gosta de ler?

– Livros.

– Que tipo de livros?

– Livros com palavras.

Ah, então é assim que vai ser, Cecelia. Tudo bem, se ela não quer falar sobre livros, posso mudar de assunto.

– Você voltou da escola agora?

Ela me encara.

– De onde mais eu poderia ter vindo?

– Mas… como você chegou em casa?

Cecelia bufa, exasperada.

– A mãe da Lucy me buscou no balé e me trouxe pra casa.

Ouvi Nina no andar de cima cerca de quinze minutos atrás, então presumo que ela esteja em casa. Fico pensando se devo avisá-la que Cecelia está de volta. No entanto, não quero incomodá-la, e um dos meus trabalhos é cuidar da menina.

Graças a Deus, Cecelia parece ter perdido o interesse em mim e agora está remexendo em sua mochila rosa-clara. Encontro uns biscoitos Ritz na despensa e também um pote de manteiga de amendoim. Espalho a manteiga de amendoim nos biscoitos como minha mãe costumava fazer. Repetir o mesmo gesto que ela fazia para mim tantas vezes me deixa um pouco nostálgica. E triste. Jamais pensei que ela fosse me abandonar do jeito que fez. *É isso, Millie. A gota d'água.*

Depois de espalhar manteiga de amendoim nos biscoitos, fatio uma banana e coloco uma rodela em cada um. Adoro a combinação de manteiga de amendoim e banana.

– Tcharan! – Deslizo o prato na bancada para oferecê-lo a Cecelia. – Biscoitos com manteiga de amendoim e banana!

Ela arregala os olhos.

– Manteiga de amendoim com banana?

– Confia em mim. É muito gostoso.

– Eu sou alérgica a manteiga de amendoim! – As bochechas de Cecelia ficam rosadas. – Manteiga de amendoim pode me matar! Você está tentando me matar?

Meu coração aperta. Nina nunca disse nada sobre nenhuma alergia a manteiga de amendoim. E eles têm manteiga de amendoim na despensa! Se a filha dela tem uma alergia fatal a amendoim, por que ela teria isso em casa?

– Mamãe! – grita Cecelia enquanto corre em direção à escada. – A empregada tentou me matar com manteiga de amendoim! Socorro, mamãe!

Ai, meu Deus.

– Cecelia! – falo entredentes. – Foi sem querer! Eu não sabia que você era alérgica e…

Mas Nina já está descendo as escadas às pressas. Apesar da desordem de sua casa, ela parece impecável agora, em outra de suas brilhantes combinações de saia e blusa brancas. Branco é a cor dela. A de Cecelia também, pelo que parece. Elas combinam com a casa.

– O que está acontecendo? – pergunta Nina com uma voz aguda ao chegar ao pé da escada.

Estremeço quando Cecelia se lança na direção da mãe, abraçando-a.

– Ela tentou me fazer comer manteiga de amendoim, mamãe! Eu falei pra ela que era alérgica, mas ela não escutou.

A pele pálida de Nina fica vermelha.

– Millie, isso é verdade?

– Eu… – Minha garganta está completamente seca. – Eu não sabia que ela era alérgica. Juro.

Nina franze a testa.

– Eu te falei sobre a alergia dela, Millie. Isso é inaceitável.

Ela nunca me falou nada. Nunca disse uma palavra sobre Cecelia ser alérgica a amendoim. Juro pela minha vida. E, mesmo que tivesse dito, *por que* ela deixaria um pote de manteiga de amendoim na despensa? Estava bem na frente!

Mas ela não vai acreditar em nenhuma das minhas justificativas. Na cabeça dela, eu quase matei sua filha. Vejo este emprego escorrendo por entre meus dedos.

– Lamento muito – digo, um nó na garganta. – Devo ter esquecido. Prometo que nunca mais vou deixar isso acontecer.

Cecelia está soluçando agora, enquanto Nina a abraça e gentilmente acaricia o cabelo louro da filha. Pouco depois, os soluços diminuem, mas Cecelia continua agarrada à mãe. Sinto uma terrível pontada de culpa. No fundo, sei que não se deve dar nada de comer a crianças antes de verificar com os pais. A errada aqui sou eu, e, se Cecelia não estivesse tão atenta, algo terrível poderia ter acontecido.

Nina respira fundo. Fecha os olhos por um momento e os abre novamente.

– Tudo bem. Mas, por favor, certifique-se de nunca mais se esquecer de algo tão importante assim.

– Não vou esquecer. Prometo. – Minhas mãos estão fechadas em punhos. – Quer que eu jogue fora o pote de manteiga de amendoim que estava na despensa?

Ela fica em silêncio por um instante.

– Não, melhor não. Pode ser que a gente precise.

Sinto vontade de gritar, mas a escolha de manter em casa a ameaçadora manteiga de amendoim é dela. Só sei que, com certeza, nunca mais a usarei.

– Falando nisso – acrescenta Nina –, quando o jantar fica pronto?

Jantar? Eu deveria estar preparando o jantar? Por acaso Nina imaginou alguma outra conversa que jamais tivemos? Bem, não vou inventar desculpas novamente depois do desastre com a manteiga de amendoim. Vou catar algo na geladeira para preparar.

– Às sete? – arrisco.

Três horas deve ser tempo mais do que suficiente.

Ela assente.

– E você não vai usar manteiga de amendoim no jantar, certo?

– Não, claro que não.

– Por favor, não esqueça de novo, Millie.

– Não vou esquecer. Mais alguém tem alguma outra alergia ou… intolerância?

Será que ela é alérgica a ovo? Ferroada de abelha? Muito dever de casa? Preciso saber. Não posso correr o risco de ser pega desprevenida de novo.

Nina faz que não com a cabeça assim que Cecelia levanta o rosto coberto de lágrimas do peito da mãe por tempo suficiente para me encarar. Não começamos com o pé direito, eu e ela. Mas vou encontrar um jeito de consertar isso. Vou fazer brownies para ela ou algo assim. Crianças são fáceis. Adultos são mais complicados, mas estou determinada a conquistar Nina e Andrew também.

CINCO

Às 18h45, o jantar está quase pronto. Havia um peito de frango na geladeira, já marinado, e alguém havia deixado instruções anotadas no pacote, então apenas as segui e joguei tudo no forno. Eles devem comprar comida de algum tipo de fornecedor que manda os produtos junto com instruções de preparo.

A cozinha tem um cheiro fantástico quando o portão da garagem bate. Um minuto depois, Andrew Winchester está entrando na sala, o polegar no nó da gravata para afrouxá-la. Estou na frente do fogão mexendo o molho e me espanto ao vê-lo; já tinha esquecido quão bonito ele é.

Ele sorri para mim – é ainda mais belo quando sorri.

– Millie, certo?

– Isso mesmo.

Ele respira fundo.

– Uau. O cheiro está maravilhoso.

Minhas bochechas coram.

– Obrigada.

Ele observa a cozinha com um olhar de aprovação.

– Você limpou tudo.

– É o meu trabalho.

Ele ri.

– Acho que sim. Foi bom o seu primeiro dia?

– Foi, sim.

Não vou contar a ele sobre o desastre com a manteiga de amendoim. Ele não precisa saber, embora eu suspeite de que Nina vá inteirá-lo da situação. Tenho certeza de que ele não vai gostar do fato de eu quase ter matado sua filha.

– Você tem uma casa muito bonita – comento.

– Bom, tenho que agradecer à Nina por isso. É ela quem cuida da casa.

Como se fosse uma deixa, Nina entra na cozinha, vestindo outras de suas roupas brancas – uma combinação diferente da que ela vestia apenas algumas horas antes. Mais uma vez, ela parece impecável. Mas, enquanto estava limpando a casa mais cedo, tirei alguns minutos para olhar as fotografias na cornija da lareira. Há uma de Nina e Andrew de muitos anos atrás, e ela parecia muito diferente naquela época. Seu cabelo não era tão louro e ela usava menos maquiagem e roupas mais casuais – e estava pelo menos vinte quilos mais magra. Quase não a reconheci, mas Andrew parecia exatamente o mesmo.

– Nina. – Os olhos de Andrew se iluminam ao ver a esposa. – Você está linda, como sempre.

Ele a puxa e lhe dá um beijão. Ela se derrete contra o marido, agarrando seus ombros possessivamente. Quando os dois se separam, ela olha para ele.

– Senti sua falta hoje.

– Eu senti mais.

– *Eu* senti mais.

Ai, meu Deus, por quanto tempo eles vão debater quem sente mais saudade de quem? Eu me afasto, me ocupando na cozinha. É estranho estar tão perto de uma demonstração de afeto dessas.

– Então. – Nina é a primeira a se afastar. – Vocês dois estão se conhecendo?

– Aham – diz Andrew. – E o que quer que Millie esteja fazendo, o cheiro está incrível, não está?

Olho para trás. Nina está me observando no fogão com aquela expressão sombria em seus olhos azuis. Ela não gosta que o marido me elogie. Mas não sei qual é o problema, já que obviamente ele é louco por ela.

– Está – concorda ela.

– Nina é um caso perdido na cozinha. – Andrew ri, passando um braço ao redor da cintura da mulher. – Nós morreríamos de fome se dependesse dela. Minha mãe costumava passar aqui pra deixar algumas refeições que ela ou o chef pessoal dela faziam. Mas, desde que ela e meu pai se aposentaram e mudaram para a Flórida, nossa sobrevivência tem dependido basicamente de pedir comida. Você salvou a gente mesmo, Millie.

Nina dá um sorriso tenso. Ele está só implicando com ela, porém nenhuma mulher quer ser comparada de forma desfavorável a outra. Ele é um tapado se não sabe disso. Mas, de novo, muitos homens são bem tapados.

– O jantar vai sair em uns dez minutinhos – anuncio. – Por que vocês não vão para a sala relaxar um pouco e eu chamo quando estiver pronto?

Ele ergue as sobrancelhas.

– Você quer jantar com a gente, Millie?

O som de Nina inspirando profundamente preenche a cozinha. Antes que ela possa dizer qualquer coisa, balanço a cabeça vigorosamente.

– Não, vou subir para o meu quarto e descansar. Mas obrigada pelo convite.

– Sério? Tem certeza?

Nina dá um tapa no braço do marido.

– Andy, ela trabalhou o dia inteiro. Ela não quer jantar com os *patrões*, só quer subir e trocar mensagens de texto com as amigas. Não é, Millie?

– Isso – respondo, mesmo não tendo nenhuma amiga; pelo menos, não aqui fora.

De todo modo, Andrew não parece preocupado. Ele estava só sendo educado, alheio ao fato de que Nina não me queria na mesa de jantar. E tudo bem. Não quero fazer nada que a faça se sentir ameaçada. Só quero manter minha cabeça baixa e fazer meu trabalho.

SEIS

Tinha me esquecido de como é incrível dormir com as pernas esticadas.

Ok, essa cama não tem nada de mais. É toda irregular e o estrado geme toda vez que me movo um milímetro. Mas é *muito* melhor do que o meu carro. E o que é ainda mais incrível: se eu precisar usar o banheiro durante a noite, ele está bem aqui ao lado! Não tenho que sair dirigindo por aí até encontrar uma parada qualquer nem carregar um spray de pimenta enquanto esvazio a bexiga. Aliás, nem preciso mais do spray de pimenta.

É tão bom dormir em uma cama normal na qual desmaio segundos depois de minha cabeça encostar no travesseiro.

Quando abro os olhos de novo, ainda está escuro. Eu me sento em pânico, tentando lembrar onde estou. Só sei que não estou no meu carro. Vários segundos se passam até que os acontecimentos dos últimos dias voltem à minha mente. Nina me oferecendo o emprego. Eu saindo do carro com as coisas. E, por fim, pegando no sono em uma cama de verdade.

Minha respiração desacelera aos poucos.

Procuro na cômoda ao lado da cama o telefone que Nina comprou para mim. São 3h46 da manhã. Ainda não está na hora de me levantar para encarar o dia. Afasto as cobertas que causam coceira nas minhas pernas e rolo para fora da cama enquanto meus olhos se ajustam à luz da lua filtrada pela pequena janela. Vou ao banheiro, depois tento voltar a dormir.

Meus pés rangem contra as tábuas nuas do meu quarto minúsculo. Bocejo, parando um segundo para me espreguiçar até que meus dedos quase alcancem as lâmpadas no teto. Este quarto faz com que eu me sinta gigante.

Chego à porta, agarro a maçaneta e... ela não gira.

O pânico que havia desaparecido do meu corpo quando entendi onde estava agora volta com toda a força. A porta está trancada. Os Winchesters me trancaram neste quarto. *Nina* me trancou neste quarto. Mas por quê? É algum tipo de jogo doentio? Eles estavam procurando alguma ex-presidiária para prender aqui, alguém de quem ninguém sentiria falta? Meus dedos roçam as marcas de arranhões na porta, imaginando quem foi a última coitada que acabou presa neste sótão.

Eu sabia que era bom demais para ser verdade. Mesmo com a cozinha absurdamente suja, parecia o emprego dos sonhos. Sabia que Nina tinha feito uma verificação de antecedentes criminais. Ela provavelmente me trancou aqui, achando que ninguém jamais sentiria minha falta.

Volto no tempo, dez anos atrás: a primeira noite em que a porta da minha cela se fechou e eu soube que aquela seria minha casa por muito tempo. Jurei a mim mesma que, se algum dia saísse, nunca mais me exporia a ficar presa em nenhuma situação. No entanto, faz menos de um ano que saí e cá estou.

Mas tenho meu telefone. Posso ligar para a polícia.

Pego meu celular da cômoda onde o deixei. Tinha sinal mais cedo, mas agora não. Nenhuma barrinha. Nenhum sinal.

Estou presa aqui. Com apenas uma janela minúscula que não abre, com vista para o quintal.

O que vou fazer?

Pego na maçaneta mais uma vez, me perguntando se conseguiria de alguma forma derrubar a porta. Mas, desta vez, ao rodar a maçaneta bruscamente, ela gira na minha mão.

E a porta se abre.

Saio cambaleando para o corredor, ofegante. Fico lá por um tempo, enquanto meus batimentos voltam ao normal. Em momento algum estive trancada no quarto, no fim das contas. Nina não tinha nenhum plano maluco de me prender lá. A porta só estava emperrada.

Mesmo assim, não consigo me livrar dessa sensação desconfortável. De que deveria sair daqui enquanto ainda posso.

SETE

Quando desço pela manhã, Nina está sistematicamente destruindo toda a cozinha.

Ela tirou todos os potes e todas as panelas do armário que fica embaixo da bancada. Arrancou metade dos pratos de cima da pia e vários deles estão quebrados no piso. E agora está vasculhando a geladeira, jogando comida ao acaso no chão. Observo, espantada, enquanto ela pega da geladeira uma garrafa cheinha de leite e derrama tudo. O líquido imediatamente começa a jorrar, formando um rio branco ao redor das panelas e dos pratos quebrados.

– Nina? – chamo, timidamente.

Nina fica paralisada, as mãos agarradas a um bagel. Ela vira a cabeça para olhar para mim.

– Cadê?

– Cadê? Cadê o *quê*?

– Minhas anotações! – Ela solta um grito angustiado. – Deixei todas as minhas anotações para a reunião da APM de hoje à noite na bancada da cozinha! E agora elas sumiram! O que você fez com elas?

Em primeiro lugar, por que ela pensaria que as anotações estavam na *geladeira*? Em segundo lugar, tenho certeza de que não joguei fora as anotações dela. Quer dizer, tenho noventa e nove por cento de certeza. Existe uma chance ínfima de que houvesse um pequeno pedaço de papel amassado em cima da bancada que joguei fora por presumir ser lixo? Sim. Não posso descartar essa possibilidade. Mas tive muito cuidado para não jogar fora nada que fosse importante. Para falar a verdade, quase tudo era lixo.

– Não fiz nada com elas – respondo.

Nina planta os punhos nos quadris.

– Então você está dizendo que as minhas anotações simplesmente *saíram andando por aí*?

– Não, não estou dizendo isso. – Dou um passo cauteloso na direção dela e meu tênis estala em um prato quebrado. Faço uma nota mental para nunca entrar na cozinha descalça. – Mas talvez você tenha deixado as anotações em outro lugar?

– Não deixei! – grita ela de volta. – Deixei *bem aqui*. – Ela bate a palma da mão na bancada da cozinha, alto o suficiente para me fazer pular. – Bem aqui nesta bancada. E agora... pronto! Sumiram!

Toda a comoção chamou a atenção de Andrew Winchester. Ele entra na cozinha, vestindo um terno escuro que o faz parecer ainda mais bonito do que no dia anterior, se é que isso é possível. Está claramente no processo de amarrar a gravata, mas seus dedos congelam quando vê a bagunça no chão.

– Nina?

Nina se vira e olha para o marido, os olhos cheios de lágrimas.

– Millie jogou as minhas anotações pra reunião de hoje à noite no lixo!

Abro a boca para protestar, mas é inútil. Nina tem certeza de que joguei fora suas anotações, e é perfeitamente possível que eu tenha feito isso. Quer dizer, se eram tão importantes, por que ela as deixaria na bancada da cozinha? Do jeito que o lugar estava no dia anterior, poderiam mesmo acabar no lixo.

– Isso é terrível. – Andrew abre os braços e ela se joga neles. – Mas você não tem algumas das suas anotações salvas no computador?

Nina funga no terno caro dele – provavelmente está melecando tudo, mas Andrew não parece se importar.

– Algumas. Mas vou ter que refazer muita coisa.

E então ela se vira para me lançar um olhar acusador.

Cansei de tentar afirmar minha inocência. Se ela tem certeza de que joguei fora suas anotações, a melhor coisa a fazer é apenas me desculpar.

– Desculpa, Nina. Se houver alguma coisa que eu possa fazer...

Ela olha para o desastre que está o chão.

– Você pode limpar essa nojeira que deixou na minha cozinha enquanto eu resolvo esse problema.

Com essas palavras, ela sai do recinto. Seus passos desaparecem escada acima enquanto penso em como vou limpar todos esses pratos quebrados, agora misturados com leite derramado e cerca de vinte uvas rolando pelo chão. Pisei em uma delas, que se espalhou por toda a sola do meu tênis.

Andrew fica parado no fundo da cozinha, balançando a cabeça. Agora que Nina foi embora, sinto que devo dizer alguma coisa.

– Olha, eu não…

– Eu sei – diz ele antes que eu possa defender minha inocência. – Nina é… um pouco nervosa. Mas ela tem um bom coração.

– Aham…

Ele tira o paletó escuro e começa a arregaçar as mangas da camisa branca.

– Deixa eu te ajudar a limpar.

– Você não precisa fazer isso.

– Vai ser mais rápido se trabalharmos juntos.

Ele abre o armário da cozinha e pega o esfregão – fico chocada que saiba exatamente onde está. Na verdade, ele conhece muito bem o armário do material de limpeza. E agora entendo. Nina já fez coisas desse tipo antes. Ele se acostumou a limpar a bagunça dela.

Mas, ainda assim, eu trabalho aqui agora. Este não é o trabalho dele.

– Eu vou limpar. – Coloco a mão no esfregão que Andrew está segurando e o puxo para longe dele. – Você está pronto pra sair, e é pra isso que estou aqui.

Por um momento, ele segura o esfregão. Depois, permite que eu o tire da mão dele.

– Está bem, obrigado, Millie. Obrigado mesmo por toda essa trabalheira.

Pelo menos alguém está grato.

Quando começo a limpar a cozinha, penso na fotografia na cornija, Andrew e Nina juntos no começo de tudo, antes de se casarem, antes de terem Cecelia. Eles pareciam tão jovens e felizes. É óbvio que Andrew ainda é louco por Nina, mas algo mudou. Dá para sentir. Nina não é a pessoa que costumava ser.

Mas não importa. Não é da minha conta.

OITO

Nina deve ter jogado metade do conteúdo da geladeira no chão da cozinha, então tenho que passar no supermercado hoje. Como aparentemente também vou cozinhar para eles, seleciono algumas carnes e temperos que posso usar para preparar refeições diversas. Nina cadastrou o cartão de crédito dela no meu telefone. Tudo que eu comprar será cobrado automaticamente na conta deles.

Na cadeia, as opções de comida não eram muito animadoras. O cardápio variava entre frango, hambúrguer, cachorro-quente, lasanha, burrito e um misterioso bolinho de peixe que sempre me dava ânsia de vômito. Como acompanhamento, havia sempre legumes cozidos até o ponto de se desintegrarem. Eu costumava fantasiar sobre o que iria comer quando saísse, mas, com o orçamento que tinha, as opções não eram muito melhores. Só podia comprar os alimentos em promoção e, como estava morando no meu carro, ficava ainda mais restrita.

Fazer compras para os Winchesters é diferente. Vou direto aos melhores cortes de carne vermelha – vou pesquisar no YouTube como prepará-los. Às vezes eu fazia um bife para o meu pai, mas isso já faz muito tempo. Se eu comprar ingredientes caros, a comida vai ficar boa, não importa o que eu faça.

Quando volto para a casa dos Winchesters, tenho quatro sacolas cheias de mantimentos no porta-malas do meu carro. Os carros de Nina e Andrew ocupam as duas vagas da garagem, e ela me instruiu a não estacionar na rampa de entrada, então tenho que deixar meu carro na rua. Enquanto estou tentando tirar as sacolas do porta-malas, Enzo, o jardineiro, surge da casa ao lado da nossa com uma espécie de equipamento de jardinagem assustador na mão direita.

Enzo percebe que estou tendo dificuldades e, após um momento de hesitação, corre até o meu carro. Ele franze a testa para mim.

– Deixa comigo – diz em seu inglês com forte sotaque.

Começo a pegar uma das sacolas, mas ele recolhe todas as quatro em seus braços enormes e as carrega até a porta da frente. Ele meneia a cabeça em direção à porta, esperando pacientemente que eu a destranque. Faço isso o mais rápido possível, já que ele está carregando mais de trinta quilos de mantimentos nos braços. Ele limpa as botas no tapete de boas-vindas, depois carrega os mantimentos pelo resto do caminho até a cozinha e os deposita na bancada.

– *Gracias.*

Seus lábios se contraem.

– Não. *Grazie.*

– *Grazie* – repito.

Ele continua na cozinha por um momento, as sobrancelhas arqueadas. Percebo novamente que Enzo é bonito, de uma forma sombria e aterrorizante. Ele tem tatuagens na parte superior dos braços, parcialmente escondidas pela camiseta – consigo distinguir o nome "Antonia" inscrito em um coração no bíceps direito. Aqueles braços musculosos poderiam me matar sem qualquer esforço se ele quisesse. Mas não tenho a sensação de que esse homem queira me machucar. Na verdade, ele parece preocupado comigo.

Lembro o que ele murmurou para mim antes de Nina nos interromper no dia anterior. *Pericolo. Perigo.* O que estava tentando me dizer? Será que ele acha que estou em perigo aqui?

Talvez eu deva baixar um aplicativo de tradução no meu telefone. Ele poderia digitar o que quer me dizer e…

Um barulho no andar de cima interrompe meus pensamentos. Enzo respira fundo.

– Estou indo – diz ele, virando-se e caminhando de volta para a porta.

– Mas…

Corro atrás dele, porém ele é muito mais rápido do que eu. Enzo já cruzou a porta antes mesmo de eu deixar a cozinha.

Fico parada na sala por um momento, dividida entre guardar as compras e ir atrás dele. Mas então a decisão é tomada por si só quando Nina desce as escadas até a sala, vestindo um terninho branco. Acho que nunca a vi usar nada além de branco – de fato, combina com o cabelo dela, mas o esforço de manter a roupa limpa me enlouqueceria. Claro, vou ser a única a cuidar da roupa a partir de agora. Faço uma nota mental para comprar mais alvejante na próxima vez que for ao supermercado.

Nina me vê ali de pé e suas sobrancelhas se erguem até quase a linha do cabelo.

– Millie?

Forço um sorriso.

– Sim?

– Ouvi vozes aqui embaixo. Você estava acompanhada?

– Não. Não foi bem isso.

– Você não pode convidar estranhos pra nossa casa. – Ela franze a testa para mim. – Se quiser receber algum convidado, espero que peça permissão e nos avise pelo menos dois dias antes. E gostaria que você os mantivesse no seu quarto.

– Era só o jardineiro – explico. – Ele estava me ajudando a trazer as compras pra dentro. Só isso.

Eu esperava que a explicação satisfizesse Nina, mas, em vez disso, seus olhos escurecem. Um músculo se contrai sob seu olho direito.

– O jardineiro? Enzo? Ele estava *aqui*?

– Hum. – Esfrego a parte de trás do pescoço. – Esse é o nome dele? Não sei. Ele só trouxe as compras.

Nina analisa meu rosto como se tentasse detectar uma mentira.

– Não quero ele aqui dentro de novo. Ele está imundo por trabalhar lá fora. Dou muito duro pra manter essa casa limpa.

Não faço ideia do que dizer diante disso. Enzo limpou as botas quando entrou na casa e não deixou vestígios de sujeira. E nada é comparável à bagunça que vi quando cheguei aqui no dia anterior.

– Você entendeu, Millie? – pressiona ela.

– Sim – respondo depressa. – Entendi.

Os olhos dela passam por mim de um jeito que me deixa muito desconfortável. Eu me remexo.

– A propósito, por que você nunca usa seus óculos?

Meus dedos voam para o meu rosto. Por que usei aqueles óculos bestas no primeiro dia? Nunca deveria ter usado aquela bobagem, e, quando ela me perguntou sobre eles no dia anterior, não deveria ter mentido.

– É…

Ela arqueia uma sobrancelha.

– Estive no banheiro do sótão e não vi nenhuma solução para lentes de contato. Eu não queria bisbilhotar, mas, se você for sair de carro por aí com a minha filha em algum momento, espero que enxergue direito.

– Claro… – Limpo as mãos suadas na calça jeans. Eu deveria abrir o jogo. – A questão é que na verdade eu não… – Pigarreio. – Na verdade, não preciso de óculos. Aqueles que eu estava usando no dia da entrevista eram mais… meio que decorativos, sabe?

Ela lambe os lábios.

– Entendi. Então você mentiu pra mim.

– Eu não estava mentindo. Era só um adereço.

– Sim. – Seus olhos azuis parecem gelo. – Mas depois eu te perguntei e você disse que estava de lente. Não foi?

– Ah. – Mexo as mãos. – Bem, acho que… sim, dessa vez eu menti. Acho que fiquei constrangida em relação aos óculos… Desculpa.

Os cantos de seus lábios repuxam para baixo.

– Por favor, nunca mais minta pra mim.

– Pode deixar. Desculpa mesmo.

Ela me encara por um momento, seus olhos ilegíveis. Então escaneia toda a sala, varrendo cada superfície com o olhar.

– E, por favor, limpe esta sala. Não estou te pagando pra flertar com o jardineiro.

Com essas palavras, Nina sai e bate a porta.

NOVE

Nina está em sua reunião da APM hoje à noite – a tal que eu *arruinei* jogando fora as anotações dela. Vai sair para comer alguma coisa com alguns dos outros pais, então fiquei encarregada de fazer o jantar para Andrew e Cecelia.

A casa fica muito mais silenciosa quando Nina não está. Não sei explicar, mas ela tem uma energia que preenche o espaço inteiro. Neste momento, estou sozinha na cozinha, selando um filé mignon na frigideira antes de colocá-lo no forno, e reina um silêncio celestial na casa dos Winchesters. Uma maravilha. Este trabalho seria tão bom se não fosse a minha...

Andrew tem um timing incrível e chega em casa bem quando estou tirando os bifes do forno e deixando-os descansar na bancada da cozinha. Ele dá uma espiada.

– O cheiro está muito bom… de novo.

– Obrigada. – Adiciono um pouco mais de sal ao purê de batatas, que já está encharcado de manteiga e creme de leite. – Você pode pedir a Cecelia para descer? Chamei duas vezes, mas…

Na verdade, chamei três vezes. Mesmo assim, ela não respondeu.

Andrew assente.

– Deixa comigo.

Pouco depois de Andrew desaparecer na sala de jantar e chamar o nome dela, ouço os passos rápidos da menina na escada. Então é assim que vai ser.

Sirvo dois pratos com bife, purê de batatas e brócolis. As porções são menores no prato de Cecelia, e não vou exigir que ela coma ou não o brócolis. Se o pai dela quiser que coma, pode muito bem obrigar a menina a fazer isso. Mas eu seria negligente se não oferecesse legume nenhum. Quando eu era criança, minha mãe sempre fazia questão de que houvesse uma porção de legumes no prato. Tenho certeza de que ela ainda está se perguntando onde errou na minha criação.

Cecelia está usando outro de seus vestidos extravagantes em uma cor pálida qualquer. Nunca vi essa menina usar roupas normais de criança, e isso parece errado. Não dá para brincar com os vestidos que Cecelia usa – são muito desconfortáveis e evidenciam cada partícula de sujeira. Ela se senta em uma das cadeiras da mesa de jantar, pega o guardanapo que coloquei na mesa e o apoia no colo delicadamente. Por um momento, fico um pouco encantada. Então ela abre a boca.

– Por que você me serviu água? – Ela torce o nariz para o copo de água filtrada que coloquei na frente do prato dela. – Eu *odeio* água. Traz suco de maçã.

Se eu tivesse falado com alguém assim quando era criança, minha mãe teria batido na minha mão e me mandado dizer "por favor". Mas Cecelia não é minha filha, e ainda não consegui simpatizar com ela desde que cheguei. Então, sorrio educadamente, levo a água embora e trago um copo de suco de maçã.

Quando coloco o novo copo na frente de Cecelia, ela o examina cuidadosamente. Segura-o contra a luz, semicerrando os olhos.

– Esse copo está sujo. Traz outro.

– Não está sujo – protesto. – Acabou de sair da máquina de lavar louça.

– Tá todo *manchado*. – Ela faz uma careta. – Não quero esse. Me dá outro.

Respiro profundamente, tentando me acalmar. Não vou discutir com essa garotinha. Se ela quer um copo novo para seu suco de maçã, lhe darei um copo novo.

Enquanto estou fazendo isso, Andrew se senta à mesa de jantar. Ele tirou a gravata e desabotoou o botão de cima da camisa branca de algodão, expondo um pequeno indício de pelos no peito. Tenho que desviar o olhar.

Homens são um terreno em que ainda estou aprendendo a transitar na minha vida pós-cadeia. E, por "aprendendo", é claro que quero dizer que estou evitando o assunto por completo. No meu último emprego como garçonete no tal bar – meu único emprego desde que deixei a prisão –, os clientes inevitavelmente me convidavam para sair. Eu sempre negava. Não há espaço na minha vida confusa para algo assim agora. E, é óbvio, os homens que me convidavam eram do tipo com quem eu não gostaria de sair jamais.

Fui para a prisão quando tinha 17 anos. Não era virgem, mas minhas únicas experiências sexuais incluíam transas desajeitadas no ensino médio. Ao longo do meu tempo na cadeia, em alguns momentos me senti atraída pelos guardas mais bonitos. Às vezes, chegava a doer. E uma das coisas pelas quais ansiava quando saí de lá era a possibilidade de ter um relacionamento com um homem. Ou até mesmo sentir os lábios de um pressionados contra os meus. Eu quero isso. Claro que quero.

Mas não agora. Algum dia.

Ainda assim, quando olho para alguém como Andrew Winchester, penso no fato de que faz mais de uma década que não *toco* em um homem – não dessa maneira, ao menos. Ele não é nada parecido com aqueles esquisitos do bar decadente onde eu servia as mesas. Quando finalmente me abrir de novo para isso, ele é o tipo de homem que vou buscar. Desde que, obviamente, não seja casado.

Uma ideia me ocorre: se eu quiser liberar um pouco da tensão, Enzo pode ser um bom candidato. Não, ele não fala inglês. Mas, se for apenas uma noite, isso não deveria importar. Ele tem cara de que saberia o que fazer sem ter que falar muito. E, ao contrário de Andrew, não usa aliança, embora seja impossível não imaginar quem seria essa tal de Antonia, cujo nome está tatuado em seu braço.

Eu me forço a abandonar minhas fantasias com o jardineiro sexy enquanto volto para a cozinha para buscar os dois pratos de comida. Os olhos de Andrew se iluminam quando vê o bife suculento, grelhado com perfeição. Estou muito orgulhosa de como ficou.

– Isso parece incrível, Millie! – exclama ele.

– Obrigada.

Olho para Cecelia, que tem a resposta oposta na ponta da língua.

– Que nojo! Isso é bife – fala ela, afirmando o óbvio, acho.

– Bife é bom, Cece – diz Andrew à menina. – Você deveria provar.

Cecelia olha para o pai e depois de volta para o prato. Ela cutuca o bife delicadamente com o garfo, com uma expressão de sofrimento no rosto, como se estivesse com medo de que ele pudesse pular do prato e entrar na sua boca.

– Cece… – começa Andrew.

Olho para Cecelia e para Andrew, sem saber o que fazer. Agora me ocorre que eu provavelmente não deveria ter feito um bife para uma menina de 9 anos. Apenas presumi que ela teria bom gosto, morando em um lugar como este.

– É… Quer que eu…?

Andrew empurra a cadeira para trás e pega o prato de Cecelia da mesa.

– Está bem, vou fazer uns nuggets pra você.

Sigo Andrew de volta à cozinha, me desculpando sem parar. Ele apenas ri.

– Não liga pra isso. Cecelia é obcecada por frango, principalmente por nuggets de frango. A gente poderia estar jantando no restaurante mais chique de Long Island, e mesmo assim ela pediria nuggets.

Meus ombros relaxam um pouco.

– Você não tem que fazer isso. Eu posso fazer os nuggets pra ela.

Andrew coloca o prato da filha na bancada da cozinha e aponta um dedo para mim.

– Ah, tenho, sim. Se você vai trabalhar aqui, precisa de um tutorial.

– Está bem.

Ele abre o freezer e tira um pacote gigante de nuggets de frango.

– Olha só, estes são os nuggets que a Cecelia gosta. Não compre outras marcas. Qualquer outra coisa é inaceitável. – Ele se atrapalha com o selo Ziploc no pacote e remove um dos nuggets congelados. – Eles devem vir em formato de dinossauro. Dinossauro… ok?

Não consigo reprimir um sorriso.

– Ok.

– Além disso – diz ele, erguendo o nugget –, você precisa primeiro examinar o nugget pra ver se tem alguma deformidade. Se, por acaso, tem uma cabeça, perna ou cauda faltando. Se o nugget de dinossauro tiver algum desses defeitos gravíssimos, ele *vai ser* rejeitado. – Agora Andrew puxa um prato do armário acima do micro-ondas e coloca cinco nuggets perfeitos nele. – Ela gosta de comer cinco nuggets. Você coloca eles no micro-ondas por exatamente noventa segundos. Menos, ainda está congelado; mais, fica passado. É um equilíbrio muito tênue.

Assinto solenemente.

– Entendi.

Enquanto os nuggets de frango giram no micro-ondas, ele olha ao redor da cozinha, que é pelo menos duas vezes maior que o apartamento do qual fui despejada.

– Eu não sei nem dizer quanto dinheiro gastamos reformando esta cozinha, e a Cecelia não come nada que não saia do micro-ondas.

As palavras "pirralha mimada" estão na ponta da minha língua, mas não digo nada.

– Ela sabe do que gosta.

– Com certeza. – O micro-ondas apita e ele pega o prato de nuggets pelando. – E você? Já comeu?

– Vou levar um prato para o quarto.

Ele levanta uma sobrancelha.

– Não quer comer com a gente?

Parte de mim gostaria de se juntar a ele. Há algo muito envolvente em Andrew Winchester, e é impossível não querer conhecê-lo melhor. Mas, ao mesmo tempo, seria um erro. Se Nina entrasse e visse nós dois rindo à mesa de jantar, não iria gostar. Também tenho a sensação de que Cecelia não vai deixar que a noite seja agradável.

– Prefiro comer no meu quarto mesmo.

Ele parece que vai protestar, mas depois pensa melhor.

– Desculpa. Nós nunca tivemos uma empregada que morasse aqui antes, então não sei exatamente como me comportar.

– Nem eu – admito. – Mas acho que Nina não ia gostar se me visse comendo com você.

Prendo a respiração, me perguntando se passei dos limites ao afirmar o óbvio. Mas Andrew apenas assente.

– Acho que você tem razão.

– Enfim. – Levanto o queixo para encarar os olhos dele. – Obrigada pelo tutorial sobre os nuggets.

Ele sorri para mim.

– Sempre que precisar.

Andrew leva o prato com os nuggets para a sala de jantar. Depois que ele se retira, engulo a comida do prato rejeitado por Cecelia, ainda de pé diante da pia da cozinha, depois vou para o meu quarto.

DEZ

Uma semana depois, ao descer para a sala, encontro Nina segurando um saco de lixo cheio. Meu primeiro pensamento é: *Ai, meu Deus, o que foi agora?*

Em apenas uma semana morando com os Winchesters, sinto como se estivesse aqui há anos. Não, *séculos*. O humor de Nina é extremamente imprevisível. Em um momento, ela está me abraçando e me dizendo o quanto gosta que eu esteja aqui. No seguinte, está me repreendendo por não concluir uma tarefa que ela nunca me pediu para fazer. Ela é volúvel, para dizer o mínimo. E Cecelia é uma pirralha abusada, que claramente se ressente da minha presença. Se eu tivesse outras opções, pediria demissão.

Mas não tenho, então não faço isso.

O único membro da família que não é completamente intolerável é Andrew. Ele não fica muito em casa, mas minhas poucas interações com ele têm sido… sem complicações. E, nesse caso, fico bastante satisfeita com *sem complicações*. Na verdade, às vezes sinto pena dele. Não deve ser fácil ser casado com Nina.

Paro na entrada da sala de estar, tentando descobrir o que Nina poderia estar fazendo com um saco de lixo na mão. Será que ela quer que eu separe o lixo de agora em diante em ordem alfabética, por cor e cheiro? Comprei alguma marca de saco de lixo inaceitável e agora preciso ensacar de novo o conteúdo? Não sei nem por onde começar a tentar adivinhar.

– Millie! – chama ela.

Meu estômago embrulha. Tenho a sensação de que estou prestes a descobrir o que ela quer que eu faça com o lixo.

– Sim?

Ela acena, me chamando. Tento caminhar como se não estivesse rumo à forca. Não é fácil.

– Aconteceu alguma coisa?

Nina pega o pesado saco de lixo e o atira em seu lindo sofá de couro. Faço uma careta, querendo dizer para ela não espalhar lixo naquele couro tão caro.

– Acabei de dar uma olhada no meu armário – diz ela. – E, infelizmente, alguns dos meus vestidos se tornaram um *pouquinho* pequenos demais. Então juntei todos nessa sacola. Você faria a gentileza de levar pra doação?

Só isso? Não é tão ruim assim.

– Claro, tudo bem.

– Na verdade… – Nina dá um passo para trás, seus olhos me examinando. – Que tamanho você veste?

– É… 40.

Seu rosto se ilumina.

– Ah, perfeito, então! Esses vestidos são todos 40 ou 42.

Como assim 40 ou 42? Nina parece vestir no mínimo 48. Ela não deve fazer uma limpa no armário há um bom tempo.

– Ah…

– Você deveria ficar com eles – sugere ela. – Você não tem nenhuma roupa bonita.

Estremeço com o que ela diz, embora Nina tenha razão. Não tenho mesmo nenhuma roupa bonita.

– Não sei bem se eu deveria…

– Claro que deveria! – Ela empurra a sacola na minha direção. – Eles vão ficar incríveis em você. Eu insisto!

Aceito a sacola e a abro. Há um vestidinho branco em cima e eu o puxo para fora. Parece incrivelmente caro e o tecido é tão macio que quero me banhar nele. Ela tem razão. Ficaria incrível em mim – ficaria incrível em qualquer pessoa.

Se eu decidir sair por aí e começar a namorar de novo, seria bom ter algumas roupas decentes, mesmo que seja tudo branco.

– Está bem – concordo. – Muito obrigada. É muito generoso da sua parte.

– Imagina! Espero que faça bom proveito deles.

– E se você decidir que quer os vestidos de volta, é só me avisar.

Quando ela joga a cabeça para trás, dando risada, sua papada balança.

– Acho que não vou diminuir de tamanho tão cedo. Principalmente porque eu e o Andy vamos ter um bebê.

Fico boquiaberta.

– Você está grávida?

Não tenho certeza se Nina estar grávida é uma coisa boa ou ruim, embora isso explicasse seu mau humor. Mas ela faz que não.

– Ainda não. Estamos tentando há um tempinho, mas não conseguimos. Mas nós dois estamos realmente ansiosos pra ter um bebê e em breve vamos ter uma consulta com um especialista. Então, acho que ano que vem ou coisa assim haverá outra criança aqui em casa.

Não sei bem como responder.

– Hum… Parabéns – digo, hesitante.

– Obrigada. – Ela sorri para mim. – Enfim, aproveite as roupas, Millie, por favor. Além disso, tenho outra coisa pra você. – Ela remexe em sua bolsa branca e tira uma chave. – Você queria a chave do seu quarto, não é?

– Obrigada.

Depois daquela primeira noite, quando acordei aterrorizada achando que estava trancada no quarto, não pensei mais sobre a tranca. Percebi que a porta emperra um pouco, mas não tem ninguém entrando sorrateiramente no meu quarto e me fechando lá dentro. Não é que a chave vá ajudar se eu estiver do lado de dentro, mas a coloco no bolso mesmo assim. Pode ser bom trancar a porta quando eu sair do quarto. Nina tem cara de bisbilhoteira. Além disso, este parece ser um bom momento para trazer outra das minhas preocupações.

– Outra coisa. A janela do quarto não abre, parece selada com tinta.

– É mesmo? – Nina parece achar essa informação particularmente desinteressante.

– Pode ser perigoso em caso de incêndio.

Ela olha para as unhas e franze a testa para uma em que o esmalte branco está lascado.

– Acho que não.

– Não tenho certeza, mas… bem, o quarto deveria ter uma janela que abre, não? Fica bastante abafado lá em cima.

Na verdade, não fica – o sótão é arejado, ao menos. Mas vou dizer o que for preciso se isso significa conseguir que a janela seja consertada. Odeio a ideia de a única janela do quarto estar selada com tinta.

– Vou mandar alguém dar uma olhada nisso, então – diz ela de um jeito que me faz pensar que jamais vai pedir para alguém dar uma olhada e que jamais terei uma janela que abra. Então ela olha para o saco de lixo. – Millie, fico feliz em te dar as minhas roupas, mas, por favor, não deixa esse saco de lixo largado na sala. É falta de educação.

– Ah, desculpa – murmuro.

E então ela suspira, como se não me aguentasse mais.

ONZE

– Millie! – A voz de Nina soa frenética do outro lado da linha. – Preciso que você busque a Cecelia na escola!

Tenho uma pilha de roupas nos braços e o celular entre o ombro e a orelha. Sempre atendo imediatamente quando Nina liga, não importa o que eu esteja fazendo. Porque, se não o fizer, ela começa a ligar e ligar (e ligar) até que eu atenda.

– Claro, sem problemas.

– Ai, obrigada! Você é *tão* querida! É na Winter Academy, às 14h45! Você é a melhor, Millie!

Antes que eu possa fazer qualquer outra pergunta, como, por exemplo, onde devo encontrar Cecelia ou o endereço da Winter Academy, ela desliga. Quando tiro o telefone da orelha, sinto uma pontada de pânico ao ver a hora. Tenho menos de quinze minutos para descobrir onde fica a escola e buscar a filha dela. A roupa suja vai ter que esperar.

Digito o nome da escola no Google enquanto desço as escadas correndo. Nenhum resultado. A escola mais próxima com esse nome fica em Wisconsin, e, embora Nina faça alguns pedidos estranhos, duvido que ela espere que eu chegue em Wisconsin em quinze minutos para buscar a filha dela. Ligo de volta para Nina, mas, como já esperava, ela não atende. Andy também não, quando tento contato com ele.

Maravilha.

Enquanto ando de um lado para outro na cozinha, tentando descobrir o que fazer, noto um pedaço de papel grudado na geladeira com um ímã. É um calendário de férias escolares. Da *Windsor* Academy.

Ela disse Winter. Winter Academy. Tenho certeza.

Não foi?

Não tenho tempo para me perguntar se Nina me disse o nome errado ou se não sabe o nome da escola na qual a própria filha estuda, da qual também é a vice-presidente da APM. Felizmente, há um endereço no folheto, então sei exatamente aonde ir. E só tenho dez minutos para chegar lá.

Os Winchesters moram em uma cidade onde ficam algumas das melhores escolas públicas do país, mas Cecelia frequenta um colégio particular, porque sim, obviamente. A Windsor Academy é um edifício enorme e elegante com muitas colunas de marfim, tijolos marrom-escuros e hera correndo pelas paredes, o que faz com que me sinta buscando Cecelia em Hogwarts, ou algo fora da realidade desse jeito. Outra coisa que gostaria que Nina tivesse me avisado era sobre a questão do estacionamento na hora da saída. É um verdadeiro pesadelo. Preciso dar inúmeras voltas em busca de uma vaga e, por fim, consigo me espremer entre um Mercedes e um Rolls-Royce. Estou com medo de que alguém acabe rebocando meu Nissan amassado apenas por uma questão de princípios.

Dado o pouco tempo que tive para chegar à escola, estou bufando enquanto corro esbaforida em direção à entrada. E, claro, há cinco diferentes. De qual delas Cecelia sairá? Não há nenhum tipo de sinalização sobre isso. Tento ligar para Nina novamente, mas, mais uma vez, a chamada vai para o correio de voz. Onde ela *está*? Não é da minha conta, mas a mulher não tem um emprego e eu cuido de todas as tarefas da casa. O que ela poderia estar fazendo?

Depois de questionar vários pais impacientes, descubro que Cecelia sairá da última porta, na lateral direita do prédio. Como estou determinada a não cometer nenhum erro, no entanto, me aproximo de duas mulheres imaculadamente vestidas conversando na frente do portão e pergunto:

– Esta é a saída para os alunos do quarto ano?

– É, sim. – A mais magra das duas, uma mulher branca com cabelos castanhos e as sobrancelhas mais perfeitas que já vi, me olha de cima a baixo. – Quem você está procurando?

Eu me encolho sob o olhar dela.

– Cecelia Winchester.

As duas se entreolham.

– Você deve ser a faxineira nova da Nina – diz a mulher mais baixa, uma ruiva.

– Empregada – corrijo, embora não saiba por quê; Nina pode me chamar do que quiser.

A mulher de cabelo castanho ri do meu comentário, mas não diz nada.

– Então, como está sendo trabalhar lá até agora?

Ela está tentando descobrir algum podre. Boa sorte para ela com isso – não vou dizer nada.

– Ótimo.

As mulheres se entreolham de novo.

– Quer dizer que a Nina não está te infernizando? – pergunta a ruiva.

– Como assim? – falo com cautela.

Não quero fofocar com essas duas víboras, mas, ao mesmo tempo, estou curiosa em relação a Nina.

– Nina é um pouco… tensa.

– Nina é pirada – comenta a ruiva. – *Literalmente.*

Respiro fundo, apreensiva.

– O quê?

A mulher dá uma cotovelada na ruiva com força suficiente para fazer a amiga se engasgar.

– Nada. Ela só está brincando.

Nesse momento, os portões da escola se abrem e as crianças saem. Se havia alguma chance de obter mais informações dessas duas mulheres, ela se foi, pois ambas se movem na direção dos próprios filhos. Mas não consigo parar de pensar no que elas disseram.

Vejo o cabelo louro-claro de Cecelia perto da porta. Embora a maioria das outras crianças esteja vestindo calça jeans e camiseta, ela está usando outro vestido de renda, desta vez de um verde-claro da cor do mar. Ela se destaca em meio à multidão de crianças. Não tenho nenhuma dificuldade em não a perder de vista enquanto me aproximo.

– Cecelia! – Sacudo o braço freneticamente quando me aproximo. – Eu vim te buscar!

A menina olha para mim como se preferisse entrar na traseira da van de algum sem-teto barbudo a ir para casa comigo. Ela balança a cabeça e se afasta de mim.

– Cecelia! – chamo com mais vigor. – Vamos. Sua mãe me pediu para vir te buscar.

Ela se vira para mim e seus olhos dizem que me acha uma ignorante.

– Ela não pediu, não. A mãe da Sophia vai me pegar e me levar pro caratê.

Antes que eu possa protestar, uma mulher de 40 e poucos anos vestindo calças de ioga e um suéter se aproxima e pousa a mão no ombro de Cecelia.

– Prontas para o caratê, meninas?

Pisco diante da cena, aturdida. A mulher não tem cara de sequestradora. Mas obviamente houve algum mal-entendido. Nina me ligou e pediu que buscasse Cecelia. Ela foi muito clara em relação a isso. Bem, exceto pelo fato de ter me dito o nome da escola errado. Tirando isso, foi muito clara.

– Com licença – falo para a mulher. – Eu trabalho para os Winchesters. Nina me pediu pra buscar a Cecelia hoje.

A mulher arqueia uma sobrancelha e coloca uma mão com unhas recém-feitas no quadril.

– Acho que não. Eu busco a Cecelia toda quarta e levo as meninas para o caratê. Nina não mencionou nenhuma mudança de planos. Talvez *você* tenha entendido errado.

– Não entendi, não – protesto, mas minha voz vacila.

A mulher enfia a mão na bolsa Gucci e pega o telefone.

– Vamos esclarecer isso com a Nina, está bem?

Observo enquanto ela pressiona um botão no celular. A mulher bate as unhas compridas na bolsa enquanto espera que Nina atenda.

– Alô, Nina? É a Rachel. – Ela faz uma pausa. – Sim, bom, tem uma *garota* aqui dizendo que você pediu a ela para buscar a Cecelia, mas expliquei que levo a Cecelia para o caratê toda quarta-feira. – Outra longa pausa enquanto a mulher, Rachel, assente. – Claro, foi exatamente o que eu disse a ela. Que bom que liguei pra confirmar. – Depois de outra pausa, Rachel ri. – Eu sei *muito bem* o que você quer dizer. É difícil *demais* encontrar alguém bom.

Não é difícil imaginar o fim da conversa com Nina.

– Bem – diz Rachel. – Exatamente como imaginei. Nina disse que você se atrapalhou. Vou seguir com o planejado e levar a Cecelia pro caratê.

E então, para colocar a cereja no bolo, Cecelia mostra a língua para mim. O lado positivo é que não tenho que dirigir até em casa com ela junto.

Pego meu telefone para verificar se há alguma mensagem de Nina, retirando seu pedido para que eu buscasse Cecelia. Nada. Escrevo uma mensagem para ela:

Uma mulher chamada Rachel acabou de ligar pra você e disse que você pediu que ela levasse a Cecelia para o caratê. Vou pra casa, então?

A resposta de Nina vem um segundo depois:

Vai. Por que raios você achou que eu queria que você fosse buscar a Cecelia?

Porque você me pediu! Meu maxilar se retesa, mas não posso deixar que isso me afete.

Nina é assim. E há muitas coisas boas em trabalhar para ela. (Ou *com* ela – ha-ha!) Ela é só um pouco volúvel. Um pouco excêntrica.

Nina é pirada. Literalmente.

Não consigo não pensar no que aquela ruiva intrometida me disse. O que ela quis dizer com isso? Nina é mais do que apenas uma chefe excêntrica e exigente? Tem algo mais por trás disso?

Talvez seja melhor se eu não souber.

DOZE

Embora tenha me resignado a não me meter a saber o histórico de saúde mental de Nina, não consigo deixar de pensar no assunto. Eu trabalho para esta mulher. Eu *moro* com esta mulher.

E há mais coisas estranhas em relação a Nina. Como hoje de manhã, quando fui limpar o banheiro da suíte principal e fiquei pensando que ninguém com boa saúde mental seria capaz de deixar o lugar em tal nível de desordem – as toalhas no chão, pasta de dente grudada na louça da pia. Sei que a depressão às vezes pode deixar as pessoas desmotivadas a limpar as coisas, mas Nina tem motivação suficiente para sair todos os dias, seja lá aonde vá.

O pior foi encontrar um absorvente interno no chão alguns dias atrás, usado e cheio de sangue. Tive vontade de vomitar.

Enquanto estou esfregando a pasta de dente e as gotas de maquiagem grudadas na pia, meus olhos se desviam para o armário de remédios. Se Nina é realmente "pirada", provavelmente toma remédios, certo? Mas não posso olhar o armário de remédios. Isso seria uma enorme violação de confiança.

Entretanto, ninguém iria saber se eu desse uma olhada. Só uma olhadinha rápida.

Olho para o quarto. Não tem ninguém. Espio o corredor só para ter certeza. Estou sozinha. Volto para o banheiro e, depois de um momento de hesitação, abro o armário.

Uau, tem *muitos* remédios aqui.

Pego um dos frascos laranja de comprimidos. O nome estampado nele é Nina Winchester. Leio o nome do medicamento: haloperidol. Seja lá o que for isso.

Começo a pegar um segundo frasco quando uma voz chega pelo corredor.

– Millie? Você está aí?

Ah, não.

Rapidamente devolvo o frasco para o armário e o fecho. Meu coração está acelerado e um suor frio brota nas minhas mãos. Abro um sorriso bem a tempo de Nina irromper no quarto, vestindo uma blusa branca sem mangas e uma calça de brim da mesma cor. Ela para de repente ao me ver no banheiro.

– O que você está fazendo?

– Limpando o banheiro. – Não estou olhando seus remédios, imagina.

Nina semicerra os olhos para mim e, por um momento, tenho certeza de que vai me acusar de vasculhar o armário de remédios. E eu minto bem mal, então muito provavelmente ela vai descobrir a verdade. Mas então seus olhos se fixam na pia.

– Como você limpa a pia? – pergunta ela.

– Hum. – Levanto o borrifador que tenho na mão. – Eu uso esse produto de limpar pias.

– É *orgânico*?

– Eu… – Olho para a garrafa que peguei no supermercado na semana anterior. – Não. Não é.

A expressão dela muda.

– Eu prefiro os produtos de limpeza orgânicos, Millie. Eles não têm tantos aditivos químicos. Entende o que quero dizer?

– Claro…

Não digo o que estou pensando, ou seja, que não posso acreditar que uma mulher que tome tantos remédios esteja preocupada com meia dúzia de aditivos químicos em um produto de limpeza. Tipo, sim, eu uso na pia dela, mas ela não está *ingerindo* nenhum deles. Não vão parar na corrente sanguínea dela.

– Só acho que… – ela franze a testa – ... você não está limpando a pia direito. Posso ver como está fazendo? Quero ver o que você está fazendo de errado.

Ela quer me ver limpar a pia?

– Está bem…

Borrifo mais do produto na pia e esfrego a louça até que o resíduo de pasta de dente desapareça. Olho para Nina, que está balançando a cabeça, pensativa.

– Está certo. Acho que a questão é mesmo como você limpa a pia quando eu *não* estou vendo.

– É… do mesmo jeito?

– Hum. Duvido muito. – Ela revira os olhos. – Enfim, não tenho tempo pra supervisionar a limpeza o dia inteiro. Tenta fazer o trabalho direito desta vez.

– Claro – murmuro. – Pode deixar.

Nina sai do quarto para ir ao spa, ou almoçar com as amigas, ou o que quer que faça para ocupar o tempo, porque não tem emprego. Olho de volta para a pia, que agora está impecável. Sou tomada pelo desejo irreprimível de mergulhar a escova de dentes dela na privada.

Não faço isso. Em vez disso, pego meu telefone e digito a palavra "haloperidol".

Vários resultados preenchem a tela. O haloperidol é um medicamento antipsicótico, usado para tratar esquizofrenia, transtorno bipolar, delírio, agitação e psicose aguda.

E isso é apenas *um* de pelo menos uma dúzia de frascos de comprimidos. Deus sabe o que mais tem lá. Parte de mim está morrendo de vergonha por ter olhado. E outra parte está com medo do que mais posso encontrar.

TREZE

Estou ocupada passando aspirador na sala quando a sombra cruza a janela.

Vou até a janela e, de fato, Enzo está trabalhando no quintal hoje. Pelo que sei, ele alterna de casa dependendo do dia, fazendo várias tarefas de jardinagem e paisagismo. Neste momento, está cavando o canteiro de flores no jardim da frente.

Pego um copo vazio na cozinha e o encho com água gelada, então vou para fora.

Não tenho certeza do que espero descobrir. Mas, desde que aquelas duas mulheres falaram sobre Nina ser louca ("literalmente"), não consigo parar de pensar nisso. Aí encontrei aquele antipsicótico no armário de remédios dela. Longe de mim julgá-la por ter problemas psicológicos – conheci muitas mulheres que lutavam contra doenças mentais na cadeia –, mas seria uma informação útil para mim. Talvez eu pudesse até ajudá-la se a entendesse melhor.

Eu me lembro de como no meu primeiro dia Enzo parecia estar me alertando sobre algo. Nina não está em casa, Andrew está no trabalho e Cecelia está na escola, então parece o momento perfeito para fazer algumas perguntas. A única pequena complicação é que ele mal fala inglês.

Bem, não custa tentar. E tenho certeza de que ele está com sede e vai apreciar a água.

Quando saio, Enzo está ocupado cavando um buraco no chão. Ele parece intensamente focado em sua tarefa, mesmo depois de eu dar um pigarro bem alto. Dois, na verdade. Finalmente, aceno com a mão e digo:

– *Hola*.

Acho que isso também é espanhol.

Enzo ergue a cabeça do buraco que estava cavando, uma expressão contente em seus lábios.

– *Ciao* – diz ele.

– *Ciao* – me corrijo, prometendo a mim mesma acertar da próxima vez.

Ele tem um V de suor na camiseta, que está grudada na pele, enfatizando cada músculo. E não são músculos de um fisiculturista – são os músculos firmes de um homem que faz trabalho braçal para viver.

Estou olhando mesmo, e daí? Olhar não tira pedaço.

Dou mais um pigarro.

– Eu trouxe… hum, água pra você. Como se diz…?

– *Aqua* – responde ele.

Assinto vigorosamente.

– É. Isso.

Viu só? Estamos conseguindo, nos comunicando. Estamos indo muito bem.

Enzo caminha até mim e, agradecido, pega o copo d'água. Ele vira metade do líquido no que parece ser um único gole. Solta um suspiro e seca os lábios com as costas da mão.

– *Grazie*.

– De nada. – Sorrio para ele. – Então, é… Você trabalha para os Winchesters há muito tempo? – Ele me olha sem entender. – Tipo, você… você trabalha aqui… há quantos anos?

Ele toma outro gole. Já esvaziou quase três quartos do copo. Quando acabar, vai voltar ao trabalho – não tenho muito tempo.

– *Tre anni* – diz ele por fim. Em seguida, acrescenta em inglês com forte sotaque: – Três anos.

– E, é… – Aperto minhas mãos. – Nina Winchester… Você…

Ele franze a testa para mim. Mas não é um olhar vazio, como se não me entendesse. Parece estar esperando para ouvir o que vou dizer. Talvez entenda inglês melhor do que consiga falar.

– Você… – começo de novo. – Você acha que a Nina é… Bem, você gosta dela?

Enzo semicerra os olhos. Toma outro longo gole d'água, então devolve o copo na minha mão. Sem dizer uma palavra, ele se vira em direção ao buraco que estava cavando, pega a pá e volta ao trabalho.

Abro a boca para tentar de novo, mas depois a fecho. Quando cheguei aqui, Enzo estava tentando me avisar sobre algo, mas Nina abriu a porta antes que ele pudesse dizer qualquer coisa. E, obviamente, ele mudou de ideia. O que quer que Enzo saiba ou pense, não vai me contar. Pelo menos, não agora.

CATORZE

Estou morando com os Winchesters há cerca de três semanas quando tenho minha primeira reunião com a oficial responsável pela minha condicional. Esperei para agendar no meu dia de folga. Não quero que saibam para onde estou indo.

Tenho reuniões apenas uma vez por mês com minha agente, Pam, uma mulher atarracada de meia-idade com um maxilar bem marcado. Assim que saí da prisão, fui morar em uma casa subsidiada pelo presídio, mas, depois que Pam me ajudou a conseguir o emprego de garçonete, saí de lá e arranjei minha própria casa. Depois, perdi o emprego de garçonete, mas jamais cheguei a contar nada disso para Pam. Também nunca contei sobre o despejo. No nosso último encontro, há pouco mais de um mês, menti descaradamente.

Mentir para um oficial de condicional configura uma violação da própria condicional. Não ter residência e morar dentro do seu carro também é uma violação da condicional. Não gosto de mentir, mas não queria ter esse direito revogado e acabar voltando para a cadeia para cumprir os últimos cinco anos da minha sentença. Não podia deixar isso acontecer.

Mas as coisas mudaram. Posso ser cem por cento sincera com Pam hoje. Bem, quase cem por cento.

Apesar de ser um dia fresco de primavera, faz uns 38 graus na salinha apertada de Pam. Metade do ano, o escritório dela é uma sauna, e na outra metade é um frigorífico. Não há meio-termo. Ela está com a pequena janela aberta, e há um ventilador soprando as dezenas de papéis ao redor de sua mesa. Pam precisa manter as mãos sobre eles para evitar que saiam voando.

– Millie. – Ela sorri para mim quando entro. É uma pessoa bacana e realmente parece querer me ajudar, o que faz com que eu me sinta ainda pior por ter mentido para ela. – Que bom te ver! Como vão as coisas?

Eu me acomodo em uma das cadeiras de madeira na frente de sua mesa.

– Tudo ótimo! – Isso não é tão verdade assim. Mas está tudo indo bem; bem o suficiente. – Nada a informar.

Pam vasculha os papéis em sua mesa.

– Recebi sua mensagem sobre a mudança de endereço. Você está trabalhando pra uma família em Long Island como empregada?

– Isso mesmo.

– Não gostou do trabalho no Charlie's?

Mordo o lábio.

– Não muito.

Esta é uma das coisas sobre as quais minto. Dizer a ela que larguei o emprego no Charlie's, quando a realidade é que eles me demitiram. Mas foi *completamente* injusto.

Pelo menos tive a sorte de terem me demitido discretamente, sem envolver a polícia. Isso foi parte do acordo – eu saio de fininho e eles não envolvem as autoridades. Não tive muita escolha. Se tivessem ido à polícia contar o que aconteceu, eu teria voltado para a prisão.

Por isso, não contei a Pam que fui demitida, porque, se contasse, ela teria ligado para o pessoal do Charlie's a fim de descobrir o motivo. Depois, quando perdi o apartamento, também não pude contar a ela.

Mas agora está tudo bem. Tenho um novo emprego e um lugar para morar. Não corro o risco de ser presa de novo. No meu último encontro com Pam, estava uma pilha de nervos, mas desta vez me sinto bem.

– Estou orgulhosa de você, Millie. Pessoas que estiveram encarceradas desde a adolescência às vezes têm dificuldade de se ajustar, mas você se saiu muito bem.

– Obrigada.

Não, ela definitivamente não precisa saber sobre aquele mês em que morei no meu carro.

– Então, como é esse novo emprego? Como eles estão tratando você?

– Hum… – Esfrego as mãos nos joelhos. – Está tudo bem. A mulher pra quem eu trabalho é um pouco... excêntrica. Mas só tenho que cuidar da limpeza. Nada de mais.

Outra coisa que é uma pequena mentira. Não quero contar a ela que Nina Winchester está me deixando cada vez mais desconfortável. Pesquisei na internet para ver se ela mesma tinha algum tipo de registro policial. Nada apareceu, mas não paguei pela verificação de antecedentes de fato. De todo modo, Nina é rica o suficiente para manter sua ficha limpa.

– Bom, isso é ótimo – afirma Pam. – E como anda sua vida social?

Tecnicamente, essa não é uma área sobre a qual um oficial de condicional deveria estar questionando, mas Pam e eu nos tornamos amigas, então não me importo com a pergunta.

– Inexistente.

Ela joga a cabeça para trás e dá uma gargalhada, de modo que consigo ver uma obturação brilhante no fundo de sua boca.

– Entendo que ainda não se sinta pronta pra namorar, mas você deveria tentar fazer amigos, Millie.

– É – respondo, embora seja da boca para fora.

– E, quando começar a namorar – continua ela –, não se contente com qualquer um. Não namore um babaca qualquer só porque você é ex-presidiária. Você merece alguém que te trate bem.

– Hum...

Por um momento, me permito pensar na possibilidade de namorar um homem no futuro. Fecho os olhos, tentando imaginar como ele seria. A imagem de Andrew Winchester brota na minha cabeça sem querer, aquele charme natural e o sorriso bonito.

Meus olhos se abrem. Ah, não. Sem chance. Eu não posso nem *pensar* nisso.

– Além disso – acrescenta Pam –, você é linda. Não deveria se privar.

Quase dou uma gargalhada. Tenho feito tudo que posso para parecer o menos atraente possível. Uso roupas largas, sempre mantenho meu cabelo preso em um coque ou um rabo de cavalo, e até hoje não passei um pingo de maquiagem. Mas, mesmo assim, Nina me olha como se eu fosse uma espécie de mulher fatal.

– Só não estou pronta ainda pra pensar nisso.

– Tudo bem – responde Pam. – Mas lembre-se: ter um emprego e um teto é importante, mas as conexões humanas são ainda mais.

Ela pode ter razão, mas não estou pronta para isso agora; tenho que me concentrar em manter minha ficha limpa. A última coisa que quero é voltar para a cadeia. É só isso que importa.

• • •

Tenho dificuldade para dormir à noite.

Quando você está na cadeia, dorme sempre com um olho aberto, com medo do que pode acontecer à sua volta. E, mesmo depois de sair, o instinto não me abandonou. Depois que passei a ter uma cama de verdade, consegui dormir muito bem por um tempo, mas agora minha antiga insônia voltou com força total. Principalmente porque meu quarto está insuportavelmente abafado.

Meu primeiro pagamento foi depositado na minha conta bancária e, na próxima oportunidade que tiver, vou sair e comprar uma televisão para o meu quarto. Talvez consiga pegar no sono se deixar o aparelho ligado. O som vai parecer o barulho do presídio à noite.

Até agora hesitei em usar a televisão dos Winchesters. Não a do cinema imenso, claro, mas a TV "normal" da sala de estar. Acho que não seria grande coisa, considerando que Nina e Andrew vão para a cama cedo. Eles têm uma rotina muito regrada todas as noites. Nina sobe para colocar Cecelia na cama exatamente às 20h30. Posso ouvi-la lendo uma história de ninar e depois cantando para a filha. Todas as noites, ela canta a mesma música: "Somewhere Over the Rainbow", do filme *O Mágico de Oz*. Nina não parece ter nenhum treinamento vocal, mas há algo estranho e assombrosamente lindo no jeito que ela canta para Cecelia.

Depois que a filha vai dormir, Nina lê ou assiste à televisão no quarto. Andrew sobe um pouco depois. Se eu descer depois das dez, o andar vai estar completamente vazio.

Então, nesta noite em específico, decidi aproveitar.

É por isso que estou esparramada no sofá, assistindo a um programa de perguntas e respostas. É quase uma da manhã, então o alto nível de energia dos competidores parece quase bizarro. O apresentador tira sarro deles e, apesar de estar cansada, rio alto quando um dos competidores se levanta para demonstrar suas habilidades de sapateado. Eu costumava assistir ao programa quando era criança e sempre me imaginei participando; não sei exatamente quem teria convidado para ir comigo. Meus pais, eu – éramos três... Quem mais eu poderia ter convidado?

– O que você está assistindo?

Levanto a cabeça, sobressaltada. É tarde da noite, mas Andrew Winchester está sei lá como atrás de mim, tão acordado quanto as pessoas na tela da televisão.

Droga. Eu sabia que deveria ter ficado no meu quarto.

– Ah! Eu, é... Desculpa. Eu não queria...

Ele arqueia uma sobrancelha.

– Pelo que você está se desculpando? Você mora aqui também. Tem todo o direito de assistir à televisão.

Pego uma almofada no sofá para esconder o short de ginástica fininho que tenho usado para dormir. Além disso, estou sem sutiã.

– Eu estou querendo comprar uma pro meu quarto.

– Não tem problema usar a nossa TV, Millie. De todo modo, o sinal lá em cima não vai ser muito bom. – O branco dos olhos dele brilha à luz da televisão. – Vou te deixar em paz já, já. Vim só pegar um copo d'água.

Eu me sento no sofá, pressionando a almofada contra o peito, me perguntando se deveria subir. Vai ser impossível dormir agora porque meu coração está acelerado. Ele disse que só ia pegar um pouco de água, então talvez eu fique. Vejo Andrew entrar na cozinha e ouço a torneira aberta.

Ele volta para a sala de estar, tomando um gole d'água do copo. É quando percebo que está apenas com uma camiseta branca e de cueca samba-canção. Pelo menos não está sem camisa.

– Por que você pegou água da torneira? – Não consigo deixar de perguntar.

Ele se joga ao meu lado no sofá, embora eu desejasse que não tivesse feito isso.

– Como assim?

Seria grosseria me levantar, então me afasto o máximo que posso. A última coisa de que preciso é Nina vendo nós dois aconchegados no sofá usando roupas íntimas.

– Você não usou o filtro de água da geladeira.

Ele ri.

– Sei lá. Eu sempre peguei água da torneira. Está envenenada, por acaso?

– Não sei. Acho que tem produtos químicos.

Ele passa a mão pelo cabelo escuro até ficar um pouco espetado.

– Estou com fome, sei lá por quê. Tem alguma sobra do jantar na geladeira?

– Não, sinto muito.

– Hum. – Ele esfrega a barriga. – Seria muita falta de educação se eu comesse um pouco de manteiga de amendoim direto do pote?

Eu me encolho com a menção à manteiga de amendoim.

– Contanto que não coma perto da Cecelia, não.

Ele inclina a cabeça.

– Por quê?

– Você sabe, porque ela é alérgica.

Nesta casa, eles realmente não parecem levar muito a sério a alergia mortal que Cecelia tem a amendoim.

Mais surpreendentemente ainda, Andrew ri.

– Ela não é, não.

– É, sim. Ela me disse que é. No meu primeiro dia aqui.

– Hum, acho que eu saberia se a minha filha tivesse alergia a amendoim. – Ele bufa. – Você acha que manteríamos um pote imenso daqueles na despensa se ela fosse alérgica?

Foi exatamente o que pensei quando Cecelia me falou da tal alergia. Será que ela inventou aquilo só para me torturar? Não duvido. Só que Nina também disse que Cecelia era alérgica a amendoim. O que está acontecendo aqui? Mas Andrew encerra o assunto: o fato de haver um imenso pote de manteiga de amendoim na despensa indica que ninguém aqui tem uma alergia mortal a amendoim.

– Mirtilos – diz ele.

Eu franzo a testa.

– Acho que não tem mirtilos na geladeira.

– Não. – Ele meneia a cabeça em direção à tela da televisão, onde a segunda rodada de perguntas acabou de começar. – Eles entrevistaram uma centena de pessoas e pediram que dissessem o nome de uma fruta que dava pra colocar inteira na boca.

O participante na tela responde mirtilos, e é a resposta número um. Andrew dá um soquinho no ar.

– Viu? Sabia! Eu ia me sair muito bem nesse programa.

– A resposta principal é sempre fácil de acertar – comento. – O mais difícil é chegar nas respostas mais obscuras.

– Muito bem, espertinha. – Ele sorri para mim. – Diz aí uma fruta que você consegue colocar inteira na boca.

– Hum... – Bato o indicador no queixo. – Uva.

Como era de se esperar, o participante seguinte responde "uva" e acerta.

– Retiro o que disse – diz Andrew. – Você é boa nisso também. Ok, que tal morango?

– Provavelmente está lá também, embora não seja uma boa ideia colocar um morango inteiro na boca porque tem as folhinhas e tudo mais.

Os participantes citam morangos e cerejas, mas ficam empacados na última resposta. Andrew começa a rir quando um deles diz "pêssego".

– Um pêssego! – diz ele às gargalhadas. – Quem é capaz de colocar um pêssego na boca? Teria que deslocar a mandíbula!

Dou risada.

– Melhor que uma melancia.

– Essa aí deve ser a resposta! Aposto qualquer coisa.

A última resposta do quadro acaba sendo "ameixa". Andrew balança a cabeça.

– Acho que não, hein. Queria ver a cara dos participantes que disseram que conseguem colocar uma ameixa inteira na boca.

– Isso deveria fazer parte do programa – comento. – Você ouve as cem pessoas entrevistadas e fica sabendo a lógica por trás das respostas delas.

– Você deveria escrever pra lá e sugerir isso – comenta ele com um tom sério. – Poderia revolucionar o programa.

Dou risada de novo. Quando conheci Andrew, presumi que fosse um cara rico e conservador, mas ele não é nada disso. Nina é pirada, mas Andrew é *legal*. Ele é completamente pé no chão, engraçado. E parece ser um bom pai para Cecelia.

A verdade é que às vezes sinto um pouco de pena dele.

Eu não deveria sentir isso. Nina é minha chefe. Ela me paga um salário e me ofereceu um lugar para viver. É a ela que devo lealdade. Mas, ao mesmo tempo, ela é *péssima*. É uma desleixada que vive me passando informações conflitantes e é capaz de ser incrivelmente cruel. Até Enzo, que deve ter 90 quilos de puro músculo, parece ter medo dela.

Claro, talvez eu não me sentisse assim se Andrew não fosse tão incrivelmente atraente. Mesmo sentada o mais longe possível dele sem cair da lateral do sofá, não posso deixar de pensar no fato de que ele está de cueca agora –

que está usando só uma porcaria de uma cueca. E o tecido da camiseta dele é fino o suficiente para que eu possa ver o contorno de alguns músculos bastante sensuais. Ele poderia estar com uma mulher muito melhor do que Nina.

Fico imaginando se ele tem noção disso.

No momento em que estou começando a relaxar e me sentir feliz por Andrew ter se juntado a mim aqui embaixo, uma voz estridente invade meus pensamentos.

– Caramba, a piada deve ter sido mesmo muito boa pra tanta risada.

Giro a cabeça. Nina está de pé na base da escada, olhando para nós. Quando ela está de salto, posso ouvi-la chegando a um quilômetro de distância, mas seus passos são surpreendentemente leves com os pés descalços. Está vestindo uma camisola branca que vai até os tornozelos, e seus braços estão cruzados sobre o peito.

– Oi, Nina. – Andrew boceja e sai do sofá. – O que você está fazendo acordada?

Nina está encarando a gente. Não sei como ele não está em pânico agora. Estou a ponto de me mijar. Mas ele parece totalmente indiferente ao fato de a esposa ter acabado de pegar nós dois sozinhos na sala à uma da manhã, ambos *em trajes íntimos*. Não que estivéssemos *fazendo* alguma coisa, mas mesmo assim.

– Eu poderia te perguntar a mesma coisa – retruca ela. – Vocês dois parecem estar se divertindo bastante. Qual é a graça?

Andrew dá de ombros.

– Eu desci pra pegar água e a Millie estava aqui vendo televisão. Acabei me distraindo.

– Millie. – Nina volta sua atenção para mim. – Por que você não compra uma TV pra colocar no seu quarto? Este é um ambiente da família.

– Desculpa – falo depressa. – Vou comprar uma televisão assim que puder.

– Ei. – Andrew ergue as sobrancelhas. – Qual é o problema de a Millie ver um pouco de TV aqui se não tem ninguém por perto?

– Bom, você está por perto.

– E ela não estava me incomodando.

– Você não tem uma reunião amanhã cedo? – Os olhos de Nina estão fixos nele. – Deveria mesmo estar acordado vendo TV à uma da manhã?

Ele respira fundo. Já eu prendo a minha respiração, torcendo para que ele se defenda. Mas então os ombros dele cedem.

– Você está certa, Nina. É melhor eu ir me deitar.

Nina fica ali, parada, os braços cruzados, observando Andrew subir as escadas, como se ele fosse uma criança que ela está mandando para a cama sem jantar. É angustiante ver a proporção do ciúme dela.

Eu me levanto do sofá também e desligo a televisão. Nina ainda está parada na base da escada. Seus olhos passam pelo meu short de ginástica e pela minha regata. A ausência do sutiã. Mais uma vez, me impressiona quão ruim isso parece. Mas eu achei que estaria sozinha aqui embaixo.

– Millie, no futuro, espero que use roupas apropriadas em casa.

– Desculpa – falo pela segunda vez. – Achei que não teria ninguém acordado.

– Ah, é? – Ela bufa. – Você simplesmente vagaria pela casa de um estranho qualquer no meio da noite porque acha que eles não estariam por perto?

Não sei o que responder. Esta não é a casa de um estranho qualquer. Eu *moro* aqui, ainda que no sótão.

– Não…

– Por favor, fique no sótão depois da hora de dormir. O resto da casa é pra minha família. Você entendeu?

– Entendi.

Ela balança a cabeça.

– Na verdade, nem tenho certeza se precisamos tanto assim de uma empregada. Talvez isso tenha sido um erro…

Ah, não. Ela está me demitindo à uma da manhã porque eu estava assistindo à televisão na sala dela? Isso é péssimo. E não há a menor chance de Nina me dar uma boa recomendação para outro emprego. Ela parece mais o tipo de pessoa que ligaria para todos os possíveis empregadores para dizer o quanto me odiava.

Tenho que dar um jeito isso. Cravo as unhas na palma da mão.

– Olha, Nina – começo. – Não estava acontecendo nada entre mim e o Andrew…

Ela joga a cabeça para trás e dá uma gargalhada. É um som perturbador, algo quase entre uma risada e um choro.

– É com isso que você acha que estou preocupada? Andrew e eu somos almas gêmeas. Temos uma filha juntos e em breve teremos outro bebê. Você acha que estou com medo de que o meu marido arrisque tudo que tem na vida por causa de uma empregadinha que mora no sótão?

Engulo em seco. Talvez eu só tenha piorado as coisas.

– Não, ele não faria isso.

– É claro que não. – Ela me encara bem nos olhos. – E nunca se esqueça disso.

Fico ali, sem saber o que dizer. Por fim, ela meneia a cabeça na direção da mesa de centro.

– Limpa essa bagunça agora mesmo.

Com isso, vira-se e sobe as escadas.

Não tem bagunça nenhuma, só o copo d'água que Andrew deixou para trás. Minhas bochechas queimam de humilhação enquanto ando até a mesa de centro e pego o copo. A porta do quarto bate no andar de cima, e eu olho para o copo na minha mão.

Antes que possa me impedir, arremesso o copo no chão.

Ele se espatifa de um jeito espetacular. O vidro se espalha para todo lado. Dou um passo para trás, e um caco se crava na sola do meu pé.

Uau, isso foi estúpido demais.

Confusa, observo a bagunça que fiz no chão. Tenho que limpar tudo e, além disso, preciso colocar um sapato para não entrar mais nenhum vidro nos meus pés. Respiro fundo, tentando desacelerar minha respiração. Vou limpar o vidro e vai ficar tudo bem. Nina nunca vai ficar sabendo.

Mas terei que ter mais cuidado no futuro.

QUINZE

Nesta tarde de sábado, Nina está fazendo uma reuniãozinha da APM no quintal de casa. Elas estão se encontrando para planejar algo chamado "dia no campo", durante o qual as crianças passam algumas horas brincando em um terreno gramado e, sei lá por quê, são necessários meses de planejamento para se preparar para isso. Nina não fala de outra coisa ultimamente e me mandou pelo menos uma dúzia de mensagens para me lembrar de buscar os acepipes.

Estou começando a ficar estressada, porque, como sempre, a casa inteira estava uma bagunça quando acordei. Não sei como essa casa fica tão bagunçada. Será que a medicação da Nina trata algum tipo de transtorno que faz com que ela acorde no meio da noite e bagunce a casa desse jeito? Existe algo do tipo?

Não faço ideia de como os banheiros ficam tão podres da noite para o dia, por exemplo. Quando entro no banheiro dela de manhã para limpar, geralmente há pelo menos três ou quatro toalhas espalhadas no chão, encharcadas. Costuma ter também pasta de dente grudada na pia, e tenho que esfregar a louça para me livrar da sujeira. Nina tem algum tipo de aversão a jogar as roupas sujas no cesto, então levo uns bons dez minutos catando sutiãs, calcinhas, calças, meias-calças, etc. Graças a Deus, Andrew é melhor nisso. Além disso, há as coisas que precisam ser lavadas a seco, que são muitas. Nina mistura tudo, e Deus me livre de tomar a decisão errada sobre o que vai na máquina de lavar e o que precisa ser levado para a lavanderia. Seria algo passível de enforcamento.

Outra coisa são as embalagens de alimentos. Encontro embalagens de doces enfiadas em quase todas as fendas do quarto e do banheiro dela. Imagino que isso explique por que Nina está 20 quilos maior do que nas fotos de quando ela e Andrew se conheceram.

Depois de limpar a casa de cima a baixo, deixar algumas roupas na lavanderia e terminar de lavar e passar o resto, sobra bem pouco tempo. As mulheres vão chegar dentro de uma hora, e eu ainda não terminei todas as tarefas que Nina me designou, incluindo buscar os aperitivos. Ela não vai entender se eu tentar explicar. Levando em consideração que ela quase me demitiu na semana passada quando me pegou assistindo TV com Andrew, não posso me dar ao luxo de cometer nenhum erro. Tenho que me certificar de que esta tarde seja perfeita.

Então, chego ao quintal. O quintal dos Winchesters é uma das paisagens mais bonitas do bairro. Enzo fez bem o seu trabalho – as cercas vivas estão aparadas com tanta precisão que é como se ele tivesse usado uma régua. Flores pontilham as bordas do quintal, adicionando um toque de cor. E a grama é tão exuberante e verde que fico tentada a me deitar nela, agitando os braços e fazendo anjinho nas folhas.

Mas, ao que parece, eles não passam muito tempo aqui fora, porque todos os móveis do pátio têm uma camada espessa de poeira. Tudo está coberto de muita poeira.

Meu Deus, eu *não* tenho tempo para terminar tudo.

– Millie? Está tudo bem?

Andrew está parado atrás de mim, vestindo uma camisa polo azul e calça cáqui, uma roupa bastante casual para ele. De alguma forma, está ainda mais bonito do que quando usa um terno caro.

– Tudo bem – murmuro.

Eu nem deveria estar falando com ele.

– Você parece prestes a chorar – comenta ele.

Enxugo os olhos com as costas da mão, meio sem graça.

– Está tudo bem. Só tenho muita coisa pra fazer antes da reunião da APM.

– Ah, não vale a pena chorar por causa disso. – Ele franze a testa. – Essas mulheres da APM nunca ficam satisfeitas, não importa o que você faça. São todas péssimas.

Isso *não* faz com que eu me sinta melhor.

– Olha, talvez eu tenha um… – Ele remexe no bolso e tira um lenço de papel amassado. – Não acredito que tenho um lenço de papel no bolso, mas toma.

Consigo abrir um sorriso ao pegar o lenço. Enquanto limpo o nariz, sinto o cheiro da loção pós-barba de Andrew.

– Bom, o que posso fazer pra te ajudar?

Eu balanço a cabeça.

– Está tudo bem. Eu consigo dar conta.

– Você está chorando. – Ele apoia um dos pés na cadeira suja. – Sério, não sou um completo inútil. Só me diz o que você precisa que eu faça. – Quando hesito, ele acrescenta: – Olha, nós dois queremos fazer a Nina feliz, certo? É assim que você faz ela feliz. Ela não vai ficar contente se eu deixar você estragar tudo.

– Está bem – resmungo. – Me ajudaria muito se você pudesse buscar os aperitivos.

– Deixa comigo.

Sinto como se um peso gigantesco tivesse sido tirado dos meus ombros. Eu ia levar vinte minutos para chegar à loja para buscar os acepipes e outros vinte para voltar. Isso me deixaria com apenas quinze minutos para limpar toda a mobília suja do pátio. Dá para imaginar Nina se sentando em uma dessas cadeiras vestindo uma das suas roupas brancas?

– Obrigada – respondo. – Obrigada, mesmo. De verdade.

– De verdade? – diz ele com um sorriso.

– Verdade verdadeira.

Cecelia irrompe no quintal neste exato momento, usando um vestido rosa-claro com detalhes brancos. Como a mãe, não tem nem um fio de cabelo fora do lugar.

– Papai – chama ela.

Ele volta seu olhar para a filha.

– O que foi, Cece?

– O computador não está funcionando – diz ela. – Não consigo fazer meu dever de casa. Você pode consertar pra mim?

– Claro que posso. – Ele pousa a mão no ombro dela. – Mas, primeiro, vamos dar um passeio de carro superdivertido.

Ela olha para ele, confusa, mas ele ignora o ceticismo da menina.

– Vá calçar os sapatos.

Eu levaria metade de um dia para convencer Cecelia a se calçar, mas ela volta obedientemente para dentro de casa para fazer o que ele pede. Cecelia é uma boa menina, desde que não seja eu a pessoa responsável por ela.

– Você leva muito jeito com ela – comento.

– Obrigado.

– Ela se parece muito com você.

Andrew balança a cabeça.

– Não parece, não. Ela é a cara da Nina.

– Parece, sim – insisto. – A cor da pele e do cabelo é da Nina, mas ela tem o seu nariz.

Ele brinca com a bainha da camisa polo.

– Cecelia não é minha filha biológica. Então, qualquer semelhança entre nós dois é, como dizem, mera coincidência.

Uau. Não consigo parar de passar vergonha.

– Ah. Eu não tinha me dado conta...

– Não tem problema. – Seus olhos castanhos estão fixos na porta dos fundos, esperando Cecelia voltar. – Eu conheci a Nina quando a Cecelia era bebê, então sou o único pai que ela conheceu. Considero minha filha. Não tem diferença nenhuma.

– É claro.

Andrew Winchester ganha alguns pontos no meu conceito. Ele não só não escolheu uma supermodelo, como se casou com uma mulher que já tinha uma filha e a criou como se fosse dele.

– Como já falei, você leva muito jeito com ela.

– Eu adoro crianças... Meu sonho era ter uma dúzia delas.

Andrew parece querer dizer mais alguma coisa, mas em seguida fecha a boca. Penso no que Nina me contou semanas atrás, sobre eles estarem tentando engravidar. Então me lembro do absorvente interno ensanguentado que encontrei no chão do banheiro. Fico imaginando se eles tiveram algum sucesso desde então. Com base na expressão triste nos olhos de Andrew, suspeito que a resposta seja não.

Mas tenho certeza de que Nina vai conseguir engravidar, se é isso que os dois querem. Afinal, eles têm todos os recursos do mundo. De todo modo, não é da minha conta.

DEZESSEIS

Posso afirmar sem dúvida alguma que odeio todas as mulheres nesta reunião da APM.

São quatro no total, incluindo Nina. Memorizei o nome delas: Jillianne (Jilly-anne), Patrice e Suzanne (não confundir com Jillianne). A razão pela qual decorei os nomes é o fato de Nina não me deixar sair do quintal. Ela está me fazendo ficar no canto, em constante alerta, caso precisem de alguma coisa.

Pelo menos os acepipes são um sucesso. E Nina não faz ideia de que Andrew os buscou para mim.

– Só não estou feliz com o menu do dia no campo. – Suzanne bate a caneta no queixo. Já ouvi Nina se referir a ela como sua "melhor amiga", mas, até onde sei, Nina não é próxima de nenhuma das pessoas que chama de amigas. – Acho que precisa ter mais de uma opção sem glúten.

– Concordo – diz Jillianne. – E mesmo que haja uma opção vegana, não é vegana *e* sem glúten. E aí, o que as pessoas que são veganas e intolerantes a glúten vão comer?

Não sei? Grama? Para falar a verdade, nunca vi mulheres mais obcecadas com glúten. Em todas as vezes que levei um aperitivo, todas me questionaram sobre a quantidade de glúten nele. Como se eu fizesse alguma ideia. Eu nem sei o que é glúten.

O dia está quente e sufocante, e eu daria tudo para estar dentro de casa, no ar-condicionado. Caramba, daria qualquer coisa para tomar um gole da limonada borbulhante e cor-de-rosa que as mulheres estão compartilhando. Não paro de enxugar o suor da testa toda vez que não estão olhando para mim. Tenho medo de estar com pizzas embaixo dos braços.

– Este pão de queijo de cabra com mirtilo deveria ter sido aquecido – comenta Patrice enquanto mastiga o pedaço em sua boca. – Está quase frio.

– Eu sei – diz Nina com pesar. – Pedi pra minha empregada cuidar disso, mas você sabe como é. É *tão* difícil encontrar uma boa empregada.

Minha boca se abre. Em nenhum momento ela me pediu isso. Além do mais, será que se dá conta de que estou *bem aqui*?

– Ai, é mesmo. – Jillianne assente, solidária. – É absolutamente impossível contratar alguém bom hoje em dia. A ética profissional neste país é um horror. Daí a gente se pergunta por que esse tipo de gente não consegue encontrar empregos melhores, né? É preguiça, pura e simples.

– Ou então você arruma alguém de fora – acrescenta Suzanne – e a pessoa mal fala inglês, tipo o Enzo.

– Pelo menos ele é bonito de se olhar! – diz Patrice com uma gargalhada.

As outras riem e fazem graça, embora Nina esteja estranhamente quieta. Suponho que não tenha que cobiçar o jardineiro gostoso sendo casada com Andrew – e não a julgo por isso. Ela também parece sentir algum tipo de rancor esquisito em relação a Enzo. Estou me coçando para dizer algo depois de tudo que elas falaram a meu respeito pelas minhas… quer dizer, pelas minhas costas, não, porque estou de pé *bem aqui*, como já falei. Mas tenho que mostrar a elas que não sou uma americana preguiçosa. Eu me mato de trabalhar nesse emprego e nunca reclamei de nada.

– Nina. – Dou um pigarro. – Você quer que eu aqueça os aperitivos?

Nina se vira para olhar para mim, os olhos brilhando de uma forma que me faz dar um passo para trás.

– Millie – diz ela calmamente –, nós estamos no meio de uma *conversa* aqui. Por favor, não interrompa. É muita falta de educação.

– Ah, eu…

– Além disso – acrescenta ela –, eu agradeceria se você não se referisse a mim como *Nina*. Não sou sua amiga de bar. – Ela dá uma risadinha dissimulada junto com as outras mulheres. – É *Sra. Winchester*. Não me obrigue a lembrar você disso mais uma vez.

Eu a encaro, estupefata. No dia em que a conheci, ela me instruiu a chamá-

-la de Nina. Essa é a forma como venho me referindo a ela durante todo o tempo em que estive trabalhando aqui, e ela nunca disse uma palavra sobre isso. Agora está agindo como se eu estivesse tomando liberdades.

A pior parte é que as outras mulheres estão se comportando como se Nina fosse uma heroína por me repreender. Patrice começa a contar uma história a respeito de como sua faxineira teve a audácia de contar para ela sobre como o cachorro dela morreu.

– Não quero parecer cruel – diz ela –, mas o que me importa se o cachorro da Juanita morreu? Ela ficou falando disso por horas! Vê se pode…

– Mas não tem o que fazer, a gente precisa ter empregada. – Nina coloca um dos inaceitáveis aperitivos na boca. Estou de olho, e ela comeu cerca de metade deles enquanto as outras mulheres comem feito passarinhos. – Principalmente agora que eu e o Andrew vamos ter outro bebê.

As mulheres soltam suspiros de emoção.

– Nina, você está grávida?! – exclama Suzanne com uma voz aguda.

– Eu sabia que tinha motivo pra você estar comendo cinco vezes mais do que a gente! – comenta Jillianne, triunfante.

Nina olha para ela de cara feia (e eu tenho que abafar uma risada).

– Eu não estou grávida. *Ainda*. Mas eu e o Andy estamos nos consultando com um especialista em fertilidade que, pelo que dizem, é *incrível*. Confiem em mim, até o final do ano vou ter um bebê.

– Isso é maravilhoso. – Patrice coloca a mão no ombro de Nina. – Eu sei que faz tempo que vocês estão querendo um bebê. E Andrew é mesmo um *ótimo* pai.

Nina assente e, por um momento, seus olhos parecem um pouco úmidos. Ela dá um pigarro.

– Me deem uma licencinha, meninas. Volto já, já.

Nina corre para dentro de casa, e não tenho certeza se devo segui-la. Ela provavelmente está indo ao banheiro ou algo assim. Claro, talvez agora essa seja uma das minhas responsabilidades – seguir Nina até o banheiro para que eu possa secar as mãos dela, dar a descarga ou sabe lá Deus o quê.

Assim que Nina se retira, as outras mulheres caem na gargalhada.

– Ai, meu Deus! – Jillianne dá uma risadinha. – Isso foi muito constrangedor! Não estou acreditando que disse isso pra ela. Eu achei mesmo que ela estava grávida! Tipo, ela não parece grávida?

– Ela está ficando obesa – concorda Patrice. – Precisa contratar uma nutricionista e um personal trainer pra ontem. E mais alguém notou o tamanho das raízes?

As outras mulheres assentem. Ainda que não esteja participando da conversa, também reparei nas raízes de Nina. No dia em que vim fazer a entrevista, o cabelo dela parecia imaculado; agora, ela tem um bom centímetro de raízes mais escuras aparecendo. Estou surpresa de Nina ter deixado chegar a esse ponto.

– Bem, eu teria vergonha de andar por aí desse jeito – comenta Patrice. – Como ela espera segurar aquele marido gostoso dela?

– Especialmente desde que ouvi dizer que eles têm um acordo pré-nupcial super-restrito – acrescenta Suzanne. – Se eles se divorciarem, ela não fica com praticamente nada. Nem mesmo recebe pensão alimentícia, porque vocês sabem que ele nunca adotou a Cecelia.

– Um acordo pré-nupcial! – solta Patrice. – Qual o problema da Nina? Por que ela assinaria algo assim? Acho bom que ela faça o melhor que puder pra deixar ele feliz.

– Bom, não sou eu que vou dizer pra Nina que ela precisa fazer dieta! – diz Jillianne. – Deus me livre, não quero mandar ela de volta para aquela clínica de gente doida. Vocês sabem que a Nina não bate bem das bolas.

Quase engasgo. Esse tempo todo, desde que aquelas mulheres na escola insinuaram que Nina era louca, torci para que ela fosse só maluca do tipo "mulher rica e excêntrica". Sei lá, que ela fizesse terapia e tomasse uns sedativos de vez em quando. Mas parece que Nina está um nível acima disso. Se dá mesmo pra acreditar nessas fofoqueiras, ela esteve internada em um *hospital psiquiátrico*. Nina tem alguma doença grave.

Sinto uma pontada de culpa por ficar tão frustrada com ela quando me dá alguma informação errada ou quando seu humor muda de uma hora para outra. Não é culpa dela. Nina tem problemas sérios. Tudo faz um pouco mais de sentido agora.

– Vou dizer uma coisa pra vocês. – Patrice baixa bem a voz. Ela está fazendo isso para que eu não possa ouvir, o que significa que não faz ideia do quão alto está falando. – Se eu fosse a Nina, a última coisa que faria seria contratar uma empregada jovem e bonita pra morar na minha casa. Ela deve estar louca de ciúmes.

Desvio o olhar, tentando não deixar transparecer que posso ouvir cada palavra que ela diz. Fiz tudo que pude para evitar que Nina sentisse ciúme.

Não quero que ela tenha a menor ideia de que estou interessada em seu marido. Não quero que saiba que o acho atraente, nem que pense que há alguma chance de algo acontecer entre nós dois.

Quer dizer, sim, se Andrew fosse solteiro, eu estaria interessada. Mas ele não é. Vou ficar longe daquele homem. Nina não tem com o que se preocupar.

DEZESSETE

Hoje, Andrew e Nina têm uma consulta com o tal especialista em fertilidade.

Ambos passaram a semana nervosos e animados com a consulta. Ouvi fragmentos da conversa deles durante o jantar. Pelo visto, Nina fez um monte de exames de fertilidade, e eles vão discutir os resultados hoje. Nina acha que farão fertilização in vitro, o que é caro, mas eles têm dinheiro para torrar.

Por mais que Nina às vezes me dê nos nervos, é fofo como os dois estão planejando o novo bebê. No dia anterior mesmo estavam falando que iriam transformar o quarto de hóspedes em um quarto de bebê. Não sei dizer quem está mais animado, se Nina ou Andrew. Pelo bem deles, espero que engravidem logo.

Enquanto os dois estiverem na consulta, vou ficar com Cecelia. Tomar conta de uma menina de 9 anos não deveria ser difícil, mas Cecelia parece determinada a fazer com que seja. Depois que a mãe de uma amiga a deixou em casa, após sei lá que aula ela teve hoje (caratê, balé, piano, futebol, ginástica – já me perdi completamente), ela chuta um de seus sapatos em uma direção, o segundo em outra, e depois atira a mochila em uma terceira. Por sorte, está muito quente para vestir um casaco, ou então ela teria que encontrar um quarto lugar para onde arremessá-lo.

– Cecelia – peço com paciência. – Você pode, por favor, colocar seus sapatos na sapateira?

– Mais tarde – diz ela, distraída, enquanto se joga no sofá, alisando o tecido de seu vestido amarelo-claro. Ela pega o controle remoto e liga a televisão em um desenho animado irritantemente barulhento. Uma laranja e uma pera parecem estar discutindo na tela. – Tô com fome.

Respiro bem fundo para tentar me acalmar.

– O que você quer comer?

Imagino que ela vá inventar algo ridículo, só para me dar trabalho ao preparar. Então fico surpresa quando diz:

– Um sanduíche de mortadela, pode ser?

Fico tão aliviada com o fato de termos em casa todos os ingredientes para preparar um sanduíche de mortadela que nem insisto que ela diga por favor. Se Nina quer que a filha seja uma pirralha mimada, a escolha é dela. Não é meu trabalho disciplinar a menina.

Vou para a cozinha e pego o pão e um pacote de mortadela da geladeira transbordando de mantimentos. Não sei se Cecelia gosta de maionese no sanduíche e, além do mais, com certeza vou acabar colocando maionese de mais ou de menos. Então decido só levar o pote, assim ela pode colocar a quantidade perfeita. Ha-ha, fui mais esperta que você desta vez, Cecelia!

Volto para a sala e coloco o sanduíche e a maionese na mesa de centro para a menina. Cecelia olha para o sanduíche e franze a testa. Ela o pega timidamente e então seu rosto se enche de nojo.

– Eca! – choraminga. – Não quero isso.

Juro por Deus, vou estrangular essa garota com minhas próprias mãos.

– Você disse que queria um sanduíche de mortadela. Eu fiz um sanduíche de mortadela pra você.

– Eu não disse que queria um sanduíche de mortadela – reclama. – Falei que queria um sanduíche de *muçarela*!

Eu a encaro de queixo caído.

– De muçarela? Como *assim*?

Cecelia resmunga, frustrada, e arremessa o sanduíche no chão. O pão e a carne se separam, caindo em três pilhas no tapete. O único ponto positivo é o fato de eu não ter usado maionese, então pelo menos é mais fácil de limpar.

Muito bem, estou de saco cheio dessa garota. Talvez não seja a minha casa, mas ela tem idade suficiente para saber que não deve jogar comida no chão. E, principalmente, uma vez que em breve haverá um bebê em casa, ela precisa aprender a agir como uma criança de sua idade.

– Cecelia – falo entredentes.

Ela ergue o queixo ligeiramente pontudo.

– Que *é*?

Não tenho certeza do que teria acontecido entre mim e Cecelia, mas nosso confronto é interrompido pela porta da frente sendo aberta. Devem ser Andrew e Nina, voltando da consulta. Eu me afasto da menina e abro um sorriso. Tenho certeza de que Nina deve estar explodindo de emoção depois dessa consulta.

Só que, quando eles entram na sala, nenhum dos dois está sorrindo.

Isso é um eufemismo. O cabelo louro de Nina está completamente desarrumado e sua blusa branca está amarrotada. Os olhos estão vermelhos e inchados. Andrew também não parece muito bem. O nó de sua gravata está meio desfeito, como se ele tivesse começado a retirá-la e se distraído durante o processo. E, na verdade, os olhos dele também parecem injetados de sangue.

Entrelaço as mãos.

– Tudo bem?

Eu deveria ter ficado de boca calada, teria sido o mais inteligente a fazer. Porque agora Nina dirige o olhar para mim e sua pele pálida fica vermelha e incandescente.

– Pelo amor de Deus, Millie – dispara ela para mim. – Por que você tem que ser tão *intrometida*? Não é da sua conta, cacete.

Engulo em seco.

– Desculpa, Nina.

Seus olhos vão para a bagunça no chão. Os sapatos de Cecelia. O pão e as coisas espalhadas perto da mesa de centro. E, em algum momento durante o último minuto, Cecelia saiu correndo da sala e desapareceu. O rosto de Nina se contorce.

– É pra esta casa mesmo que eu tenho que voltar? Pra essa *zona*? Pra que eu te pago, afinal de contas? Talvez você devesse começar a procurar outro emprego.

Minha garganta se fecha.

– Eu… eu já ia limpar isso agora…

– Não me venha fazer as coisas *só* pra me agradar. – Ela lança um olhar fulminante para Andrew. – Vou me deitar. Minha cabeça está latejando.

Nina sobe a escada depressa, seus saltos soando como balas de revólver a cada degrau, até que ouço a porta do quarto deles batendo. Está bem claro que algo não correu bem na tal consulta. Não adianta tentar conversar com ela agora.

Andrew afunda no sofá de couro e joga a cabeça para trás.

– Pois é, que merda.

Mordo o lábio e me sento ao lado dele, embora sinta que provavelmente não deveria.

– Você está bem?

Ele esfrega os olhos com a ponta dos dedos.

– Na verdade, não.

– Quer… conversar?

– Não quero, não. – Ele fecha os olhos por um momento. Depois, solta um suspiro. – Não vai rolar pra gente. Nina não vai conseguir engravidar.

Minha primeira reação é de surpresa. Não que eu entenda muito sobre o assunto, mas não consigo acreditar que Nina e Andrew não consigam pagar por uma solução para esse dilema. Juro por Deus que vi no jornal uma mulher que engravidou aos 60 anos.

Mas não posso dizer isso para Andrew. Eles acabaram de se consultar com um dos melhores especialistas em fertilidade. Não há nada que eu saiba que essa pessoa não saiba. Se ele disse que Nina não vai engravidar, é isso. Não vai haver bebê nenhum.

– Sinto muito, Andrew.

– É… – Ele passa a mão pelo cabelo. – Estou tentando lidar bem com isso, mas não posso dizer que não esteja decepcionado. Tipo, eu amo a Cecelia como se ela fosse minha filha, mas… eu queria… quer dizer, eu sempre sonhei com…

É a conversa mais profunda que já tivemos. É bom que ele esteja se abrindo comigo.

– Eu entendo – murmuro. – Deve ser muito difícil… pra vocês dois.

Ele olha para o colo.

– Preciso ser forte pra ajudar a Nina. Ela está arrasada com isso.

– Tem alguma coisa que eu possa fazer?

Ele fica quieto por um momento, passando o dedo por uma dobra no couro do sofá.

– Tem um espetáculo que a Nina quer assistir em Manhattan… Ela não para de falar nisso. *Showdown*. Eu sei que faria bem a ela se a gente fosse. Se você puder perguntar a ela qual é a melhor data e conseguir reservar dois lugares bem na frente, seria ótimo.

– Deixa comigo.

Não suporto Nina por vários motivos, mas não consigo imaginar como deve ser receber essa notícia. Tenho total empatia por ela.

Ele esfrega os olhos vermelhos mais uma vez.

– Obrigado, Millie. De verdade, não sei o que a gente faria sem você. Sinto muito pela maneira como a Nina te trata às vezes. Ela é um pouco temperamental, mas no fundo gosta de você e aprecia a sua ajuda.

Não tenho certeza se isso é verdade, mas não vou discutir com ele. Vou ter que continuar trabalhando aqui até ter economizado uma quantia razoável. E vou ter que fazer o meu melhor para deixar Nina feliz.

DEZOITO

Nessa mesma noite, acordo com o som de gritos.

O sótão é incrivelmente bem isolado, então não consigo escutar o que está sendo dito, mas há vozes altas vindo de baixo do meu quarto. Uma masculina e uma feminina. Andrew e Nina.

Então ouço um estrondo.

Instintivamente, pulo da cama. Talvez não seja da minha conta, mas algo está acontecendo lá embaixo. Tenho que pelo menos ter certeza de que está tudo bem.

Coloco a mão na maçaneta do meu quarto e ela não gira. Estou acostumada ao fato de que a porta emperra, mas, de vez em quando, sinto uma pontada de pânico. Logo em seguida, no entanto, a maçaneta se move sob minha mão e consigo sair.

Desço os degraus barulhentos até o segundo andar. Agora que estou fora do sótão, os gritos estão muito mais altos. Vêm da suíte principal. A voz de Nina, berrando com Andrew. Ela parece fora de si.

– Não é justo! – choraminga ela. – Fiz tudo que eu pude e…

– Nina – diz ele. – Não é culpa sua.

– A culpa *é* minha! Se estivesse com uma mulher mais jovem, poderia ter um bebê, como você quer! A culpa é *minha*!

– Nina…

– Você estaria melhor sem mim!

– Por favor, não fala isso.

– É verdade! – Mas ela não parece triste, e sim irritada. – Você preferiria que eu fosse embora!

– Nina, para com isso!

Há outro estrondo alto dentro do quarto, seguido por um terceiro. Dou um passo para trás, dividida entre bater na porta para ter certeza de que está tudo bem e querer correr de volta para o meu quarto e me esconder. Fico ali por alguns segundos, paralisada pela minha indecisão. Então a porta se abre.

Nina surge com a mesma camisola branca que estava usando na noite em que pegou Andrew na sala de estar comigo. Mas agora noto uma mancha carmesim no tecido claro, começando na lateral do quadril e descendo pelo comprimento da saia.

– Millie. – Ela crava os olhos em mim. – O que você está fazendo aqui?

Olho para as mãos dela e vejo o mesmo tom de vermelho-escuro em toda a palma da mão direita.

– Eu…

– Você está espionando a gente? – Ela arqueia uma sobrancelha. – Está escutando a nossa conversa?

– Não! – Dou um passo para trás. – Eu só ouvi um barulhão e fiquei preocupada… Queria ter certeza de que está tudo bem.

Ela percebe meu olhar direcionado para o que tenho quase certeza de que seja uma mancha de sangue em sua camisola. Nina quase parece achar graça disso tudo.

– Foi só um cortezinho na mão. Nada pra se preocupar. Não preciso da *sua* ajuda.

Mas o que estava acontecendo lá dentro? É realmente por isso que há sangue por toda a camisola dela? E cadê Andrew?

E se ela o matou? E se ele estiver morto, caído no meio do quarto? Ou pior, e se ele estiver sangrando até a morte agora e eu tiver uma chance de salvá-lo? Não posso simplesmente ir embora. Posso ter feito algumas coisas ruins na vida, mas não vou deixar Nina sair impune de um homicídio.

– Cadê o Andrew? – pergunto.

As bochechas dela enrubescem.

– *Como é que é*?

– Eu só… – Me balanço de um lado para outro em meus pés descalços. – Ouvi um estrondo. Ele está bem?

Nina me encara.

– Que audácia! Do que você está me acusando?

Então me ocorre que Andrew é um homem grande e forte. Se Nina fosse capaz de acabar com ele, que chance eu teria contra ela? Mas não consigo me mexer. Preciso ter certeza de que ele está bem.

– Volta pro seu quarto – ordena ela.

Engulo um nó na garganta.

– Não.

– Volta pro seu quarto, ou então você está demitida.

Ela está falando sério, posso ver nos seus olhos. Mas continuo paralisada. Começo a protestar de novo, então ouço algo – algo que faz meus ombros desabarem de alívio.

O som da torneira sendo aberta na suíte principal. Andrew está bem. Só está no banheiro.

Graças a Deus.

– Feliz agora? – Seus olhos azul-claros parecem gelo, mas há algo mais. Uma pontada de diversão. Ela gosta de me assustar. – Meu marido está vivo e bem.

Abaixo a cabeça.

– Eu só queria… Desculpa por ter incomodado.

Eu me viro e saio me arrastando pelo corredor. Posso sentir os olhos de Nina nas minhas costas. Quando estou quase na escada, a voz dela ressoa atrás de mim.

– Millie?

Eu me viro. Sua camisola branca brilha à luz do luar que invade o corredor, como se ela fosse um anjo. Exceto pelo sangue. E agora também posso ver uma pequena poça vermelha se formando no chão, sob sua mão direita ferida.

– Sim?

– Fique no sótão à noite. – Ela faz uma pausa, os olhos cravados em mim. – Você entendeu?

Ela não precisa me dizer uma segunda vez. Não quero sair do sótão nunca mais.

DEZENOVE

Na manhã seguinte, Nina está de volta à sua versão mais agradável, tendo aparentemente esquecido a noite anterior. Não fosse o curativo em volta da mão direita, eu acharia que tudo não passou de um sonho aterrorizante. A atadura branca está pontilhada de vermelho.

Embora não esteja sendo pessoalmente estranha comigo, Nina *está* mais esgotada do que o normal esta manhã. Quando sai para levar Cecelia à escola, os pneus de seu carro cantam no asfalto. Quando volta para casa, fica parada no meio da sala de estar por um momento, olhando para as paredes, até que eu finalmente saio da cozinha e pergunto se está tudo bem com ela.

– Estou bem. – Ela ajeita a gola da blusa branca, que está toda amarrotada, embora eu tenha certeza de que a passei. – Você faria a gentileza de me preparar um café da manhã, Millie? O de sempre.

– Claro – respondo.

"O de sempre" para Nina são três ovos mexidos com muita manteiga e queijo parmesão, quatro fatias de bacon e pão, também com manteiga. É impossível não pensar nos comentários que a mulher da APM fez na ausência de Nina sobre o peso dela, embora eu respeite o fato de ela não controlar cada caloria que entra em sua boca do jeito que as outras fazem. Nina não é vegana nem zero glúten. Pelo que sei, ela come o que quer e mais um pouco. Vive, inclusive, fazendo lanchinhos tarde da noite, como evidencia a louça que deixa na bancada para que eu lave pela manhã. Nenhum desses pratos jamais chega à máquina de lavar louça.

Sirvo a ela o prato de comida na mesa de jantar com um copo de suco de laranja ao lado. Ela examina a comida, e fico preocupada de estar diante da versão de Nina que vai dizer que tudo que servi está malfeito, ou então alegar que em momento algum me pediu para preparar o café da manhã. Mas, em vez disso, ela sorri com doçura para mim.

– Obrigada, Millie.

– De nada. – Hesito e fico ali parada por um instante. – A propósito, Andrew me perguntou se eu poderia comprar dois ingressos pro *Showdown*, na Broadway.

Os olhos dela se iluminam.

– Ele é *tão* atencioso. Pode, sim, seria ótimo.

– Quais são os melhores dias pra você?

Ela coloca uma colherada de ovos mexidos na boca e mastiga, pensativa.

– Eu estou livre sem ser neste domingo, o próximo, se der pra conciliar.

– Perfeito. E posso tomar conta da Cecelia, claro.

Nina coloca mais ovos mexidos na boca. Cai um pouco de seus lábios e suja sua blusa branca. Ela nem parece notar e continua enfiando comida na boca.

– Obrigada mais uma vez, Millie. – Ela me olha. – Eu não sei mesmo o que faríamos sem você.

Ela adora me dizer isso. Ou que vai me demitir. Sempre uma coisa ou outra. Mas imagino que não seja culpa dela. Nina definitivamente tem problemas psicológicos como suas amigas disseram. Não consigo parar de pensar em sua suposta internação em um hospital psiquiátrico. Ninguém é trancado num lugar desses sem motivo. Algo ruim deve ter acontecido, e parte de mim está morrendo de vontade de saber o que foi. Mas não posso perguntar a ela, e minhas tentativas de arrancar essa história de Enzo não deram em nada.

Nina praticamente já limpou o prato – tendo devorado os ovos, o bacon e o pão em menos de cinco minutos – quando Andrew desce correndo as escadas. Fiquei um pouco preocupada com ele depois da noite anterior, mesmo depois de ouvir a torneira aberta. Não que fosse um cenário provável, mas talvez, sei lá, Nina tivesse colocado algum tipo de temporizador automático na torneira só para fazer parecer que ele estava no banheiro, vivo e bem. Como já falei, não parecia provável, mas também não parecia *impossível*. De todo modo, é um alívio vê-lo intacto. Minha respiração trava um pouco com a visão de seu terno cinza-escuro combinando com uma camisa azul-clara.

Pouco antes de Andrew entrar na sala de jantar, Nina afasta o prato de comida. Ela se levanta e alisa o cabelo louro, que não tem o brilho habitual, e noto que as raízes escuras estão ainda mais visíveis do que antes.

– Oi, Andy. – Ela oferece a ele um sorriso deslumbrante. – Como você está hoje?

Ele começa a responder, mas logo baixa o olhar para o bocado de ovo ainda grudado na blusa dela. Andrew dá um sorrisinho de canto de boca.

– Nina, tem um pouquinho de ovo na sua blusa.

– Ah! – As bochechas dela ficam rosadas enquanto esfrega o ovo da roupa. No entanto, como está ali há vários minutos, a mancha persiste no delicado tecido branco. – Desculpa!

– Tudo bem... Você está linda mesmo assim. – Ele a segura pelos ombros e a puxa para um beijo. Eu a vejo se derreter toda contra o marido e ignoro a pontada de ciúme no meu peito. – Tenho que correr para o escritório, mas te vejo à noite.

– Eu te acompanho, meu amor.

Nina é sortuda demais. Ela tem tudo. Sim, foi internada em um hospital psiquiátrico, mas pelo menos não esteve na cadeia. E aqui está ela, com uma casa incrível, rios de dinheiro e um marido que é gentil, engraçado, rico, atencioso e... bem, absolutamente lindo.

Fecho os olhos por um momento e penso em como seria viver no lugar dela. Ser a mulher responsável por esta casa. Ter as roupas caras, os sapatos e o carro chiques. Ter uma empregada em quem eu pudesse mandar – que pudesse forçar a cozinhar e limpar para mim, e a morar num minúsculo buraco no sótão enquanto tenho um quarto imenso com cama king-size e lençóis caríssimos. E, além de tudo, ter um marido como Andrew. Ter seus lábios pressionados contra os meus, como ele faz com ela. Sentir o calor do corpo dele contra o meu peito...

Ai, meu Deus, preciso *parar* de pensar nisso. *Agora*. Em minha defesa, faz muito tempo que não vivo algo assim. Passei dez anos na prisão, fantasiando sobre o cara perfeito que conheceria quando saísse, que me salvaria de tudo. E agora...

Bem, pode ser que aconteça. É possível.

Subo as escadas e começo a arrumar as camas e limpar os quartos. Acabei de terminar e estou voltando para o andar de baixo quando a campainha toca. Corro para atender e fico surpresa ao ver Enzo na porta, segurando uma caixa de papelão gigante nos braços.

– *Ciao* – cumprimento, me lembrando da saudação que ele me ensinou.

Ele acha graça, dá para ver em seu rosto.

– *Ciao*. Isso... pra você.

Entendo de imediato o que deve ter acontecido. Às vezes, os entregadores não se dão conta de que podem entrar pelo portão, então despejam pacotes pesados do lado de fora, de modo que tenho que ir pegá-los. Enzo deve ter visto o entregador deixar o pacote e gentilmente o trouxe para mim.

– *Grazie* – respondo.

Ele ergue as sobrancelhas para mim.

– Você quer... Eu...

Levo um segundo para entender o que ele está perguntando.

– Ah... sim, pode colocar na mesa de jantar.

Aponto para a mesa e ele carrega o pacote até lá. Em seguida, lembro que Nina surtou na outra vez que Enzo entrou na casa, mas ela não está aqui e a caixa parece pesada demais para eu carregar. Depois que ele a coloca sobre a mesa, olho para o endereço do remetente: Evelyn Winchester. Provavelmente alguém da família de Andrew.

– *Grazie* – repito.

Enzo assente. Está vestindo uma camiseta branca e calça jeans – está *muito bonito*. Ele está sempre por aí, em algum lugar da vizinhança, dando duro em algum jardim, e muitas das mulheres ricas das redondezas adoram cobiçá-lo. Para falar a verdade, prefiro a aparência de Andrew e, claro, há a barreira do idioma. Mas talvez me divertir um pouco com Enzo fosse bom para mim. Aliviaria um pouco essa energia reprimida, e talvez eu parasse de ter fantasias totalmente inadequadas com o marido da minha chefe.

Não tenho certeza de como abordar o assunto, já que ele parece não falar inglês, mas tenho certeza de que a linguagem do amor é universal.

– Água? – ofereço, enquanto estou tentando descobrir exatamente como prosseguir.

Ele assente.

– *Si*.

Corro para a cozinha e pego um copo do armário. Encho até a metade com água e depois levo para ele. Ele aceita, agradecido.

– *Grazie.*

Seus bíceps se evidenciam enquanto ele bebe a água. Enzo tem um corpo *muito* bonito. Fico imaginando como é na cama. Provavelmente fantástico.

Remexo as mãos enquanto ele mata a sede.

– Então, hum… você está… ocupado?

Ele abaixa o copo e me olha sem entender.

– Quê?

– Hum. – Pigarreio. – Tipo, você tem muito… trabalho?

– Trabalho.

Ele assente diante de uma palavra que compreende. Sério, não entendo. Faz três anos que Enzo trabalha aqui e não entende mesmo nada de inglês?

– *Si. Molto occupato.*

– Ah.

Isso não está indo bem. Talvez eu devesse ir direto ao ponto.

– Olha. – Dou um passo na direção dele. – Eu só pensei que talvez você quisesse fazer… uma pequena pausa?

Seus olhos escuros analisam meu rosto. Ele tem olhos bonitos.

– Eu… não entendo.

Eu vou conseguir – linguagem do amor e tal.

– Uma pausa. – Estico o braço, coloco a mão no peito dele e levanto uma sobrancelha sugestivamente. – Você sabe.

Eu esperava que, a esta altura, ele sorrisse para mim, me erguesse do chão e me carregasse até o sótão, onde passaria horas me devorando. O que não esperava é a forma como seus olhos escurecem. Ele se afasta de mim como se minha mão estivesse pegando fogo e solta uma frase em um italiano veloz e irritado. Não faço ideia do que está dizendo – só sei que não está falando "olá" nem "obrigado".

– Eu… Desculpa, mesmo – falo, impotente.

– *Sei pazzo*! – grita Enzo. Ele passa a mão pelo cabelo preto. – *Che cavolo*!

Muito constrangedor. Quero me enfiar debaixo da mesa. Tipo, até achei que havia uma chance de ele me rejeitar, mas não com tanta veemência.

– Eu… eu não tive a intenção…

Ele olha para a escada quase com medo e depois volta a olhar para o meu rosto.

– Eu… eu vou. Agora.

– Tá bem. – Assinto para ele. – Claro. Eu… Me desculpa. Só estava sendo amigável. Não queria…

Ele me lança um olhar de quem sabe que o que acabei de dizer foi pura enrolação. Acho que algumas coisas são *mesmo* universais.

– Desculpa – falo pela terceira vez enquanto ele caminha em direção à porta. – E… obrigada pelo pacote. *Grazie.*

Ele para na porta, virando-se para que seus olhos escuros encontrem os meus.

– Você… sai daqui, Millie – diz ele em seu inglês picotado. – É… – Contrai os lábios, então consegue encontrar a palavra que me disse no dia em que nos conhecemos, desta vez em inglês: – Perigoso.

Ele olha de volta para a escada mais uma vez, com uma expressão perturbada no rosto. Então balança a cabeça e, antes que eu possa impedi-lo de ir embora para tentar descobrir o que quer dizer, Enzo sai em disparada pela porta da frente.

VINTE

Meu Deus, como isso foi humilhante.

Ainda estou me recuperando da vergonha de Enzo ter me rejeitado enquanto espero a aula de sapateado de Cecelia terminar. Minha cabeça está latejando, e o bater de pezinhos em uníssono vindo da sala de dança não ajuda em nada. Olho ao redor, pensando se mais alguém acha tão irritante quanto eu. Não? Só eu mesmo?

A mulher na cadeira ao lado da minha por fim me lança um olhar solidário. Com base em sua pele naturalmente lisa, sem sinais de *facelift* nem Botox, suponho que tenha mais ou menos a minha idade, o que me faz pensar que ela também não está ali buscando a filha. É uma das *criadas*, como eu.

– Analgésico? – pergunta a mulher.

Ela deve ter um sexto sentido para perceber meu desconforto. Ou isso, ou meus suspiros estão lhe passando a mensagem.

Hesito, mas depois aceito. Um analgésico não vai fazer desaparecer a humilhação de ter sido rejeitada pelo jardineiro italiano gostoso, mas pelo menos vai aliviar minha dor de cabeça.

Ela enfia a mão em sua grande bolsa preta e tira uma caixa de remédio. Ergue as sobrancelhas para mim, e eu estendo a mão, onde ela coloca duas pequenas cápsulas vermelhas. Eu as atiro na boca e engulo sem água mesmo. Fico imaginando quanto tempo vai demorar para que façam efeito.

– Bom, meu nome é Amanda – diz ela. – A traficante de drogas oficial da sala de espera da aula de sapateado.

Dou uma risada, apesar de tudo.

– Quem você veio buscar?

Ela afasta do ombro os fios castanhos presos em um rabo de cavalo.

– As gêmeas Bernsteins. Você precisa ver as duas sapateando juntas, é bem impressionante… já que estamos falando em dores de cabeça. E você?

– Cecelia Winchester.

Amanda solta um assobio baixo.

– Você trabalha pros Winchesters? Boa sorte.

Aperto meus joelhos.

– Como assim?

Ela dá de ombros.

– Nina Winchester. Você sabe. Ela é… – Ela faz o sinal universal de "doida" com o dedo indicador. – Não é?

– Como você sabe?

– Ah, *todo mundo* sabe. – Ela me lança um olhar. – Além disso, tenho a sensação de que a Nina é do tipo ciumenta. E o marido dela é *muito* gostoso, você não acha?

Desvio o olhar.

– Acho que sim, não sei.

Amanda começa a revirar sua bolsa enquanto lambo meus lábios. Esta é a oportunidade que eu estava esperando. Alguém de quem eu possa arrancar informações sobre Nina.

– Então – começo –, por que as pessoas falam que a Nina é maluca?

Ela olha para cima e, por um momento, tenho medo de que se ofenda com o fato de eu obviamente a estar interrogando. Mas ela apenas sorri.

– Você sabe que ela foi parar numa casa de pirados, né? Todo mundo fala disso.

Estremeço com o uso da expressão "casa de pirados". Tenho certeza de que ela tem outros termos igualmente vibrantes para o lugar onde passei a última década da minha vida. Mas preciso ouvir isso. Meu coração acelera, batendo em sincronia com os pezinhos na sala ao lado.

– Ouvi falar…

– Cecelia era bebê na época. Coitadinha… Se a polícia tivesse chegado um segundo depois…

– Como assim?

Ela abaixa a voz um pouco, olhando ao redor da sala.

– Você sabe o que ela fez, não sabe?

Balanço a cabeça, sem palavras.

– Foi horrível... – Amanda respira fundo. – Ela tentou afogar a Cecelia na banheira.

Cubro a boca com a mão.

– Ela... *o quê*?

Amanda assente solenemente.

– Nina drogou a criança, jogou ela na banheira com a torneira aberta e depois se entupiu de remédios.

Abro a boca, mas nenhuma palavra sai. Estava esperando alguma história do tipo, sei lá, que ela tivesse discutido a respeito da melhor cor para tutus com alguma outra mãe durante o ensaio de balé e depois tido um colapso. Ou talvez porque a manicure favorita tivesse decidido se aposentar e ela não suportou. Isso é bem diferente. A mulher tentou matar a própria filha. Não consigo pensar em nada mais horrível do que isso.

– Andrew Winchester aparentemente estava no escritório dele, em Manhattan – diz Amanda. – Mas ficou preocupado quando não conseguiu falar com ela. Graças a Deus chamou a polícia depois que conseguiu.

Minha dor de cabeça piorou, apesar do analgésico. Estou realmente prestes a vomitar. Nina tentou matar a filha. Tentou se matar. Meu Deus, não é à toa que toma antipsicóticos.

Não faz nenhum sentido para mim. Posso dizer várias coisas sobre Nina, mas ela claramente ama muito Cecelia. Esse tipo de coisa não dá para fingir. No entanto, acredito em Amanda – com certeza já ouvi esse boato sobre ela não bater bem de uma quantidade suficiente de pessoas. Não parece possível que todo mundo tenha entendido errado.

Nina de fato tentou matar a filha.

Mas, sim, não sei o contexto. Já ouvi falar sobre depressão pós-parto e sobre como ela pode fazer a mente de uma mulher ir para lugares sombrios. Talvez Nina não tivesse ideia do que estava fazendo. Não tem ninguém aqui dizendo que ela *planejou* matar a filha. Até porque, se isso fosse verdade, ela estaria na cadeia agora. Para sempre.

Mesmo assim. Por mais que eu me preocupasse com o estado mental de Nina, no fundo jamais acreditei que ela tivesse a capacidade de ser realmente violenta. Ela é capaz de muito mais do que eu imaginava.

Pela primeira vez desde que Enzo me rejeitou, penso no pânico em seus olhos enquanto corria em direção à porta da frente. *Você sai daqui, Millie. É… perigoso.* Ele teme por mim. Tem medo de Nina Winchester. Queria tanto que ele falasse inglês. Se falasse, tenho a sensação de que a esta altura eu já teria saído de lá.

Mas, no fundo, o que posso fazer? Os Winchesters me pagam bem, mas não o suficiente para eu me manter por um tempo sem pelo menos mais alguns meses de salário. Se eu me demitir, eles jamais me darão uma recomendação decente. Vou ter que voltar a pesquisar vagas de trabalho, enfrentando uma rejeição atrás da outra toda vez que descobrirem que sou fichada.

Só preciso aguentar um pouquinho mais. E dar o meu melhor para não irritar Nina Winchester. Minha vida pode depender disso.

VINTE E UM

Na hora do jantar, a caixa de papelão que Enzo trouxe para casa ainda está no mesmo local. A fim de pôr a mesa, tento movê-la, mas é *muito* pesada – pela maneira como a carregou sem esforço para dentro da sala, Enzo a fez parecer mais leve do que realmente era. Estou com medo de tentar movê-la e derrubá-la sem querer. Há grandes chances de que haja um vaso da dinastia Ming de valor inestimável lá dentro, ou algo igualmente frágil e caro.

Analiso o endereço do remetente na caixa mais uma vez. Evelyn Winchester – fico imaginando quem é. A caligrafia é grande e cheia de curvas. Dou um empurrão na caixa e algo chacoalha lá dentro.

– Presente de Natal antecipado?

Olho por cima do pacote – Andrew está em casa. Ele deve ter entrado pela garagem e está dando um sorrisinho para mim, a gravata solta ao redor do pescoço. Fico feliz por ele parecer estar com um humor melhor do que no dia anterior. Achei mesmo que ele fosse ficar mal depois da consulta com o médico. E ainda teve aquela discussão terrível à noite, quando quase me convenci de que Nina o havia assassinado. Claro, agora que sei por que ela foi internada, não parece tão improvável.

– Estamos em junho – eu o lembro.

Ele estala a língua.

– Nunca é cedo demais pro Natal.

Ele contorna a lateral da mesa para examinar o endereço do remetente no pacote. Andrew está a apenas alguns centímetros de mim, e sinto o cheiro de sua loção pós-barba. Tem um aroma… gostoso. Caro.

Pare com isso, Millie. Pare de cheirar seu chefe.

– É da minha mãe – explica Andrew.

Sorrio para ele.

– Sua mãe ainda te manda mimos de casa?

Ele ri.

– Ela costumava mandar, na verdade. Principalmente antes, quando a Nina estava… doente.

Doente. É um belo eufemismo para o que Nina fez. Simplesmente não consigo entender isso.

– Provavelmente é alguma coisa pra Cece – comenta. – Minha mãe adora mimar essa menina. Ela sempre diz que, como a Cece só tem uma avó, é seu dever mimá-la.

– E os pais da Nina?

Ele faz uma pausa, com as mãos na caixa.

– Os pais da Nina morreram quando ela era nova. Nem cheguei a conhecer os dois.

Nina tentou se matar. Tentou matar a própria filha. E agora descubro que seus pais também já morreram. Só espero que a empregada não seja a próxima.

Não. Preciso parar de pensar assim. É mais provável que os pais de Nina tenham morrido de câncer ou alguma doença cardíaca. O que quer que houvesse de errado com ela, eles obviamente acharam que a filha estava pronta para voltar à sociedade. Eu deveria dar a ela o benefício da dúvida.

– Enfim – diz Andrew, endireitando-se –, deixa eu abrir isso.

Ele corre para a cozinha e volta um minuto depois com um estilete. Abre o topo da caixa e puxa as abas. Estou bastante curiosa a esta altura. Passei o dia inteiro olhando para essa caixa, imaginando o que havia dentro. Tenho certeza de que, seja lá o que for, é algo absurdamente caro. Ergo as sobrancelhas enquanto Andrew olha para a caixa, a cor sumindo de seu rosto.

– Andrew? – chamo, franzindo a testa. – Você está bem?

Ele não responde. Em vez disso, afunda em uma das cadeiras e pressiona a ponta dos dedos na testa. Corro para confortá-lo, mas não consigo deixar de dar uma olhada no interior da caixa.

E então entendo por que ele está tão chateado.

A caixa está cheia de coisas de bebê. Mantinhas brancas, chocalhos, bonecas. Há uma pequena pilha de macacões brancos minúsculos.

Nina estava tagarelando para quem quisesse ouvir que eles teriam um bebê em breve. Com certeza, ela mencionou isso para a mãe de Andrew, que decidiu enviar presentes. Infelizmente, ela se precipitou.

Andrew está com o olhar vidrado.

– Você está bem? – pergunto mais uma vez.

Ele pisca como se tivesse se esquecido da minha presença. Depois, consegue dar um sorriso lacrimejante.

– Estou bem. Mesmo. Eu só… não precisava ver isso.

Deslizo para a cadeira ao lado dele.

– Quem sabe o médico esteja errado?

Parte de mim se pergunta por que ele iria *querer* ter um filho com Nina, em especial depois do que ela quase fez com Cecelia. Como ele poderia confiar um bebê nas mãos dela depois de Nina ter feito algo assim?

Ele esfrega o rosto.

– Tudo bem. Nina é mais velha que eu e teve alguns… problemas quando a gente se casou, e não me senti confortável pra ter um bebê na época. Então esperamos e agora…

Olho para ele, surpresa.

– Nina é mais velha que você?

– Um pouco. – Ele dá de ombros. – Ninguém se importa com idade quando está apaixonado. E eu amava ela. – Não me escapa o fato de ele ter usado o verbo no passado para se referir a seus sentimentos pela esposa. Ele percebe isso também, porque seu rosto fica vermelho. – Quer dizer, eu *amo*. Amo a Nina. E, aconteça o que acontecer, nós temos um ao outro.

Ele diz as palavras com convicção, mas, ao olhar para a caixa de novo, uma expressão muito triste surge em seu rosto. Não importa o que diga, não está feliz com o fato de que ele e Nina não terão outro filho juntos. Está sendo difícil para ele.

– Eu… vou colocar a caixa no porão – murmura Andrew. – Talvez alguém na vizinhança tenha um bebê e a gente possa dar isso de presente. Ou então a gente pode só… pode só doar. Tenho certeza de que alguém vai aproveitar.

Sou tomada pelo desejo irreprimível de abraçá-lo. Apesar de seu sucesso financeiro, sinto pena de Andrew. Ele é um cara muito bacana e merece ser feliz. E estou começando a me perguntar se Nina – com todos os seus problemas e as mudanças de humor bizarras – é capaz de fazer esse homem feliz. Ou se ele só está preso a ela por obrigação.

– Se quiser falar sobre isso – falo suavemente –, eu estou aqui.

Seus olhos encontram os meus.

– Obrigado, Millie.

Coloco minha mão sobre a dele – um gesto para confortá-lo. Ele vira a mão e aperta a minha. Com o toque de sua palma contra a minha, uma sensação me atravessa como um raio. É algo que nunca senti antes. Olho para os olhos castanhos de Andrew e posso dizer que ele sente isso também. Por um momento, nós dois apenas nos encaramos, atraídos por alguma conexão invisível e indescritível. Então, seu rosto fica vermelho.

– É melhor eu ir. – Ele puxa a mão para longe da minha. – Eu deveria... Quer dizer, tenho que...

– Claro.

Ele se levanta de um pulo e deixa a sala de jantar às pressas. Mas, pouco antes de desaparecer escada acima, me lança um último olhar demorado.

VINTE E DOIS

Passo a semana seguinte evitando Andrew Winchester.

Não posso mais negar meus sentimentos por ele. Não são quaisquer sentimentos. Tenho uma queda absurda por esse homem. Penso nele o tempo todo. Até sonho com ele me beijando.

E ele pode ter sentimentos por mim também, embora afirme que ame Nina. Mas o ponto-chave é que não quero perder este emprego. Ninguém consegue manter um emprego dormindo com o patrão casado. Então, faço o meu melhor para esconder meus sentimentos. De todo modo, Andrew passa a maior parte do dia no trabalho. É bem fácil ficar fora do caminho dele.

Esta noite, enquanto estou servindo a refeição, me preparando para sair correndo antes que Andrew chegue, Nina entra na sala de jantar. Ela balança a cabeça em aprovação para o salmão com arroz selvagem de acompanhamento. E, claro, nuggets de frango para Cecelia.

– O cheiro está maravilhoso, Millie.

– Obrigada. – Fico perto da cozinha, pronta para encerrar a noite, a rotina de sempre. – Mais alguma coisa?

– Só uma. – Ela ajeita o cabelo louro. – Você conseguiu os ingressos para o *Showdown*?

– Sim! – Consegui os dois últimos assentos no melhor setor para o próximo domingo à noite. Fiquei muito orgulhosa de mim mesma. Custaram uma pequena fortuna, mas os Winchesters podem pagar. – Vocês estão na sexta fila. Dá pra praticamente tocar os atores.

– Perfeito! – Nina bate palmas. – E você reservou o quarto no hotel?

– No Plaza.

Como a viagem até Manhattan é longa, Nina e Andrew passarão a noite no Plaza. Cecelia vai ficar na casa de uma amiga, e eu com esta casa inteirinha só para mim. Posso andar pelada se quiser. (Não estou planejando fazer isso, mas é bom saber que posso.)

– Vai ser tão lindo. – Nina suspira. – Eu e o Andy precisamos *mesmo* disso.

Seguro a língua. Não vou fazer nenhum comentário sobre o estado do relacionamento dos dois, principalmente porque a porta bate neste momento, o que significa que Andrew está em casa. Basta dizer que, desde a visita ao médico e a briga em seguida, eles parecem um pouco distantes. Não que eu esteja prestando atenção, mas é difícil não notar a estranha polidez que têm um com o outro. E a própria Nina não parece muito bem. Agora, por exemplo, sua blusa branca está abotoada errada. Ela pulou um botão, e a peça está toda desconjuntada. Estou me coçando para dizer a ela, mas vai gritar comigo se eu o fizer, então mantenho a boca fechada.

– Espero que se divirtam muito.

– Vamos nos divertir! – Ela sorri para mim. – Vai ser difícil aguentar esperar a semana inteira!

Franzo a testa.

– A semana inteira? O espetáculo é daqui a três dias.

Andrew entra na cozinha tirando a gravata. Ele para quando me vê, mas reprime uma reação, assim como sufoco a minha própria diante de como ele fica bonito no terno que está usando.

– Três dias? – repete Nina. – Millie, pedi pra você comprar os ingressos para o outro domingo! Eu me lembro bem disso.

– Foi… – Balanço a cabeça. – Mas você me disse isso há mais de uma semana. Então comprei pra *este* domingo.

As bochechas de Nina ficam rosadas.

– Então você admite que te falei pra comprar para o outro domingo e mesmo assim você comprou para *esse*?

– Não, o que estou dizendo é que…

– Não consigo acreditar que você possa ser tão descuidada assim. – Ela cruza os braços. – Não posso ir neste domingo. Preciso levar a Cecelia ao acampamento de verão em Massachusetts e vou passar a noite lá.

O quê? Eu poderia jurar que ela me disse para reservar para este domingo e que Cecelia ficaria na casa de uma amiga. É impossível que tenha me enganado.

– Talvez outra pessoa possa levar a Cecelia? Quer dizer, os ingressos não têm reembolso.

Nina parece ofendida.

– Não vou deixar que outra pessoa leve a minha filha para o acampamento de verão, sendo que vou ficar duas semanas sem vê-la!

Por que não? Não é pior do que tentar matar a menina. Mas não posso dizer isso.

– Não acredito que você estragou tudo, Millie. – Ela balança a cabeça. – O custo desses ingressos e do quarto de hotel vão ser descontados do seu salário.

Fico boquiaberta. O valor dos ingressos e de um quarto de hotel no Plaza é maior do que o meu salário. Caramba, é maior do que *três* salários. Estou tentando economizar para poder dar o fora daqui. Pisco, tentando não chorar diante da ideia de não receber nada num futuro próximo.

– Nina – interrompe Andrew. – Não fica chateada com isso. Olha, tenho certeza de que tem algum jeito de conseguir o reembolso dos ingressos. Vou ligar pra empresa do cartão de crédito e resolver isso.

Nina me lança um olhar fulminante.

– Ok. Mas se não conseguirmos o dinheiro de volta, você vai pagar. Entendeu?

Assinto sem dizer nada, e então corro para a cozinha antes que ela me veja chorando.

VINTE E TRÊS

No domingo à tarde, recebo duas boas notícias.

Primeiro, Andrew conseguiu o reembolso dos ingressos e não vou ter que trabalhar de graça.

Segundo, Cecelia vai passar duas semanas inteiras fora.

Não sei qual dessas revelações me deixa mais feliz.

Estou contente por não ter que desembolsar o dinheiro dos ingressos. Estou ainda mais, porém, por não ter que servir Cecelia. Filho de peixe, peixinho é.

Cecelia tem bagagem suficiente para pelo menos um ano. Juro por Deus, é como se ela tivesse colocado tudo que possui nessas malas e depois, no espaço restante, enchido de *pedras*. É assim que me sinto quando carrego tudo para o Lexus de Nina.

– Por favor, toma cuidado com isso, Millie. – Nina me observa, preocupada enquanto reúno uma força sobre-humana para colocar as bagagens no porta-malas. As palmas das minhas mãos estão vermelhas no lugar onde eu segurava as alças. – Vê se não quebra nada, por favor.

O que Cecelia poderia estar carregando de tão frágil para o acampamento? As crianças não levam só roupas, livros e repelente contra insetos? Mas quem sou eu para questionar.

– Desculpa.

Quando volto para a casa a fim de buscar as últimas malas de Cecelia, esbarro com Andrew descendo as escadas às pressas. Ele me pega prestes a levantar a mala monstruosa e seus olhos se arregalam.

– Ei – diz ele. – Eu carrego isso pra você. Parece muito pesado.

– Não, está tudo bem, eu levo – insisto, só porque Nina está saindo da garagem.

– Pode deixar, ela leva, Andy. – Nina faz um sinal de "não" com o dedo. – Você precisa ter cuidado com as suas costas.

Ele lança um olhar atravessado para ela.

– Minhas costas estão bem. De todo modo, quero me despedir da Cece.

Nina faz uma careta.

– Tem certeza de que não quer vir com a gente?

– Bem que eu queria – responde ele. – Mas não posso perder um dia inteiro de trabalho amanhã. Tenho várias reuniões à tarde.

Ela torce o nariz.

– Você sempre coloca o trabalho em primeiro lugar.

Ele fecha a cara. Eu não o culpo por ter ficado magoado com o comentário dela – pelo que sei, isso não é verdade. Apesar de ser um empresário bem-sucedido, Andrew está em casa toda noite para o jantar. Uma vez ou outra, trabalha nos fins de semana, mas também esteve presente em duas apresentações de dança este mês, uma de piano, uma cerimônia de formatura do quinto ano, uma apresentação de caratê, e teve ainda uma noite em que eles passaram horas em uma espécie de amostra de arte da escola da Cecelia.

– Desculpa – diz ele mesmo assim.

Ela torce o nariz mais uma vez e vira a cabeça. Andrew estende a mão para tocar seu braço, mas ela o afasta e sai em disparada em direção à cozinha para pegar a bolsa.

Ele ergue a última mala nos braços e vai até a garagem para despejá-la no porta-malas e se despedir de Cecelia, que está sentada no Lexus cor de neve da Nina, usando um vestido branco rendado que é totalmente inadequado para um acampamento de verão. Não que eu vá dizer alguma coisa.

Duas semanas inteiras sem aquela monstrinha. Quero pular de alegria. Em vez disso, curvo os lábios para baixo.

– Vai ser triste sem a Cecelia aqui este mês – comento quando Nina volta da cozinha.

– Jura? – diz ela secamente. – Eu achava que você não suportava ela.

Meu queixo cai. Tipo, sim, ela tem razão, eu e Cecelia não nos damos muito bem. Mas não tinha me dado conta de que ela sabia que eu me sentia assim. Se Nina sabe disso, será que percebe que não sou uma grande fã dela também?

Nina alisa a blusa branca e volta para a garagem. Assim que se retira, é como se toda a tensão tivesse sido sugada de mim. Sempre me sinto no limite quando Nina está por perto. É como se ela estivesse dissecando tudo que faço.

Andrew volta da garagem, esfregando as mãos na calça jeans. Amo o fato de ele usar camiseta e calça jeans nos fins de semana. Amo o jeito como seu cabelo fica despenteado quando está fazendo atividades físicas. Amo o jeito que sorri e pisca para mim.

Fico imaginando se ele sente o mesmo que eu em relação à partida de Nina.

– Então – começa ele –, agora que a Nina já foi, tenho uma confissão pra fazer.

– Hã?!

Uma confissão? *Estou loucamente apaixonado por você. Vou abandonar a Nina pra que a gente possa ir juntos para Aruba.*

Não, bem pouco provável.

– Não consegui o reembolso dos ingressos. – Ele abaixa a cabeça. – Eu não queria que a Nina te infernizasse por causa disso. Ou tentasse te *cobrar*, pelo amor de Deus. Tenho certeza de que foi ela que te disse a data errada.

Assinto lentamente.

– Ela disse, sim, mas… Bom, obrigada mesmo assim. De verdade.

– Então… tipo, você deveria ficar com os ingressos. Vai até lá hoje à noite e assiste ao espetáculo com uma amiga. E você pode passar a noite no quarto do Plaza.

Quase engasgo.

– É muito *generoso* da sua parte.

O lado direito de seus lábios se curva para cima.

– Bom, já temos os ingressos. Por que eles deveriam ir pro lixo? Aproveita.

– É… – Brinco com a bainha da minha camiseta, pensativa. Não consigo imaginar o que Nina diria se descobrisse. E tenho que admitir, só a ideia de ir já me dá ansiedade. – Agradeço mesmo, mas vou ter que recusar.

– Sério? Parece que esse é o melhor espetáculo da década! Você não gosta de ir a shows na Broadway?

Ele não faz ideia do que foi a minha vida, do que fiz ao longo dos últimos dez anos.

– Eu nunca fui a um show na Broadway.

– Então você precisa ir! Eu insisto!

– Tudo bem, mas… – Respiro fundo. – A verdade é que não tenho com quem ir. E não sinto vontade de ir sozinha. Então, como falei, vou ter que recusar.

Andrew me encara por um momento, esfregando o dedo na leve barba por fazer no queixo. Por fim, diz:

– Eu vou com você.

Ergo as sobrancelhas.

– Tem certeza de que é uma boa ideia?

Ele hesita.

– Eu sei que a Nina é meio ciumenta, mas isso não é motivo pra desperdiçarmos ingressos caros como esses. E é um crime você nunca ter visto um show na Broadway. Vai ser divertido.

Sim, vai ser divertido. É com isso que estou preocupada, caramba.

Imagino a noite se desenrolando. Ir até Manhattan no BMW de Andrew, me sentar na sexta fileira da plateia para assistir a um dos shows mais cobiçados da Broadway, depois talvez comer algo em um restaurante próximo e saborear um copo de prosecco. Ter uma conversa com Andrew em que não precisamos nos preocupar com Nina aparecendo e olhando de cara feia para nós dois.

Parece maravilhoso.

– Está bem – respondo. – Vamos, então.

O rosto de Andrew se ilumina.

– Maravilha. Vou me trocar e a gente se encontra aqui em mais ou menos uma hora, ok?

– Combinado.

Enquanto subo as escadas para o sótão, sinto um aperto, um bolo pesado na boca do estômago. Por mais que esteja ansiosa para hoje à noite, tenho um mau pressentimento. Não consigo me livrar da sensação de que, se eu for para o show hoje à noite, algo terrível vai acontecer. Já tenho uma queda totalmente inapropriada por Andrew. Parece que passar a noite inteira com ele, só nós dois, é brincar com o destino.

Mas isso é ridículo. Nós vamos para Manhattan para curtir um espetáculo. Somos dois adultos e estamos completamente no controle de nossas próprias ações. Vai ficar tudo bem.

VINTE E QUATRO

Não posso ir a um show da Broadway de jeans e camiseta, disso não tenho dúvida. Dei uma olhada na internet e oficialmente não há código de vestimenta, mas parece inadequado. De todo modo, Andrew disse que ia se trocar, então preciso usar algo bacana.

O problema é que não tenho nada do tipo.

Quer dizer, tecnicamente tenho. Aquela sacola de roupas que Nina me deu. Pendurei as peças para que não estragassem, mas ainda não usei nenhuma. Em sua maioria, são todos vestidos chiques, e não dá para dizer que enquanto limpava a casa dos Winchesters eu tenha tido muitas oportunidades de me arrumar para eventos. Com certeza não quero botar um vestido de festa para passar o aspirador.

Mas esta noite é uma oportunidade para me arrumar. Talvez a única que terei por muito tempo.

O maior problema é que todos os vestidos são absurdamente *brancos*. Claro, esta é a cor favorita da Nina. Acontece que branco *não é* minha cor favorita. Acho que nem tenho uma cor favorita (qualquer coisa menos laranja para mim está bom), mas nunca gostei de usar branco porque suja muito fácil. Vou ter que ser especialmente cuidadosa esta noite. E não vai ser tudo branco, porque não tenho sapatos dessa cor. Só tenho sapatilhas pretas, então é isso que vou usar.

Olho os vestidos, tentando descobrir qual seria o mais apropriado para esta noite. São todos lindos, e também extremamente sexy. Escolho um vestido de festa justo, com uma frente única de renda, bem na altura dos joelhos. Considerando que Nina é bem maior do que eu, presumi que ficaria largo em mim. Mas ela deve ter comprado essa peça há muitos anos: o vestido se encaixa tão bem no meu corpo que nem que eu tivesse comprado algo especificamente para mim ficaria tão perfeito.

Pego leve na maquiagem. Apenas algumas pinceladas de batom, um pouquinho de delineador, e é isso. O que quer que aconteça esta noite, vou me comportar. A última coisa que quero é confusão. E não tenho dúvidas de que, se Nina suspeitar de alguma coisa entre mim e o marido dela, seu maior objetivo na vida será acabar comigo.

Andrew já está na sala quando desço as escadas. Está vestindo um paletó cinza e uma gravata combinando, e se deu ao trabalho de tomar banho e fazer a barba que despontava no queixo. Ele está... meu Deus, ele está maravilhoso. Lindo de morrer. Tão bonito que quero agarrá-lo pela gola da camisa. Mas o mais incrível é a maneira como seus olhos se arregalam quando me vê, e ele respira fundo ruidosamente.

E então, por alguns segundos, apenas olhamos um para o outro.

– Meu Deus, Millie. – A mão dele treme um pouco enquanto ajusta a gravata. – Você está...

Ele não conclui o pensamento, o que provavelmente é uma coisa boa. Porque ele não está olhando para mim como um homem deveria olhar para uma mulher que não é sua esposa.

Abro a boca, imaginando se devo perguntar a ele se isso é uma má ideia. Se talvez devêssemos cancelar tudo. Mas não consigo me forçar a dizer isso.

Andrew enfim desvia o olhar de mim para o relógio de pulso.

– É melhor a gente ir. Estacionar na Broadway pode ser difícil.

– Sim, claro. Vamos.

É impossível voltar atrás agora.

Eu me sinto praticamente uma celebridade quando deslizo para o banco de couro geladinho do BMW de Andrew. Este carro não lembra em nada o meu Nissan. Andrew sobe no banco do motorista e é quando percebo que meu vestido subiu pelas coxas. Quando o coloquei, ele desceu quase até os joelhos, mas, sentada, sei lá por que está batendo no meio da coxa. Eu o puxo, mas, no segundo em que o solto, ele sobe de novo.

Felizmente, os olhos de Andrew estão na rua quando passamos pelo portão que cerca a propriedade. Ele é um marido bom e fiel. Só porque pareceu que ia desmaiar quando me viu neste vestido não significa que não será capaz de se controlar.

– Estou tão animada – comento enquanto ele pega o caminho para a autoestrada de Long Island. – Não acredito que vou ver *Showdown*.

Ele assente.

– Ouvi dizer que é incrível.

– Até escutei algumas músicas no celular enquanto estava me arrumando – admito.

Ele dá risada.

– Você disse que a gente está na sexta fila, certo?

– Isso mesmo.

Não só vamos ver o show mais cobiçado da Broadway, como vamos ficar tão perto que quase poderemos tocar os atores. Se eles falarem demais, vamos ser atingidos em cheio pelos perdigotos. E, estranhamente, estou animada com tudo isso.

– Mas olha só... – começo.

Ele ergue as sobrancelhas.

– Eu me sinto mal por você não ir com a Nina. – Puxo a bainha do vestido, que parece *empenhado* em mostrar minha calcinha. – Ela que queria esses ingressos.

Ele dá um tapinha no ar.

– Não se preocupa com isso. Desde que a gente se casou, Nina viu mais shows da Broadway do que consigo contar. Isso é especial pra você. Você vai adorar, mesmo. Tenho certeza de que ela gostaria que você aproveitasse.

– Hum.

Não tenho tanta certeza disso.

– Confia em mim. Está tudo bem.

Ele desacelera até parar em um sinal vermelho. Enquanto seus dedos tamborilam no volante, noto que seus olhos se desviam do para-brisa. Depois de um momento, percebo para onde ele está olhando.

Para as minhas pernas.

Ergo os olhos, e ele percebe que foi pego no flagra. Suas bochechas coram e Andrew desvia o olhar.

Cruzo as pernas e me mexo no assento. Nina definitivamente não ficaria feliz se soubesse disso, mas é impossível que descubra. E, de qualquer maneira, não estamos fazendo nada de errado. E daí se Andrew olhou para as minhas pernas? Olhar não tira pedaço.

VINTE E CINCO

É uma bela noite de junho. Trouxe um xale comigo, mas está tão quente que acabo deixando no carro de Andrew, então não tenho nada além do meu vestido branco e minha bolsa descombinados enquanto esperamos na fila para entrar no teatro.

Dou um suspiro quando vejo o interior do lugar. Acho que nunca vi algo assim na minha vida toda. A plateia contém filas e filas de cadeiras, mas, quando levanto a cabeça, há dois conjuntos de assentos que se estendem até a altura do teto. E na frente há uma cortina vermelha que é iluminada por baixo por uma luz amarela provocante.

Quando finalmente me distraio da visão à minha frente, noto que Andrew está com uma expressão contente.

– O que foi? – pergunto.

– É fofa, só isso – diz ele. – A expressão no seu rosto. Estou acostumado com tudo isso, mas estou adorando ver através dos seus olhos.

– É tão grande – falo, timidamente.

Um lanterninha vem nos entregar o programa e nos conduzir aos nossos lugares. E então vem a parte realmente incrível: ele continua nos levando cada vez mais e mais perto. E, quando finalmente chegamos aos nossos lugares, não consigo acreditar em quão próximos estamos do palco. Se eu quisesse, poderia agarrar os atores pelos tornozelos. Não que eu fosse fazer isso, porque definitivamente violaria minha liberdade condicional, mas seria possível.

Ao me sentar ao lado de Andrew em um dos melhores lugares do show mais cobiçado da cidade neste teatro incrível, não me sinto como uma garota que acabou de sair da cadeia, sem um centavo no bolso e com um emprego que odeia. Eu me sinto *especial*. Como se, talvez, merecesse estar aqui.

Olho para Andrew. Tudo isso está acontecendo por causa dele. Ele poderia ter sido um babaca em relação a tudo isso e me cobrado pelos ingressos, ou ido com um amigo qualquer. Teria todo o direito de fazer isso. Mas não. Ele me trouxe aqui esta noite. E nunca vou me esquecer disso.

– Obrigada – deixo escapar.

Ele gira a cabeça para me olhar. Seus lábios se curvam. Ele é tão bonito quando sorri...

– O prazer é meu.

Ao fundo, é possível ouvir a música tocando e a comoção das pessoas encontrando seus lugares, e mal escuto um zumbido vindo da minha bolsa. É meu celular. Eu o pego e vejo uma mensagem de Nina na tela:

Não esquece de botar o lixo pra fora.

Cerro os dentes. Se tem uma coisa capaz de acabar com todas as fantasias de alguém sobre ser mais do que uma empregada, é uma mensagem da patroa pedindo para você arrastar o lixo até a calçada. Nina sempre me lembra do lixo, toda semana, mesmo que eu nunca tenha esquecido. Mas o pior de tudo é que, quando vejo a mensagem dela, me dou conta de que *esqueci mesmo* de levar o lixo para a calçada desta vez. Costumo fazer isso depois do jantar, e a mudança no cronograma me deixou perdida.

Mas tudo bem. Só tenho que me lembrar de fazer isso mais tarde, quando voltarmos. Depois que o BMW de Andrew se transformar em uma abóbora.

– Tudo bem?

De testa franzida, Andrew me observa ler a mensagem. Meus sentimentos calorosos por ele evaporam um pouco. Andrew não é um cara com quem estou saindo e que está me mimando ao me trazer para um show na Broadway. Ele é meu chefe. É casado. Ele só me trouxe aqui porque sente pena de mim por ser tão inculta.

E não posso me esquecer disso.

• • •

O show é absolutamente incrível.

Estou literalmente na beira do meu assento na sexta fila, boquiaberta. Posso dizer por que esse é um dos shows mais populares da Broadway. Os números musicais são tão cativantes, os de dança, tão elaborados, e, para completar, o ator que interpreta o protagonista é coisa de outro mundo.

Embora eu não possa deixar de pensar que ele não é tão bonito quanto Andrew.

Depois de três sessões de aplausos de pé, o show finalmente acaba e o público começa a se encaminhar em direção às saídas. Andrew se levanta devagar de seu lugar e alonga uma torção nas costas.

– Então, vamos jantar?

Deslizo o programa para dentro da bolsa. É arriscado guardá-lo, mas estou desesperada para não deixar escapar a memória dessa experiência mágica.

– Pode ser. Você tem um lugar em mente?

– Tem um restaurante francês incrível a alguns quarteirões de distância. Você gosta de comida francesa?

– Nunca comi comida francesa – admito. – Mas gosto de pão francês.

Ele ri.

– Acho que você vai gostar. É minha convidada, claro. O que acha?

Acho que Nina não gostaria de saber que o marido dela me levou a um espetáculo da Broadway e depois me convidou para um jantar francês caro. Mas que se dane. Já estamos aqui mesmo, e também o jantar não vai deixá-la *mais* irritada do que o show por si só. Não tem como ficar pior.

– Por mim, está ótimo.

Na minha antiga vida, antes de trabalhar para os Winchesters, eu jamais poderia ter ido a um restaurante francês como aquele ao qual Andrew está me levando. Há um menu afixado na porta, e só de passar o olho em alguns dos preços constato que qualquer entrada me deixaria dura por várias semanas. Mas, ao lado dele, usando o vestido branco de Nina, eu me encaixo aqui. Ninguém vai me pedir para sair, no fim das contas.

Tenho certeza de que, quando entramos no restaurante, todo mundo pensa que somos um casal. Vi nosso reflexo no vidro do lado de fora e ficamos *bem* juntos. Para falar a verdade, parecemos mais um casal do que ele e Nina. Ninguém percebe que ele usa uma aliança de casamento e eu, não. O que as pessoas podem notar é a maneira como ele gentilmente coloca a mão na parte inferior das minhas costas para me conduzir até nossa mesa e depois puxa uma cadeira para mim.

– Você é mesmo um cavalheiro – comento.

Ele dá uma risadinha.

– Agradeça à minha mãe. Fui criado assim.

– É, ela criou você muito bem.

Ele sorri.

– Ela ficaria muito feliz em ouvir isso.

Claro, isso me faz pensar em Cecelia. Aquela pirralha mimada que parece gostar de me dar ordens. Mas, sim, Cecelia passou por muita coisa. Afinal, sua mãe tentou matá-la.

Quando o garçom vem anotar nossas bebidas, Andrew pede uma taça de vinho tinto, então faço o mesmo. Nem olho os preços. Isso só vai fazer com que me sinta mal, e ele já disse que vai pagar.

– Não faço ideia do que pedir. – Nenhum dos nomes dos pratos soa familiar, o cardápio está todo em francês. – Você entende esse menu?

– *Oui* – responde Andrew.

Ergo as sobrancelhas.

– Você fala francês?

– *Oui, mademoiselle.* – Ele pisca para mim. – Sou fluente, na verdade. Passei o primeiro ano da faculdade estudando em Paris.

– Uau.

Não só não passei nenhum ano estudando francês na faculdade, como nem fiz faculdade. Consegui o diploma do ensino médio fazendo supletivo.

– Você quer que eu leia o cardápio pra você?

Minhas bochechas ficam quentes.

– Não precisa fazer isso. Só escolhe alguma coisa que você acha que vou gostar.

Ele parece satisfeito com essa resposta.

– Está bem, posso fazer isso.

O garçom chega com uma garrafa de vinho e duas taças. Observo enquanto ele abre a garrafa e nos serve as duas taças cheias. Andrew faz um gesto para que deixe a garrafa. Pego minha taça e tomo um longo gole.

Meu Deus, isso é muito bom. Muito melhor do que o que consigo comprar por cinco dólares na loja de bebidas perto de casa.

– E você? – pergunta ele. – Fala alguma outra língua?

Faço que não com a cabeça.

– Tenho sorte de falar inglês.

Andrew não ri da minha piada.

– Você não deveria se diminuir assim, Millie. Você trabalha pra gente há meses, é muito ética no seu trabalho e é obviamente uma mulher inteligente. Eu nem sei por que você iria querer esse emprego, embora pra gente seja uma sorte. Não tem outras aspirações profissionais?

Brinco com meu guardanapo, evitando encará-lo. Andrew não sabe nada sobre mim. Se soubesse, entenderia.

– Não quero falar sobre isso.

Ele hesita por um momento, depois assente, respeitando meu pedido.

– Bem, de todo modo, estou feliz de você ter saído esta noite.

Levanto a cabeça e seus olhos castanhos estão me fitando do outro lado da mesa.

– Eu também.

Andrew parece estar prestes a dizer algo mais, mas então seu telefone começa a tocar. Ele o tira do bolso e olha para a tela enquanto tomo outro gole de vinho. É tão bom que quero beber tudo de uma vez, mas isso não seria uma boa ideia.

– É a Nina. – Talvez seja minha imaginação, mas a expressão dele é de angústia. – É melhor eu atender.

Não consigo ouvir o que ela está dizendo, mas sua voz trêmula é audível do outro lado da mesa. Nina parece chateada. Ele segura o celular a cerca de um centímetro da orelha, estremecendo a cada palavra.

– Nina – diz ele. – Olha, é… ok, eu não vou… Nina, relaxa, por favor. – Ele contrai os lábios. – Não posso falar com você sobre isso agora. A gente se vê quando você chegar em casa amanhã, está bem?

Andrew aperta um botão em seu telefone para encerrar a chamada, então bate o aparelho na mesa. Por fim, pega a taça de vinho e bebe metade do conteúdo.

– Tudo bem?

– Aham. – Ele pressiona a ponta dos dedos na testa. – Eu só… amo a Nina, mas às vezes não consigo entender como meu casamento chegou a esse ponto… em que noventa por cento das nossas interações são ela gritando comigo.

Não sei o que dizer em relação a isso.

– Eu... sinto muito. Não sei se faz você se sentir melhor, mas noventa por cento das minhas interações com ela também são assim.

Os lábios dele se contraem de novo.

– Bom, temos isso em comum.

– Então... ela era diferente antes?

– Completamente. – Ele pega o vinho e vira o resto. – Quando a gente se conheceu, ela era uma mãe solo que trabalhava em dois empregos. Eu admirava muito ela. Nina teve uma vida difícil, e foi a força dela que mais me atraiu. E agora... ela não faz nada além de reclamar. Não tem nenhum interesse em trabalhar. Mima a Cecelia. E o pior de tudo é...

– O quê?

Ele pega a garrafa de vinho e enche a taça de novo. Em seguida, passa o dedo pela borda.

– Nada. Deixa pra lá. Eu não deveria... – Ele olha ao redor do restaurante. – Cadê o nosso garçom?

Estou morrendo de vontade de saber o que Andrew estava prestes a me confessar. Mas então nosso garçom aparece, ansioso pela gorjeta gigante que quase certamente vai receber depois dessa refeição, e aparentemente perdi a chance.

Andrew pede a comida para nós dois, como disse que faria. Nem pergunto o que ele pediu, porque quero que seja uma surpresa e tenho certeza de que será incrível. Também estou impressionada com sua pronúncia em francês. Sempre sonhei em ser capaz de falar outro idioma. No entanto, provavelmente é tarde demais para mim.

– Espero que você goste do que eu pedi – diz ele, quase tímido.

– Tenho certeza que vou gostar. – Sorrio para ele. – Você tem muito bom gosto. Tipo, olha pra sua casa. Ou foi a Nina que escolheu tudo?

Ele toma outro gole de vinho.

– Não, a casa é minha, e a maior parte da decoração foi feita antes de a gente se casar. Antes mesmo de a gente se conhecer, na verdade.

– Sério? A maioria dos homens que trabalha em Manhattan prefere morar sozinho em um apartamento por lá antes de se casar.

Ele bufa.

– Não, nunca liguei pra isso. Estava pronto pra me casar. Na verdade, pouco antes da Nina, fiquei noivo de outra pessoa...

Pouco antes da Nina? O que isso quer dizer? Será que ele está dizendo que Nina acabou com o noivado dele?

– Enfim – diz ele –, tudo que eu queria era me estabelecer, comprar uma casa, ter filhos…

Nessa última declaração, seus lábios se curvam para baixo. Mesmo que ele não tenha mencionado, tenho certeza de que ainda está magoado por saber que Nina não é capaz de ter outros filhos.

– Sinto muito por… – Giro o vinho na taça. – Sabe, essas questões de fertilidade. Deve ser difícil pra vocês dois.

– Aham… – Ele ergue os olhos da taça e deixa escapar: – Nós não transamos desde a consulta com aquele médico.

Quase derrubo a taça na mesa. Neste momento, o garçom volta com a entrada. São pequenos círculos de pão cobertos com uma pasta rosa. No entanto, mal consigo me concentrar nisso depois da confissão de Andrew.

– *Mousse de saumon canapés* – diz ele quando o garçom se retira. – Basicamente, mousse de salmão defumado em uma baguete.

Eu só o encaro.

– Desculpa. – Ele dá um suspiro. – Eu não deveria ter dito isso. Foi de muito mau gosto.

– Hum…

– Vamos só… – Ele aponta para as pequenas fatias de baguete sobre a mesa. – Vamos curtir o jantar. Por favor, esquece que eu disse isso. Eu e a Nina… estamos bem. Todo casal passa por um período de seca.

– Claro.

Mas esquecer o que ele disse sobre Nina é um esforço inútil.

VINTE E SEIS

Acabamos nos divertindo muito no jantar. Não falamos mais de Nina, e a conversa fluiu com facilidade, em especial depois que chegamos à segunda garrafa de vinho. Não me lembro da última vez que tive uma noite tão agradável. Fico triste quando ela começa a chegar ao fim.

– Muito obrigada por isso – falo para Andrew enquanto ele paga a conta.

Tenho medo até de olhar; só o vinho provavelmente custou uma pequena fortuna.

– Não, *eu* que agradeço. – O rosto dele está praticamente brilhando. – Eu me diverti muito. Não me divirto tanto há… – Ele dá uma tossidinha. – Enfim, foi muito divertido. Exatamente do que eu precisava.

Ele se levanta depois de pagar e balança o corpo para a frente e para trás. Bebemos *muito* vinho esta noite, o que já não seria uma boa ideia em circunstâncias mais apropriadas, e é aí que lembro que ele precisa dirigir até Long Island. E pegar a autoestrada.

Andrew deve ter percebido o que estou pensando. Ele se segura na mesa para se equilibrar.

– Eu não deveria dirigir – reconhece.

– Não. Provavelmente, não.

Ele esfrega o rosto.

– Ainda temos aquela reserva no Plaza. O que você acha?

Bem, não é preciso ser um gênio para saber que isso é um grande erro.

Estamos os dois bêbados, a esposa dele está fora da cidade e ele aparentemente não faz sexo há algum tempo. E eu não transo há muito, muito mais tempo. Eu deveria dizer não. Isso não tem como acabar bem.

– Acho que não é uma boa ideia – murmuro.

Andrew coloca a mão no peito.

– Serei um perfeito cavalheiro. Juro. É uma suíte. São duas camas.

– Eu sei, mas…

– Você não confia em mim?

Eu não confio em *mim*. Esse é o grande problema.

– Bom, não tenho como levar a gente de volta pra casa esta noite. – Ele olha para o Rolex. – Já sei. Vou pegar dois quartos separados no Plaza.

– Ai, meu Deus, isso vai custar uma fortuna!

Ele dá um tapinha no ar.

– Não, recebo clientes lá às vezes, vou conseguir um desconto. Está tudo bem.

Andrew está definitivamente bêbado demais para dirigir, e eu provavelmente também estou, mas de todo modo morreria de medo de conduzir um carro caro como o dele. Acho que poderíamos pegar um táxi de volta, mas ele não deu essa sugestão.

– Tudo bem, desde que a gente fique em quartos separados.

Ele chama um táxi para nos levar ao hotel. Enquanto deslizamos para o banco de trás do carro, meu vestido branco sobe novamente até a coxa. Qual é o problema desse vestido ridículo? Estou me esforçando tanto para me comportar, mas ele não ajuda. Agarro a bainha para puxá-la para baixo de novo, mas, antes que consiga, noto Andrew dando outra olhada. E desta vez, quando o flagro, ele sorri para mim.

– O que foi? – pergunta ele.

Caramba, ele deve estar mesmo muito bêbado.

– Você está olhando pras minhas pernas!

– E daí? – O sorriso dele se alarga. – Você tem belas pernas. O que é bonito é pra ser visto.

Dou um tapinha no braço dele. Ele coloca a mão no ombro, fingindo estar ferido.

– Vamos ficar em quartos separados. Não esquece.

Mas seus olhos castanhos encontram os meus no banco de trás do táxi. E, por um momento, tenho dificuldade para respirar. Andrew quer ser fiel a Nina, tenho certeza disso. Entretanto, ela está diferente, está bêbado, e os dois estão tendo problemas – talvez há muito tempo. Pelo que sei, durante esse tempo todo em que trabalho lá, ela sempre o tratou mal. Ele merece coisa muito melhor.

– O que *você es*tá olhando? – pergunta ele baixinho.

Engulo um nó na garganta.

– Nada.

– Você está linda, Millie – diz ele, respirando fundo. – Não sei se te disse isso antes, mas queria que soubesse.

– Andrew…

– Eu só… – Ele engole em seco. – Ultimamente, tenho me sentido tão…

Antes que ele possa falar mais alguma coisa, o táxi faz uma curva e nos joga para a direita. Eu nunca coloco o cinto de segurança, então logo percebo meu corpo pressionado contra o dele. Ele me segura antes que eu bata a cabeça contra a janela. Seu corpo pesa contra o meu, a respiração no meu pescoço.

– Millie – sussurra ele.

E em seguida me beija.

E, Deus me ajude, eu o beijo de volta.

VINTE E SETE

Não preciso nem dizer que não pegamos quartos separados no Plaza.

Então, sim, eu dormi com meu patrão casado.

Depois que ele me beijou no táxi, era impossível voltar atrás. Estávamos praticamente rasgando as roupas um do outro àquela altura. Foi difícil nos comportarmos enquanto Andrew se encarregava do check-in. A gente se pegou no elevador feito dois adolescentes.

E então, quando chegamos ao quarto, não havia chance de tentar me segurar ou desacelerar as coisas por ele ser casado. Não sei quando foi a última vez que ele fez sexo, mas, no meu caso, fazia tanto tempo que eu estava com medo de que ele tivesse que tirar as teias de aranha. Não havia a menor chance de eu não ir adiante. Tinha até alguns preservativos na bolsa, da época em que pensei que poderia rolar alguma coisa com Enzo.

E foi bom. Não, mais do que bom. Foi absolutamente incrível. Exatamente do que eu precisava.

O sol acaba de nascer na gigantesca janela com vista da cidade. Estou deitada na minha cama queen-size decadentista do hotel Plaza e Andrew está dormindo ao meu lado, soprando de maneira suave o ar pelos lábios a cada respiração. Penso no que ele fez na noite anterior e estremeço deliciosamente. Parte de mim quer acordá-lo e ver se ele quer transar de novo. Mas minha parcela mais realista sabe que isso nunca mais vai acontecer – que isso *não pode* se repetir, jamais.

Quer dizer, Andrew é casado. Eu sou a empregada dele. Ontem à noite, ele estava bêbado. Foi só essa vez.

Por um momento, no entanto, observo seu belo perfil enquanto dorme e me permito fantasiar. Talvez ele acorde e conclua que está farto de Nina e suas baboseiras. Vai perceber que me ama e quer que eu more com ele na sua linda casa gradeada. E então vou poder dar a ele o bebê que tanto quer, algo que Nina jamais será capaz de fazer. Penso naquelas mulheres detestáveis na reunião da APM, dizendo que Andrew e Nina têm um acordo pré-nupcial rigoroso. Ele poderia deixá-la e isso não lhe custaria tanto dinheiro assim, embora eu tenha certeza de que ele seria generoso com ela.

Que besteira. Isso nunca vai acontecer. Se ele soubesse a verdade sobre mim, sairia correndo. Mas posso sonhar acordada.

Andrew geme e esfrega os olhos com a palma das mãos. Ele vira a cabeça para o lado e abre os olhos. Acho positivo o fato de não parecer horrorizado ao me ver deitada ali.

– Ei – diz ele com uma voz rouca.

– Ei.

Ele esfrega os olhos de novo.

– Como você está? Tudo bem?

Tirando a sensação de aperto no peito, estou ótima.

– Eu estou bem. E você?

Ele tenta se sentar na cama, mas sua cabeça cai no travesseiro.

– Acho que estou de ressaca. Meu Deus, a gente bebeu tanto assim?

Ele bebeu muito mais do que eu. Mas sou mais leve, então o álcool me atingiu com a mesma força.

– Duas garrafas de vinho.

– Eu… – A testa dele franze. – Está tudo bem entre a gente?

– Claro. – Dou conta de abrir um sorriso. – Totalmente. Juro.

Ele tenta se sentar uma segunda vez, estremecendo com a dor de cabeça. Mas desta vez consegue.

– Me desculpa. Eu não deveria…

Recuo com seu pedido de desculpa.

– Não se preocupa com isso. – Minha voz soa um pouco ríspida e pigarreio. – Vou tomar banho. Acho que a gente deveria voltar pra casa.

– Sim… – Ele dá um suspiro. – Você não vai falar nada pra Nina, né? Quer dizer, nós dois estávamos muito bêbados e…

Claro. É só com isso que ele se importa.

– Não vou falar nada.

– Obrigado. Obrigado mesmo.

Estou nua debaixo das cobertas, mas não quero que ele me veja assim. Pego um dos lençóis e enrolo ao redor do corpo enquanto saio da cama, cambaleando na direção do banheiro. Posso sentir os olhos de Andrew em mim, mas não me viro para olhar para ele. É humilhante.

– Millie?

Ainda não consigo olhar.

– O quê?

– Eu não estou arrependido – diz ele. – Eu me diverti muito com você ontem à noite, e não me arrependo de nada. E espero que você também não.

Arrisco olhar para ele. Ele ainda está na cama, as cobertas até a cintura, revelando seu peito nu e musculoso.

– Não, eu não estou arrependida, mesmo.

– Mas... – Ele dá um suspiro. – Isso não pode acontecer de novo. Você sabe disso, não sabe?

Assinto.

– Sei, eu entendo.

Uma expressão confusa surge em seu rosto. Ele passa a mão pelo cabelo escuro para alisá-lo.

– Queria que as coisas pudessem ser diferentes.

– Eu sei.

– Queria ter te conhecido antes, quando...

Ele não precisa completar a frase. Sei o que está pensando. Quem dera tivéssemos nos conhecido quando ele ainda era solteiro... Ele poderia ter entrado no bar onde eu estava servindo as mesas, nossos olhares teriam se cruzado, e, quando ele me pedisse meu número, eu teria dado. Mas não é o caso. Ele é casado. Pai. Não pode acontecer mais nada entre nós dois.

– Eu sei – repito.

Ele mantém os olhos em mim e, por um momento, fico imaginando se vai perguntar se pode se juntar a mim no chuveiro. Afinal, já profanamos o quarto mesmo. Que diferença faz se o fizermos mais uma vez? Mas ele se comporta. Andrew olha para o lado e puxa as cobertas. Já eu entro no banheiro para tomar meu banho frio.

VINTE E OITO

Praticamente não conversamos durante a viagem de volta a Long Island – Andrew liga o rádio e ouvimos o papo sem sentido do radialista. Lembro, então, que ele mencionou uma reunião mais tarde em Manhattan, de modo que vai só fazer um bate e volta em casa. Mas não estamos retornando só por minha causa. Ele ainda está vestindo a mesma roupa da noite anterior, e tenho certeza de que quer colocar um terno limpo antes de ir para a reunião.

– Quase chegando – murmura ele quando saímos da via expressa.

Está de óculos escuros, de modo que é impossível ler sua expressão.

– Ótimo.

Meu vestido está subindo mais uma vez – foi esse maldito vestido que causou toda essa confusão. Eu o puxo e, mesmo com os óculos escuros, não posso deixar de notar que Andrew está olhando para mim de novo. Ergo as sobrancelhas para ele, e Andrew sorri timidamente.

– A saideira.

Enquanto descemos um quarteirão residencial, ele desvia para evitar um caminhão de lixo. E é aí que um pensamento horrível me ocorre.

– Andrew – falo entredentes. – Eu não tirei o lixo ontem à noite.

– Ah…

Ele não parece estar entendendo a gravidade da situação.

– Nina me mandou uma mensagem especificamente pra pedir que eu colocasse o lixo pra fora ontem à noite. E não fiz isso porque não estava em casa. Eu nunca esqueci antes. Se ela descobrir…

Ele tira os óculos escuros, revelando olhos ligeiramente vermelhos.

– Merda. Ainda dá tempo?

Observo o caminhão de lixo, que está viajando na direção oposta da casa dele.

– Duvido. Acho que é tarde demais, eles passam muito cedo.

– Você pode só dizer que esqueceu, não?

– Você acha que a Nina vai cair nessa?

– Merda – repete ele. Então bate no volante. – Ok, eu cuido disso. Não se preocupa.

A única maneira de cuidar disso é carregar todo o lixo para o depósito pessoalmente. Não sei nem onde fica, mas, independentemente disso, o porta-malas do meu Nissan é minúsculo, e eu precisaria fazer várias viagens. Então, realmente espero que Andrew esteja falando sério quando diz que vai cuidar da situação.

Quando chegamos em casa, Andrew aperta um botão no carro que faz o portão se abrir automaticamente. Enzo está trabalhando no jardim e levanta a cabeça quando vê o BMW descendo a entrada da garagem. É incomum ver o BMW chegando em casa a esta hora – faria mais sentido que estivesse saindo –, então sua surpresa é justificada.

Eu deveria ter me abaixado, mas é tarde demais. Enzo faz uma pausa no trabalho no jardim, e seus olhos escuros encontram os meus. Ele balança a cabeça, assim como fez naquele primeiro dia.

Que porcaria.

Andrew nota também, mas apenas levanta a mão e acena como se não houvesse nada de estranho em chegar em casa às 9h30 da manhã com uma mulher que não é a própria esposa. Antes de entrar na garagem, ele para o carro e diz:

– Deixa eu ver se o Enzo pode cuidar do lixo.

Quero implorar a ele que não pergunte, mas, antes que possa abrir minha boca, Andrew já desceu do carro, deixando a porta entreaberta. Enzo dá um passo para trás como se não quisesse ter essa conversa.

– *Ciao*, Enzo.

Andrew abre um sorriso largo para o jardineiro. Meu Deus, como ele fica lindo quando sorri. Fecho os olhos por um momento, tremendo ao me lembrar de suas mãos por todo o meu corpo na noite anterior.

– Preciso de uma ajuda sua – continua Andrew.

Enzo não diz uma palavra, apenas o encara.

– Estamos com um problema com o lixo. – Andrew aponta para os quatro sacos de lixo lotados ao lado da casa. – Nos esquecemos de colocar os sacos pra fora ontem à noite. Você acha que consegue levar até o depósito de lixo na sua caminhonete? Eu te dou cinquenta dólares.

Enzo olha para os sacos de lixo e depois para Andrew, ainda sem dizer nada.

– Lixo… – repete Andrew. – Para… o depósito. Depósito de lixo. *Capisci*?

Enzo faz que não com a cabeça.

Andrew trinca os dentes e tira a carteira do bolso de trás.

– Só se livra do lixo pra gente. Eu te dou… – Ele vasculha a carteira. – Cem dólares. – Então sacode as notas na cara de Enzo. – Se livra do lixo. Você tem uma caminhonete. Leva pro depósito.

Por fim, Enzo diz:

– Não. Estou ocupado.

– Certo, mas este é *o nosso* jardim e… – Andrew solta um suspiro e mexe de novo na carteira. – Duzentos dólares. Uma viagem ao depósito de lixo. Me ajuda, por favor.

A princípio, tenho certeza de que Enzo vai recusar mais uma vez. Mas ele estende o braço e pega as notas da mão de Andrew. Em seguida, vai até a lateral da casa e agarra os sacos de lixo. Ele consegue carregar todos em uma viagem só, os músculos dos bíceps se projetando sob a camiseta branca.

– Isso – diz Andrew. – Pro depósito.

Enzo apenas o encara por um instante, depois passa direto por ele com os sacos. Sem dizer mais nada, ele os atira na caminhonete e vai embora. Então acho que entendeu a mensagem.

Andrew caminha em direção ao carro e desliza de volta para o banco do motorista.

– Bom, resolvido. Mas cacete, que babaca.

– Acho que ele não estava entendendo.

– Ah, até parece. – Andrew revira os olhos. – Ele entende mais do que deixa transparecer. Estava só esperando que eu oferecesse mais dinheiro.

Concordo que Enzo não parecia muito a fim de levar o lixo, mas não acho que fosse porque queria mais dinheiro.

– Não gosto desse cara – resmunga Andrew. – Ele trabalha em todas as casas da vizinhança, mas passa um terço do tempo no nosso jardim. Ele está *sempre* aqui fora. Eu nem sei que diabos faz na metade do tempo que passa aqui.

– Você tem a maior casa do quarteirão – ressalto. – E o maior gramado.

– Sim, mas… – Andrew olha para a caminhonete de Enzo, desaparecendo na rua. – Sei lá. Falei pra Nina se livrar dele e contratar outra pessoa, mas ela diz que ele trabalha pra todo mundo e aparentemente é "o melhor".

Claro, Enzo não é minha pessoa favorita desde que me rejeitou não-tão--sutilmente-assim, mas isso não significa que ele me deixe desconfortável desse jeito. Jamais vou esquecer a maneira como sussurrou a palavra italiana para "perigo" no meu primeiro dia aqui nem como parece ter medo de desafiar Nina, mesmo sendo grande o suficiente para esmagá-la com uma mão. Será que Andrew tem alguma ideia de como Enzo desconfia da esposa dele?

Bem, não sou eu que vou dizer isso a ele.

VINTE E NOVE

Nina chega em casa depois de deixar Cecelia no acampamento, por volta das duas da tarde. Está carregando quatro sacolas grandes cheias de coisas que comprou no caminho para casa, em um momento de compulsão, e despeja tudo sem cerimônia no chão da sala.

– Descobri uma lojinha, a coisa *mais fofa* – diz ela. – Simplesmente não consegui evitar!

– Legal – falo com um entusiasmo forçado.

As bochechas de Nina estão coradas, há manchas de suor em sua blusa, sob as axilas, e o cabelo louro está todo arrepiado. Ela ainda não retocou as raízes, e o rímel está endurecido no canto de seu olho direito. Quando observo essa mulher, realmente não consigo entender o que Andrew ainda vê nela.

– Leva essas sacolas lá pra cima pra mim, Millie? – Ela se atira no sofá de couro e pega o celular. – Muito obrigada.

Agarro uma das sacolas e, caramba, como está pesada. Que loja é essa? Uma loja de halteres? Vou acabar precisando fazer duas viagens, não tenho a mesma força de Enzo.

– Está um pouco pesada – comento.

– Jura? – Ela dá risada. – Não achei. Talvez esteja na hora de você começar a ir pra academia, Millie. Está ficando um pouco mole.

Sinto meu rosto queimar. *Eu* estou ficando mole? Nina não parece ter um pingo de músculo no corpo. Ela nunca faz exercícios, pelo que sei. Nunca a vi usar tênis.

Enquanto me encaminho lenta e dolorosamente para as escadas com duas das sacolas de compras, Nina me chama de novo:

– Ah, a propósito, Millie.

Cerro os dentes.

– Sim?

Nina gira no sofá para me olhar.

– Eu liguei pro telefone fixo aqui de casa ontem à noite. Por que ninguém atendeu?

Congelo. Meus braços tremem sob o peso das sacolas de compras.

– O quê?

– Liguei pro telefone fixo daqui de casa ontem à noite – diz ela mais devagar desta vez. – Por volta das onze horas. Atender o telefone da casa é uma das suas responsabilidades. Mas nem você nem o Andrew atenderam.

– Hum. – Largo as sacolas de compras por um momento e esfrego o queixo, como se estivesse pensando. – Eu já devia estar dormindo, e o telefone não toca alto o suficiente a ponto de me acordar no meu quarto. Talvez o Andrew tenha saído?

Ela arqueia uma sobrancelha.

– Andrew saiu às onze da noite num domingo? Com quem?

Dou de ombros.

– Não faço ideia. Você tentou o celular dele?

Sei que ela não tentou. Eu estava com Andrew às onze. Estávamos juntos, na cama.

– Não – diz ela, mas não oferece nenhuma explicação adicional.

Pigarreio.

– Bom, como já disse, eu estava no meu quarto a essa hora. Não faço ideia do que ele estava fazendo.

– Hum. – Seus olhos azul-pálidos escurecem enquanto ela me encara do outro lado da sala. – Talvez você tenha razão. Vou ter que perguntar a ele.

Assinto, aliviada por ela não estar me questionando mais. Ela não sabe o que aconteceu. Não sabe que fomos juntos de carro para Manhattan, assistimos ao espetáculo que ela deveria ter visto com ele e depois passamos a noite juntos no Plaza. Só Deus sabe o que faria comigo se soubesse.

Mas ela não sabe.

Pego as sacolas de compras e as carrego pelo resto do caminho escada acima. Coloco tudo na suíte principal e esfrego os braços, que parecem ter ficado dormentes durante a viagem. Meus olhos são atraídos para o banheiro principal, que limpei esta manhã – embora já estivesse estranhamente limpo, uma vez que Nina estava fora. Entro nele. É quase tão grande quanto meu quarto no andar de cima, com uma banheira de porcelana enorme, mais alta do que a maioria das banheiras, com uma borda que bate na altura dos meus joelhos.

Franzo a testa diante da banheira, imaginando o que deve ter acontecido tantos anos atrás. A pequena Cecelia, tomando banho na banheira, que lentamente se enche de água. Então Nina agarra a filha e força a menina a ficar submersa, assistindo enquanto ela tenta respirar…

Fecho os olhos e me afasto. Não consigo pensar nisso. Mas não posso me esquecer jamais de quão emocionalmente frágil Nina é. Ela não pode saber o que aconteceu entre mim e Andrew, nunca. Isso acabaria com ela. E depois ela acabaria comigo.

Então, enfio a mão no bolso e pego meu telefone. Digito uma mensagem para o celular de Andrew:

Apenas um aviso: Nina ligou pra casa ontem à noite.

Ele vai saber o que fazer. Sempre sabe.

TRINTA

A casa está mais silenciosa sem Cecelia.

Mesmo passando muito tempo no quarto, ela traz certa energia para o ambiente. Sem ela, parece que o silêncio caiu sobre a residência dos Winchesters. E, para minha surpresa, Nina parece mais alegre. Graças a Deus, ela não falou mais sobre o telefonema da noite em que não havia ninguém em casa.

Andrew e eu temos nos evitado meticulosamente, o que é difícil quando se mora na mesma casa. Quando nos cruzamos, ambos desviamos o olhar. Espero que possamos superar isso, porque não quero perder este emprego. Já é ruim o suficiente não ter a chance de ter um relacionamento de verdade com o primeiro cara por quem me interessei nos últimos dez anos.

Esta noite estou correndo para preparar o jantar, tentando servi-lo antes de Andrew voltar para casa. Mas, no momento em que estou levando os copos de água para a sala de jantar, esbarro com ele. Literalmente. Um dos copos escorrega e se estilhaça no chão.

– Droga – choramingo.

Arrisco olhar para Andrew. Ele está vestindo um terno azul-escuro e uma gravata do mesmo tom – para variar, lindo de morrer. Passou o dia inteiro no trabalho, e a barba que já começa a despontar no queixo só o torna mais sexy. Nossos olhos se encontram por uma fração de segundo e, contra a minha vontade, sinto um choque causado pela atração entre nós dois. Os olhos dele se arregalam, e tenho certeza de que sente o mesmo.

– Eu te ajudo a limpar isso – diz ele.

– Não precisa.

Mas ele insiste. Varro os cacos de vidro grandes, e ele segura a pá e os joga fora no lixo da cozinha. Nina jamais me ajudaria, mas Andrew não é igual a ela. Quando ele pega a vassoura da minha mão, meus dedos roçam os dele. Nossos olhos se encontram de novo, e desta vez é impossível ignorar as faíscas. É fisicamente doloroso não poder estar com este homem.

– Millie – diz ele em um sussurro rouco.

Minha garganta está completamente seca. Ele está a centímetros de distância de mim. Se eu me inclinasse para a frente, ele me beijaria. Sei que ele faria isso.

– Ah, não! O que aconteceu?

Ao som da voz de Nina, Andrew e eu pulamos para longe um do outro como se estivéssemos em chamas. Agarro a vassoura com tanta força que meus dedos ficam brancos.

– Deixei cair um copo – explico. – Estamos só, bem… limpando.

Os olhos de Nina vão em direção ao chão, onde pequenos cacos de vidro brilham sob as luzes do teto.

– Ai, Millie. Por favor, tenha mais cuidado da próxima vez.

Trabalho aqui há meses e nunca deixei cair nem quebrei nada. Bem, exceto naquela noite em que ela nos pegou assistindo TV tarde da noite, mas Nina não sabe disso.

– Sim, desculpa. Vou pegar o aspirador.

Os olhos de Andrew me acompanham quando volto para o armário de produtos de limpeza (que é um pouco maior do que o meu quarto no andar de cima), guardo a vassoura e pego o aspirador. Ele tem uma expressão de angústia no rosto. Não sei o que ia me dizer um minuto atrás, mas, seja o que for, ainda quer falar. Só que não pode – não com Nina ali.

Ou talvez ele possa.

– Vamos conversar mais tarde – murmura ele no meu ouvido assim que Nina se vira para a sala e antes que vá atrás dela, onde vão esperar que eu limpe tudo. – Ok?

Assinto. Não sei sobre o que ele quer conversar comigo, mas considero isso um bom sinal. Nós já concordamos em jamais falar sobre o que aconteceu naquela noite no Plaza, mas, se ele quiser voltar a esse assunto…

Eu não deveria criar expectativas.

Cerca de dez minutos depois, já está tudo limpo, então chamo Andrew e Nina de volta. Ambos estão sentados no sofá, mas em extremidades opostas. Estão olhando para os respectivos telefones, sem sequer se esforçarem para falar um com o outro. Já percebi que passaram a fazer isso durante o jantar também.

Eles me acompanham de volta até a sala de jantar, e Nina se senta em frente a Andrew. Ela olha para o prato de costeleta de porco com molho de maçã e brócolis. Sorri para mim, e é aí que noto que seu batom vermelho brilhante parece um pouco estranho. Está borrado no canto direito dos lábios, o que lhe dá a aparência de um palhaço demoníaco.

– A comida está com uma cara ótima, Millie.

– Obrigada.

– Não está uma delícia o cheiro, Andy? – pergunta ela.

– Uhum. – Ele pega o garfo. – Muito bom.

– Tenho certeza – continua Nina – de que você nunca comeu um prato assim na cadeia, não é, Millie?

Silêncio.

Nina está sorrindo para mim agradavelmente com seus lábios demoníacos. Andrew, sentado em frente a ela, olha para mim boquiaberto. É óbvio que esta é uma informação nova para ele.

– Hum – grunho.

– Que tipo de comida eles serviam pra vocês lá? – pressiona Nina. – Eu sempre tive curiosidade de saber. Como é a comida na prisão?

Não sei o que dizer. Não posso negar. Ela conhece meu passado.

– É normal.

– Bom, espero que você não se inspire em nenhuma das refeições que fez por lá – diz ela e dá uma risada. – Continua com o que você tem feito. Está fazendo um bom trabalho.

– Obrigada – murmuro.

Andrew está pálido. Claro, ele não fazia ideia de que eu já estive presa. Jamais cogitei contar para ele. Não sei como, mas, quando estou com ele, aquela época da minha vida parece parte de um passado distante, uma outra vida. Mas a maioria das pessoas não enxerga dessa forma. Para elas, sou apenas uma coisa: uma ex-presidiária.

E Nina quer ter certeza de que sei o meu lugar.

Neste momento, preciso desesperadamente fugir da expressão chocada de Andrew. Eu me viro para voltar ao meu quarto. Estou quase na escada quando Nina me chama:

– Millie?

Paro, as costas rígidas. Preciso de todo o meu autocontrole para não bater nela quando me viro. Volto lentamente para a sala de jantar com um sorriso artificial no rosto.

– Sim, Nina?

Ela franze a testa.

– Você se esqueceu de trazer o saleiro e o pimenteiro. E, infelizmente, esta costeleta de porco precisa de um pouco de sal. Gostaria que você fosse mais generosa na hora de temperar a comida.

– Claro. Me desculpe.

Entro na cozinha e pego o saleiro e o pimenteiro na bancada. Eles estavam a menos de dois metros de onde Nina estava sentada no outro cômodo. Levo-os até a sala de jantar e, embora me esforce muito, acabo batendo com os vidros na mesa. Quando olho para Nina, os cantos de seus lábios estão se contraindo.

– *Muito* obrigada, Millie – diz ela. – Por favor, vê se não esquece de novo.

Espero que ela pise em um caco de vidro quebrado.

Não consigo nem olhar para Andrew. Só Deus sabe o que ele deve estar pensando sobre mim. Não posso acreditar que estava contemplando algum tipo de futuro com ele. Eu não estava de fato, mas, por uma fração de segundo… Bem, coisas estranhas aconteceram. Mas nada disso existe mais neste momento. Ele pareceu horrorizado quando ela mencionou que estive na cadeia. Se ao menos eu pudesse explicar…

Consigo chegar às escadas desta vez sem Nina me chamar para me dizer que, sei lá, preciso passar a manteiga para ela de um lado para o outro da mesa, ou algo do tipo. Subo os degraus até o segundo andar, depois o outro lance mais escuro e estreito até o meu quarto.

Bato a porta e me atiro na cama, tentando evitar que as lágrimas brotem. Fico imaginando há quanto tempo Nina sabe sobre meu passado. Será que descobriu isso há pouco tempo ou fez uma verificação de antecedentes quando me contratou, afinal de contas? Talvez ela gostasse da ideia de contratar uma ex-presidiária. Alguém em quem pudesse mandar. Qualquer outra pessoa teria desistido meses atrás.

Sentada na cama, sentindo pena de mim mesma, algo na minha mesa de cabeceira chama minha atenção.

É uma cópia do programa de *Showdown*.

Pego o papel, confusa. Por que isso está na minha mesa de cabeceira? Eu o coloquei na minha bolsa depois do espetáculo e o tenho guardado lá como uma lembrança daquela noite mágica. Minha bolsa está no chão, encostada na cômoda. Então, como o programa foi parar na mesinha? Eu com certeza não o tirei de lá. Tenho certeza.

Alguém deve ter colocado lá. Não sou a única aqui que tem acesso ao quarto.

Sinto um aperto no peito. Finalmente entendo por que Nina deixou escapar que estive na prisão. Ela sabe que fui ao show com Andrew. Sabe que estivemos juntos em Manhattan, sozinhos. Não tenho certeza se tem conhecimento de que passamos a noite no Plaza, mas está ciente de que não estávamos em casa às onze da noite daquele domingo. E tenho certeza de que, se ela for esperta o suficiente, pode descobrir se demos entrada ou não no hotel.

Nina sabe de tudo.

Acabo de fazer uma inimiga perigosa.

TRINTA E UM

Como parte do meu novo regime diário de tortura, Nina assumiu para si o objetivo de tornar o momento de ir às compras o mais desafiador possível para mim.

Ela fez uma lista de itens de supermercado dos quais estamos precisando. Mas todos são muito específicos. Ela não quer *leite*; quer leite orgânico de uma fazenda especial da Austrália. E, se não houver exatamente o item que ela quer, tenho que enviar uma mensagem para avisá-la, além de enviar fotos de outras possíveis substituições. E ela leva todo o tempo do mundo para me responder, enquanto preciso ficar lá parada no maldito corredor de leite, esperando.

Neste momento, estou no corredor do pão. Mando uma mensagem para Nina:

Eles estão sem o Nantucket de fermentação natural. Algumas possíveis substituições.

Envio fotos de cada um dos pães de fermentação natural que eles têm em estoque. E agora preciso esperar enquanto ela olha todos eles. Depois de vários minutos, recebo uma mensagem dela:

Tem algum brioche?

Agora preciso mandar fotos de cada brioche que eles têm. Juro, vou dar um tiro na cabeça antes de terminar estas compras. Ela está me atormentando de propósito. Mas quem sou eu para reclamar, dormi com o marido dela.

Enquanto estou tirando fotos dos pães, noto um homem corpulento com cabelos grisalhos me observando do outro lado do corredor. Ele nem tenta disfarçar. Eu o encaro e ele recua, graças a Deus. Não tenho como lidar com alguém me perseguindo, além de tudo.

Enquanto espero que Nina contemple os pães um pouco mais, deixo minha mente vagar. Como de costume, ela flutua até Andrew Winchester. Após Nina revelar que estive na cadeia, Andrew nunca me procurou para "conversar", como disse que faria. Ele ficou mesmo assustado. Não o julgo.

Gosto de Andrew. Não, não só gosto dele. Estou apaixonada por ele. Penso nele o tempo inteiro, e é doloroso dividir uma casa com ele e não poder agir de acordo com meus sentimentos. Além do mais, ele merece coisa melhor do que Nina. Eu poderia fazê-lo feliz. Poderia até lhe dar um bebê, como ele quer. E, convenhamos, qualquer coisa é melhor do que *ela*.

Mas, mesmo sabendo que temos uma conexão, nada vai acontecer. Ele sabe que fui presa. Ele não quer uma ex-presidiária. E vai continuar sendo infeliz com aquela megera, provavelmente pelo resto da vida.

Meu telefone vibra mais uma vez.

Algum pão francês, tipo baguete, croissant?

Demora mais dez minutos, mas consigo encontrar um pão que atenda às expectativas de Nina. Enquanto empurro meu carrinho em direção ao caixa, noto o sujeito corpulento outra vez. Ele definitivamente está me encarando. E, o que é mais perturbador, não tem um carrinho de compras. Então, o que ele está fazendo aqui, exatamente?

Pago a conta o mais rápido que posso. Coloco as sacolas de papel cheias de mantimentos de volta no carrinho, para que eu possa levar tudo até o meu Nissan que está parado no estacionamento. É só quando estou chegando perto da saída que uma mão se fecha em volta do meu ombro. Levanto a cabeça e o homem corpulento está atrás de mim.

– Com licença!

Tento me afastar, mas ele segura firme meu braço. Minha mão direita se fecha em um punho. Há várias pessoas nos observando, então tenho testemunhas.

– O que você pensa que está fazendo? – questiono.

Ele aponta para um pequeno crachá de identificação pendurado na gola de sua camisa azul, que eu não havia notado antes.

– Sou segurança do supermercado. Você pode me acompanhar, senhorita?

Acho que vou vomitar. Já é ruim o suficiente ter passado quase noventa minutos neste lugar, comprando uma meia dúzia de itens, e agora estou sendo detida? *Por quê*?

– Qual é o problema? – pergunto, engolindo em seco.

Atraímos uma multidão. Percebo algumas mães da escola de Cecelia, que com certeza ficarão felizes em relatar a Nina que viram a empregada dela sendo detida pelo segurança do supermercado.

– Por favor, me acompanhe – diz o sujeito novamente.

Levo o carrinho junto porque tenho medo de deixá-lo para trás. Há mais de duzentos dólares em compras dentro dele, e tenho certeza de que Nina me faria arcar com tudo se as compras fossem perdidas ou roubadas. Sigo o homem até um pequeno escritório com uma mesa de madeira arranhada e duas cadeiras de plástico posicionadas na frente dela. O homem faz um gesto para que eu me sente, então me acomodo em uma das cadeiras, que range ameaçadoramente sob meu peso.

– Deve ter havido algum engano… – Olho para o crachá de identificação do homem. O nome dele é Paul Dorsey. – O que está acontecendo, Sr. Dorsey?

Ele franze a testa para mim.

– Uma cliente me alertou de que você estava roubando itens do supermercado.

Solto um suspiro.

– Eu jamais faria isso!

– Talvez não. – Ele enfia o polegar no ilhós da calça. – Mas preciso investigar. Posso ver sua nota fiscal, por favor, senhorita…?

– Calloway. – Reviro a bolsa até encontrar a tira de papel amassada. – Aqui.

– Só pra você saber – diz ele. – Todo mundo que rouba as nossas lojas é incriminado.

Fico sentada na cadeira de plástico, minhas bochechas queimando, enquanto o segurança examina meticulosamente os itens da nota e os compara com o que está no carrinho. Meu estômago revira quando considero a terrível possibilidade de que talvez o caixa não tenha registrado alguma coisa direito e ele pense que eu roubei. E aí? Todo mundo que rouba as lojas é incriminado. Isso significa que vão chamar a polícia. E isso seria uma violação da minha liberdade condicional, sem dúvida.

Percebo que isso seria ótimo para Nina. Ela se livraria de mim sem ter que ser a pessoa malvada que me demitiu. Também se vingaria de mim por ter dormido com o marido dela. Claro, é um pouco duro ser enviada para a cadeia por adultério, mas tenho a sensação de que Nina talvez enxergue as coisas de forma diferente.

Mas isso não vai acontecer. Não roubei nada do supermercado. Ele não vai encontrar nada nesse carrinho que não esteja na nota fiscal.

Ou vai?

Eu o vejo examinando a nota fiscal enquanto o pote de sorvete de pistache no meu carrinho provavelmente vira uma sopa. Meu coração está martelando no peito e mal posso respirar. Não quero voltar para a cadeia. Não quero. Não *posso*. Prefiro me matar.

– Bom – diz ele por fim –, parece que está tudo certo.

Quase caio no choro.

– Pois é. É claro.

Ele resmunga.

– Desculpe o incômodo, Srta. Calloway. Mas temos muitos problemas com furtos nas lojas, então preciso levar isso a sério. E recebi um telefonema me alertando de que uma cliente que corresponde à sua descrição poderia estar planejando pegar alguma coisa.

Um telefonema? Quem ligaria para o mercado, descreveria a minha aparência e diria ao segurança que eu estava planejando roubar alguma coisa? Quem faria uma coisa dessas?

Só consigo pensar em uma pessoa que faria algo desse tipo.

– De qualquer forma, obrigado pela sua paciência. Pode ir agora.

Essas são as palavras mais bonitas que existem. *Pode ir agora.* Saio do mercado com as mãos livres, empurrando meu carrinho. Consigo ir para casa.

Desta vez.

Mas tenho uma sensação terrível de que isso não é o fim. Nina tem mais truques na manga reservados para mim.

TRINTA E DOIS

Não consigo dormir.

Já se passaram três dias desde que quase fui presa no supermercado. Não sei o que fazer. Nina tem sido bastante agradável, então talvez ela ache que aprendi minha lição sobre quem é que manda nesta casa. Talvez ela não esteja tentando me mandar para a cadeia.

No entanto, esse não é o motivo pelo qual estou me revirando na cama.

A verdade é que não consigo parar de pensar em Andrew. Na noite que passamos juntos. Na maneira como me sinto quando estou com ele. Nunca me senti assim antes. E, até Nina lançar aquela bomba sobre o meu passado, ele sentia o mesmo. Sei disso.

Mas não mais. Agora ele acha que não passo de uma criminosa qualquer.

Descubro as pernas aos chutes. Está quente no meu quarto de um jeito sufocante, mesmo à noite. Se ao menos eu pudesse abrir aquela maldita janela... Mas duvido que Nina vá fazer qualquer coisa para que eu me sinta mais confortável aqui.

Por fim, desço as escadas até a cozinha. Tenho o tal frigobar no meu quarto, mas não há muita comida nele. É pequeno demais para isso. As três minigarrafas d'água que Nina me deixou são praticamente tudo que há lá dentro, ainda intocadas.

No caminho para a cozinha, noto que a luz da varanda dos fundos está acesa. Franzo a testa e me aproximo da porta. É quando percebo que há uma razão para a luz estar acesa. Alguém está lá.

Andrew.

Sentado sozinho em uma das cadeiras, com uma garrafa de cerveja.

Abro a porta silenciosamente. Andrew pisca ao me ver, surpreso, mas não diz nada, apenas toma outro gole da sua cerveja.

– Ei – chamo.

– Ei – responde ele.

Aperto as mãos.

– Posso me sentar aqui?

– Claro. Vai fundo.

Desço os degraus até as tábuas frias de madeira na varanda e me sento na cadeira ao lado dele, desejando ter uma cerveja também. Ele nem olha para mim. Apenas continua bebendo, observando o enorme quintal.

– Eu queria te explicar. – Pigarreio. – Tipo, por que não te contei sobre...

– Você não precisa explicar nada. – Ele olha na minha direção, mas em seguida volta para a cerveja. – É bem óbvio por que você não me contou.

– Eu queria contar. – Isso não é verdade. Eu não queria dizer nada para ele. Não queria que ele soubesse em hipótese alguma, mesmo que isso fosse completamente impossível. – De todo modo, me desculpa.

Ele agita a cerveja na garrafa.

– Por que você foi presa?

Eu queria muito, muito mesmo uma cerveja. Abro a boca, mas, antes que possa pensar no que dizer, Andrew fala:

– Deixa pra lá. Não quero saber. Não é da minha conta.

Mordo o lábio.

– Olha, me desculpa por não ter te contado. Eu queria tentar deixar o passado pra trás. Não queria causar nenhum mal.

– Aham...

– E... – Olho para minhas mãos, no meu colo. – Eu estava com vergonha. Não queria que você me enxergasse dessa forma. A sua opinião significa muito pra mim.

Ele vira a cabeça para me encarar, seus olhos suaves sob a luz fraca da varanda.

– Millie...

– Também queria que você soubesse... – Respiro fundo. – Eu me diverti muito naquela noite. Foi uma das melhores da minha vida. Por sua causa. Então, aconteça o que acontecer, obrigada. Eu só... precisava te dizer isso.

Há um vinco entre suas sobrancelhas.

– Eu me diverti muito também. Não me sentia tão feliz há... – Ele pressiona a ponte do nariz. – Um tempo. Nem tinha me dado conta disso.

Nós nos encaramos por alguns segundos. Ainda há uma eletricidade entre nós. Posso ver em seus olhos que ele sente isso também. Ele olha para a porta e, antes que eu consiga entender o que está acontecendo, seus lábios estão colados nos meus.

Ele me beija pelo que parece uma eternidade, mas que provavelmente foram apenas sessenta segundos. Quando se afasta, há arrependimento em seus olhos.

– Não posso...

– Eu sei...

Não é para ser. Nós dois. Por muitos motivos. Mas, se ele quisesse ir em frente, eu bancaria. Mesmo que isso significasse fazer da Nina uma inimiga. Eu arriscaria. Por ele.

Então me levanto e o deixo para trás na varanda com sua cerveja.

A madeira da escada está gelada sob meus pés descalços no caminho de volta ao segundo andar. Minha cabeça ainda está girando com aquele beijo e meus lábios estão formigando. Essa não pode ser a última vez. Não *pode*. Eu vi o jeito que ele me olhou. Andrew tem sentimentos verdadeiros por mim. Mesmo sabendo do meu passado, ainda gosta de mim. O único problema é...

Espere aí. O que é isso?

Congelo no topo da escada. Há uma sombra no corredor. Olho para ela, tentando distinguir a imagem na escuridão.

E então ela se move.

Deixo escapar um grito e quase rolo escada abaixo. Agarro o corrimão e me salvo no último segundo. A sombra se aproxima de mim, e agora consigo ver o que é.

É Nina.

– Nina – falo, sem ar.

Por que ela está parada no corredor? Será que ela estava descendo as escadas? Será que viu Andrew e eu nos beijando?

– Oi, Millie.

Está escuro no corredor, mas o branco de seus olhos está praticamente brilhando.

– O que… o que você está fazendo aqui?

Ela faz uma careta para mim, a luz da lua criando sombras perturbadoras em seu rosto.

– A casa é *minha*. Não tenho que te dar satisfação sobre o que eu faço ou deixo de fazer.

Na verdade, a casa não é de fato dela. Andrew é o dono da casa. E, se eles não fossem casados, ela não poderia morar aqui. Se ele decidisse me escolher em vez dela, esta seria a *minha* casa.

Esses pensamentos são insanos. Obviamente, isso não vai acontecer.

– Desculpe.

Ela cruza os braços.

– O que *você es*tá fazendo aqui?

– Eu… eu desci pra pegar um copo d'água.

– Você não tem água no seu quarto?

– Bebi tudo – minto.

E tenho certeza de que ela sabe que é mentira, considerando o fato de que bisbilhota o meu quarto.

Nina fica em silêncio por um momento.

– Andy não estava na cama. Você viu ele lá embaixo em algum lugar?

– Eu, é… acho que ele está na varanda dos fundos.

– Entendi.

– Mas não tenho certeza. Não falei com ele nem nada.

Nina me lança um olhar de quem não acredita em uma palavra que eu digo. O que é justo, já que nada é verdade.

– Vou lá falar com ele.

– E eu vou pro meu quarto.

Ela assente e passa por mim, dando um encontrão no meu ombro. Meu coração está acelerado. Não consigo me livrar da sensação de ter cometido um erro terrível ao cruzar o caminho de Nina Winchester. No entanto, agora não consigo fazer nada para mudar isso.

TRINTA E TRÊS

Tenho o domingo de folga, então passo o dia fora de casa. Está um lindo dia de verão – nem muito quente, nem muito frio –, de modo que pego o carro e vou até o parque local, me sento em um banco e leio meu livro. Na prisão, é fácil esquecer prazeres simples como esse. Só sair e ler no parque. Às vezes, você quer tanto essas coisas que chega a doer fisicamente.

Nunca mais vou voltar para lá. Nunca.

Compro algo para comer em um drive-thru de fast-food, depois volto para casa.

A propriedade dos Winchesters é realmente linda. Ainda que meu desprezo por Nina esteja crescendo, é impossível odiar aquela casa. É uma bela residência.

Estaciono na rua como sempre e ando até a porta da frente. O céu escureceu ao longo do caminho e, assim que chego à porta, as nuvens se desfazem e gotas de chuva começam a cair. Abro a porta e deslizo para dentro antes de ficar encharcada.

Quando entro na sala, Nina está sentada no sofá em meio à penumbra. Ela não está fazendo nada. Não está lendo, não está assistindo TV. Só está lá, sentada. E, quando abro a porta, seus olhos ficam em alerta.

– Nina? Tudo bem?

– Na verdade, não.

Ela olha para a outra ponta do sofá, e agora percebo que há uma pilha de roupas ao lado dela. São as mesmas que ela insistiu que eu aceitasse quando comecei a trabalhar aqui.

– O que as *minhas* roupas estão fazendo no seu quarto? – pergunta ela.

Eu a encaro enquanto um relâmpago ilumina a sala.

– O quê? Do que você está falando? Você me deu essas roupas.

– Eu dei essas roupas pra você?! – Ela solta uma gargalhada que ecoa pelo cômodo, apenas parcialmente abafada pelo estrondo do trovão. – Por que eu daria pra minha *empregada* roupas que valem milhares de dólares?

– Você... – Minhas pernas tremem. – Você disse que elas estavam muito pequenas. Você insistiu que eu ficasse com elas.

– Como você consegue mentir desse jeito? – Ela dá um passo na minha direção, seus olhos azuis como gelo. – Você roubou as minhas roupas! Sua ladra!

– Não... – Tento me segurar em algo antes que minhas pernas cedam por completo, mas não alcanço nada. – Eu nunca faria isso.

– Rá! – Ela bufa. – Isso é o que eu ganho por confiar em uma ex-presidiária pra trabalhar na minha casa!

Ela fala alto o suficiente para que Andrew ouça a comoção. Ele vem correndo do escritório, e vejo seu lindo rosto no topo da escada, iluminado por outro relâmpago. Meu Deus, o que ele vai pensar de mim? Já é ruim o suficiente que ele saiba sobre meu tempo na cadeia. Não quero que ache que roubei algo dentro de sua própria casa.

– Nina? – Ele desce os degraus de dois em dois. – O que está acontecendo aqui?

– Eu vou te falar o que está acontecendo! – anuncia ela, triunfante. – Millie vem roubando coisas do meu armário. Ela roubou todas essas roupas de mim. Encontrei tudo isso no armário dela.

Os olhos de Andrew se arregalam lentamente.

– Ela...

– Eu não roubei nada! – Lágrimas surgem em meus olhos. – Eu juro. A Nina me deu essas roupas. Ela disse que não cabiam mais nela.

– Como se a gente fosse acreditar nessas suas mentiras. – Ela zomba de mim. – Eu deveria chamar a polícia pra vir atrás de você. Você sabe quanto valem essas roupas?

– Não, por favor, não...

– Ah, claro. – Nina ri da expressão no meu rosto. – Você está em liberdade condicional, não é? Algo desse tipo te mandaria direto de volta pra cadeia.

Andrew está olhando para as roupas no sofá, um vinco profundo entre as sobrancelhas.

– Nina…

– Eu vou ligar pra polícia. – Ela tira o celular da bolsa. – Só Deus sabe o que mais ela roubou da gente, certo, Andy?

– Nina. – Ele levanta a cabeça e olha para ela. – Millie não roubou essas roupas. Eu me lembro de você esvaziando o armário. Você colocou tudo em sacos de lixo e disse que ia doar. – Ele pega um vestido branco minúsculo. – Você não cabe nisto aqui *há anos.*

É gratificante a forma como as bochechas de Nina ficam vermelhas.

– O que você está dizendo? Que eu sou *gorda* demais?

Ele ignora o comentário dela.

– Eu estou dizendo que com certeza ela não roubou isso de você. Por que você está fazendo isso com ela?

Nina fica boquiaberta.

– Andy…

Andrew olha para mim, pairando ao lado do sofá.

– Millie. – Sua voz é gentil ao dizer meu nome. – Você poderia subir e nos deixar a sós? Preciso conversar com a Nina.

– Sim, claro – falo.

Com prazer.

Os dois ficam parados em silêncio enquanto subo o lance de escadas até o segundo andar. Quando chego ao topo, vou até a porta do sótão e a abro. Por um momento, fico ali, contemplando meu próximo passo. Então, fecho a porta sem passar por ela.

Sem fazer barulho dessa vez, vou pé ante pé até o topo da escada.

Estou na beira do corredor, pouco antes da escada. Não consigo ver Nina e Andrew, mas posso ouvir suas vozes. É errado espionar, mas não consigo me segurar. Afinal, essa conversa quase certamente envolverá as acusações de Nina contra mim.

Espero que Andrew continue me defendendo, mesmo na minha ausência. Será que ela vai convencê-lo de que roubei suas roupas? Ao fim e ao cabo, sou uma ex-presidiária. Você comete um erro na vida e ninguém nunca mais confia em você.

– … não pegou esses vestidos – diz Andrew. – Eu sei que ela não pegou.

– Como você pode ficar do lado dela e não do meu? – devolve Nina. – Essa garota já foi presa. Não dá pra confiar em gente assim. Ela é uma mentirosa e uma ladra, e provavelmente merece voltar pra cadeia.

– Como você pode dizer uma coisa dessas? A Millie tem sido maravilhosa pra gente.

– Claro, tenho certeza de que *você* acha isso.

– Em que momento da vida você se tornou tão cruel, Nina? – A voz dele treme. – Você mudou. É outra pessoa agora.

– Todo mundo muda – dispara ela.

– Não. – Ele abaixa a voz, de modo que preciso me esforçar para ouvi-la acima do ruído das gotas de chuva caindo do lado de fora e batendo no chão. – Não como você. Eu nem te reconheço mais. Você não é a mesma pessoa por quem me apaixonei.

Há um silêncio prolongado, interrompido por um trovão que estala alto o suficiente para sacudir as paredes. Assim que o barulho passa, ouço as palavras de Nina em alto e bom som.

– Do que você está falando, Andy?

– Estou dizendo que… acho que não sou mais apaixonado por você, Nina. Acho que a gente deveria se separar.

– Você não está mais apaixonado por mim? – Ela explode. – Como pode dizer isso?

– Desculpa. Eu estava só seguindo o fluxo, vivendo a vida, e nem percebi como estava infeliz.

Nina fica em silêncio por um bom tempo enquanto assimila as palavras dele.

– Isso tem a ver com a Millie?

Prendo a respiração esperando para ouvir a resposta de Andrew. Algo aconteceu entre nós naquela noite em Nova York, mas não vou me enganar achando que ele está deixando a Nina por minha causa.

– Não tem a ver com a Millie – diz ele por fim.

– Tem certeza? Quer dizer que você vai mentir na minha cara e fingir que nada aconteceu entre vocês dois?

Droga. Ela sabe. Ou, pelo menos, acha que sabe.

– Eu gosto da Millie – diz ele com uma voz tão calma que tenho certeza de que estou imaginando coisas. Como esse homem rico, bonito e *casado* pode ter sentimentos por *mim*? – Mas não é disso que se trata. Tem a ver comigo e com você, Nina. Eu não te amo mais.

– Não acredito nisso! – O tom da voz dela está ficando tão agudo que logo só os cães poderão ouvi-la. – Você vai me largar pra ficar com a *empregada*! Essa é a coisa mais ridícula que já ouvi. Que *vergonha alheia.* Você é melhor do que isso, Andrew.

– Nina. – O tom dele é firme. – Acabou. Sinto muito.

– *Sente muito*? – Outro estrondo sacode as tábuas do assoalho. – Você vai ver só o que é sentir muito…

Há uma pausa.

– *Como é que é*?

– Se você tentar ir adiante com isso – vocifera ela –, vou acabar com você na Justiça. Vou garantir que você fique sem um tostão e sem casa.

– Sem casa? Esta casa é *minha*, Nina. Comprei antes de a gente sequer se conhecer. Eu *permito* que você more aqui. A gente tem um acordo pré--nupcial, como você deve se lembrar, e depois que o nosso casamento terminar esta casa vai ser minha de novo. – Ele faz outra pausa. – E agora eu gostaria que você fosse embora.

Arrisco olhar para a escada. Se me agachar, consigo ver Nina parada no meio da sala com o rosto pálido.

Sua boca abre e fecha como se ela fosse um peixe.

– Você não pode estar falando sério, Andy – gagueja ela.

– Estou falando muito sério.

– Mas… – Ela aperta o peito. – E a Cece?

– Cece é *sua* filha. Você nunca quis que eu adotasse ela.

Ela aparentemente está falando com os dentes cerrados.

– Ah, já entendi tudo. É porque não posso ter outro filho. Você quer alguém mais jovem, que possa te dar um bebê. Já que eu não sirvo mais.

– Não é nada disso.

Embora, em algum nível, talvez seja. Andrew quer outro filho. E ele não pode ter isso com Nina.

A voz dela treme.

– Andy, por favor, não faz isso comigo… Não me humilha desse jeito. *Por favor.*

– Eu gostaria que você fosse embora, Nina. Agora mesmo.

– Mas está chovendo!

A voz de Andrew não vacila.

– Arruma as malas e vai embora.

Quase posso ouvi-la considerando suas opções. Posso dizer muitas coisas sobre Nina Winchester, mas ela não é burra. Por fim, ela se rende.

– Muito bem. Eu vou embora.

Os passos de Nina ecoam na direção das escadas. É quando me ocorre, um segundo tarde demais, que preciso sair dali. Nina ergue os olhos e me vê de pé no topo da escada. Seus olhos queimam de raiva. Nunca vi algo assim. Eu deveria correr de volta para o meu quarto, mas minhas pernas parecem congeladas quando seus saltos mordem os degraus um por um.

Um relâmpago lampeja quando ela chega ao topo, e o brilho em seu rosto faz com que ela pareça estar diante dos portões do inferno.

– Você… – Meus lábios estão dormentes, é quase difícil formar as palavras. – Você precisa de ajuda pra fazer as malas?

Há tanto ódio nos olhos dela que tenho medo de que enfie a mão no meu peito e arranque meu coração.

– Se eu preciso de ajuda pra *fazer as malas*? Não, acho que consigo resolver isso sozinha.

Nina vai para o quarto, batendo a porta depois de entrar. Não sei exatamente o que fazer. Poderia ir para o sótão, mas então olho para baixo e vejo Andrew ainda na sala. Ele está olhando para mim, então desço as escadas para falar com ele.

– Sinto muito! – Minhas palavras saem em um rompante. – Eu não tinha a intenção…

– Não se atreva a pedir desculpas – diz ele. – Isso já estava pra acontecer há muito tempo.

Olho para a janela, que está encharcada de chuva.

– Você quer que eu… vá embora?

– Não – responde ele. – Quero que você fique.

Ele toca meu braço e sinto um formigamento me atravessar. A única coisa em que consigo pensar é que quero que ele me beije, mas Andrew não pode fazer isso agora. Não com Nina lá em cima.

Mas ela logo vai embora.

Cerca de dez minutos depois, Nina desce as escadas, lutando com uma bolsa em cada ombro. No dia anterior, ela teria feito eu carregar tudo e dado risada de quão fraca eu sou. Agora, tem que fazer isso sozinha. Quando olho para ela, noto seus olhos inchados e o cabelo desgrenhado. Ela parece muito mal. Acho que nunca havia me dado conta até este momento de quantos anos ela tem.

– Por favor, Andy, não faz isso – implora ela. – *Por favor*.

Um músculo se contrai no queixo dele. Um trovão estala novamente, mas é mais suave do que antes. A tempestade está se afastando.

– Eu te ajudo a colocar as malas no carro.

Ela sufoca um soluço.

– Não precisa.

Nina se arrasta até a porta que dá para a garagem que fica bem na lateral da sala de estar, carregando as malas pesadas com dificuldade. Andrew tenta estender a mão para ajudar, mas ela dá de ombros, então se atrapalha para abrir a porta. Em vez de colocar as malas no chão, parece estar fazendo malabarismos com as duas e tentando abrir a porta ao mesmo tempo. Leva vários minutos, e em determinado momento não aguento mais. Corro até a porta e, antes que Nina seja capaz de me impedir, giro a maçaneta e abro para ela.

– Puxa – diz. – *Muito* obrigada, viu?

Não sei como responder. Apenas fico lá parada enquanto ela passa por mim com as malas. Pouco antes de atravessar a porta, ela se inclina para perto de mim, tanto que posso sentir seu hálito quente no meu pescoço.

– Eu *nunca* vou esquecer isso, Millie – sussurra no meu ouvido.

Sinto meu coração palpitar dentro do peito. Suas palavras ecoam em meus ouvidos enquanto ela atira as malas na parte de trás de seu Lexus branco e então sai da garagem.

Ela deixa o portão aberto. Vejo a chuva caindo no chão de cimento enquanto uma rajada de vento atinge meu rosto. Fico lá por um momento, observando o carro de Nina desaparecer ao longe. Quase dou um pulo quando um braço envolve meus ombros.

Claro, é Andrew, só isso.

– Você está bem? – pergunta ele.

Ele é tão maravilhoso. Depois daquela cena lamentável, é atencioso o suficiente para perguntar como estou.

– Estou. E você?

Ele suspira.

– Podia ter sido melhor. Mas precisava ser assim. Eu não tinha mais como continuar vivendo desse jeito. Não amava mais ela.

Olho de volta para a garagem.

– Será que ela vai ficar bem? Onde ela vai ficar?

Ele dá um tapinha no ar.

– Ela tem um cartão de crédito. Vai pegar um quarto em algum hotel. Não se preocupa com a Nina.

Só que *estou* preocupada com ela. Muito preocupada. Mas não do jeito que ele pensa.

Andrew solta meus ombros para apertar o botão e fechar o portão da garagem. Ele pega minha mão e tenta me puxar para longe, mas continuo observando o portão até que ele se feche por completo, para garantir que o carro de Nina não vai reaparecer no último segundo.

– Vamos, Millie. – Há um brilho nos olhos de Andrew. – Faz tempo que eu quero ficar sozinho com você.

Apesar de tudo, sorrio.

– Ah, é?

– Você não faz ideia…

Ele me puxa para um beijo, e, quando me derreto contra ele, outro trovão estala. Tenho a sensação de que ainda consigo ouvir o motor do carro de Nina ao longe. Mas isso é impossível. Ela se foi.

De vez.

TRINTA E QUATRO

Na manhã seguinte, acordo no quarto de hóspedes, com Andrew dormindo ao meu lado.

Depois que Nina partiu, ontem à noite, foi aqui que acabamos. Eu não queria dormir na cama dele, a mesma em que Nina estava dormindo até a véspera. E minha cama lá em cima não é muito confortável para duas pessoas. Então, esse foi o acordo.

Suponho que, se continuarmos assim, se as coisas ficarem mais sérias entre nós, mais cedo ou mais tarde terei que dormir na suíte principal. Mas por enquanto, não. O quarto ainda tem o cheiro de Nina. Seu fedor gruda em tudo.

Os olhos de Andrew se abrem e um sorriso se espalha em seu rosto quando me vê deitada ao lado dele.

– É… Olá – diz ele.

– Olá pra você também.

Ele corre um dedo pelo meu pescoço e por cima do meu ombro, e todo o meu corpo se arrepia.

– Adoro acordar do seu lado. E não do lado *dela*.

Eu me sinto da mesma forma. Espero acordar ao lado dele amanhã. E na manhã seguinte. Nina não dava valor a este homem, mas eu, sim. Ela achava que tinha a vida ganha.

É uma loucura pensar que agora tudo isso será meu.

Ele se inclina e dá um beijo no meu nariz.

– É melhor eu me levantar. Preciso ir a uma reunião.

Eu me esforço para me sentar na cama.

– Vou fazer o café da manhã.

– Nem pense nisso. – Andrew sai da cama, os cobertores caindo de seu corpo perfeito. Ele está em muito boa forma, deve frequentar uma academia. – Você tem se levantado e feito o café da manhã pra gente todos os dias desde que chegou aqui. Hoje, você vai dormir até mais tarde. E depois vai fazer o que quiser.

– Eu costumo lavar roupa às segundas. Não me importo de bater uma máquina e…

– Não. – Ele me encara. – Olha, não sei exatamente como resolver tudo isso, mas… eu gosto mesmo de você. Quero dar uma chance pra nós dois, de verdade. E, se vamos fazer isso, você não pode ser minha empregada. Vou encontrar outra pessoa pra limpar a casa e você pode ficar aqui até descobrir o que quer fazer.

Minhas bochechas coram.

– Não é tão fácil pra mim. Você sabe que tenho antecedentes. As pessoas não querem contratar alguém que…

– É por isso que você pode ficar aqui o tempo que quiser. – Ele ergue a palma da mão silenciando meus protestos. – É sério. Eu adoro ter você aqui. E, quem sabe, talvez acabe sendo, bem, algo permanente.

Ele abre um sorriso doce e encantador, e eu simplesmente derreto.

Nina tinha que ser mesmo louca para deixar esse cara escapar. Ainda estou com medo de que ela o queira de volta.

Observo Andrew enfiar as pernas musculosas na cueca samba-canção, embora finja não estar olhando. Ele dá uma piscadinha para mim, então sai do quarto para tomar um banho. E eu fico sozinha.

Deixo escapar um bocejo, me espreguiçando nesta luxuosa cama de casal. Fiquei emocionada quando ganhei a cama dobrável do andar de cima, mas isto aqui é outro nível. Eu nem tinha percebido que estava com torcicolo, porém, depois de uma noite neste colchão, me sinto melhor. Acho que posso me acostumar com isso.

Meu celular, largado na mesa de cabeceira ao lado da cama, começa a vibrar com uma ligação. Eu o alcanço e franzo a testa diante da mensagem na tela:

Número restrito.

Meu estômago revira. Quem está me ligando a esta hora da manhã? Fico olhando para a tela até o telefone parar de tocar.

Bem, está aí um bom jeito de lidar com isso.

Coloco o aparelho de volta na mesa de cabeceira e me aconchego novamente na cama. Não é só o colchão que é confortável. Os lençóis dão a sensação de que estou dormindo em uma cama de seda. E o cobertor é quente, mas, de alguma forma, leve. Muito melhor do que aquela porcaria feita de lã e que me enche de coceira que tenho usado para me cobrir no andar de cima. E do que aquele cobertor fino e horroroso que eu tinha na prisão. Quem diria que cobertores bonitos e caros seriam deliciosos, não é?

Meus olhos começam a se fechar de novo. Mas, pouco antes de eu adormecer, meu telefone começa a tocar novamente.

Gemo e estico a mão para pegá-lo. Mais uma vez, a mesma mensagem:

Número restrito.

Quem poderia estar me ligando? Não tenho amigos. A escola de Cecelia tem o meu número, mas estão em férias de verão. A única pessoa que me liga é…

Nina.

Bem, se for ela, é a última pessoa com quem quero falar agora. Pressiono o botão vermelho para recusar a chamada. Mas, como vai ser impossível pegar no sono de novo, saio da cama e subo para tomar um banho.

• • •

Quando chego lá embaixo, Andrew já está vestindo seu terno e bebendo uma caneca de café. Sem me dar conta, corro meus dedos pela calça jeans, me sentindo incrivelmente malvestida comparada a ele. Ele está parado na janela, olhando para o jardim da frente, os lábios curvados para baixo.

– Tudo bem? – pergunto.

Ele dá um pulo, surpreso com a minha presença. Em seguida, sorri.

– Sim, tudo bem. É só que… esse maldito jardineiro… está aqui de novo. O que diabos ele tanto faz lá fora?

Eu me junto a ele na janela. Enzo está inclinado sobre um canteiro de flores, uma pá na mão.

– Cuida do jardim?

Ele olha para o relógio.

– São oito da manhã. Ele está *sempre* aqui. Tem uma dezena de outras famílias para as quais ele trabalha... Por que ele está sempre *aqui*?

Dou de ombros, mas, para ser sincera, ele tem razão. Parece mesmo que Enzo passa muito tempo no nosso quintal. Uma quantidade desproporcional, mesmo considerando o quanto nosso quintal é maior do que a maioria dos outros.

Andrew parece tomar uma decisão e apoia a caneca de café no parapeito da janela. Eu a pego, sabendo que Nina vai ter um ataque se vir uma mancha de café no parapeito, mas de repente paro. Nina não vai me perturbar mais. Não vou precisar ver aquela mulher de novo nunca mais. Posso deixar xícaras de café onde quiser a partir de agora. Enquanto isso, Andrew caminha em direção ao gramado da frente, uma expressão determinada no rosto, e o sigo por curiosidade. Obviamente, está planejando dizer algo para Enzo.

Ele pigarreia duas vezes, mas isso não é suficiente para chamar a atenção de Enzo. Por fim, dispara:

– Enzo!

O jardineiro levanta a cabeça bem devagar e se vira.

– Sim?

– Quero falar com você.

Enzo solta um longo suspiro e se levanta. Ele caminha até nós, tão devagar quanto humanamente possível.

– Hum. O que você quer?

– Escuta. – Andrew é alto, mas, como Enzo é mais, ele precisa levantar a cabeça para olhar para o jardineiro. – Obrigado por tudo que você tem feito por aqui, mas não precisamos mais dos seus serviços. Então, por favor, pegue as suas coisas e pode ir pro seu próximo local de trabalho.

– *Che cosa*? – pergunta Enzo.

Os lábios de Andrew formam uma linha reta.

– Eu disse que a gente não precisa mais de você. Acabou. Fim. Pode ir.

A cabeça de Enzo se inclina para o lado.

– Demitido?

Andrew respira fundo.

– Sim. Demitido.

Enzo reflete por um momento. Dou um passo para trás, ciente de que, por mais forte e musculoso que Andrew seja, Enzo ganha dele fácil. Se os dois começassem a brigar agora, Andrew não teria chance. Mas então Enzo só dá de ombros.

– Ok. Eu vou.

Enzo parece se importar tão pouco com aquilo tudo que me pergunto se Andrew se sente um tolo por ter feito um grande estardalhaço por ele trabalhar aqui com tanta frequência. Mas Andrew assente, aliviado:

– *Grazie*. Obrigado pela sua ajuda nos últimos anos.

Enzo apenas o encara fixamente.

Andrew murmura algo baixinho e se vira a fim de voltar para dentro de casa. Eu me viro para acompanhá-lo, mas, assim que Andrew desaparece pela porta da frente, algo me detém. Levo um segundo para perceber que Enzo agarrou meu braço.

Giro o corpo e olho para ele. Sua expressão mudou por completo desde que Andrew voltou para dentro de casa. Os olhos escuros estão arregalados enquanto encaram os meus.

– Millie – sussurra ele –, você tem que sair daqui. Você está correndo perigo.

Meu queixo cai. Não só por conta do que ele disse, mas por como ele disse. Desde que comecei a trabalhar aqui, Enzo nunca tinha conseguido juntar mais do que algumas palavras em inglês. Desta vez, ele disse duas frases inteiras. E não só isso: o sotaque italiano, que costuma ser tão forte que mal consigo entender o que ele diz, pareceu muito mais sutil. O sotaque de um homem que se sente *muito* confortável em falar inglês.

– Eu estou bem. Nina foi embora.

– Não. – Ele balança a cabeça com firmeza, seus dedos ainda em volta do meu braço. – Você está enganada. Ela não é…

Antes que ele possa dizer qualquer outra palavra, a porta da frente da casa se abre de novo. Enzo rapidamente solta meu braço e se afasta.

– Millie? – Andrew enfia a cabeça para fora. – Tudo bem?

– Tudo – respondo.

– Você vai entrar?

Quero ficar aqui fora e perguntar a Enzo o que exatamente ele quis dizer com aquele aviso sinistro e o que estava tentando me dizer agora, mas tenho que voltar para dentro de casa. Não tenho escolha.

Enquanto sigo Andrew pela porta da frente, olho para trás na direção de Enzo, que se ocupou recolhendo o equipamento. Ele nem sequer olha para mim. É quase como se eu tivesse imaginado tudo aquilo. Mas, quando olho para o meu braço, vejo as marcas vermelhas que os dedos dele deixaram.

TRINTA E CINCO

Andrew disse que não devo fazer nenhum serviço doméstico na casa, mas costumo fazer compras às segundas-feiras, e estamos com poucos mantimentos. E, depois que folheio alguns livros que tirei da estante e assisto a um pouco de TV, fico ansiosa para fazer alguma coisa. Ao contrário de Nina, gosto de me manter ocupada.

Tenho evitado o mercado em que aquele segurança tentou me deter. Em vez disso, vou a um diferente em outra parte da cidade. São todos iguais mesmo.

A melhor parte é empurrar o carrinho pela loja e não ter que seguir a lista de compras pretensiosa e ridícula de Nina. Posso comprar o que quiser. Se eu quiser brioche, compro. E se quiser pão de fermentação natural, é isso que vou comprar. Não preciso mandar para ela cem fotos de todos os tipos de pão. É tão libertador.

Enquanto estou dando uma olhada no corredor de laticínios, meu telefone toca dentro da bolsa. Mais uma vez, fico com aquele sentimento de inquietação. Quem poderia estar me ligando?

Talvez seja Andrew.

Enfio a mão na bolsa e pego o telefone. De novo, o tal número restrito. Quem me ligou esta manhã está tentando me ligar novamente.

– Você é a Millie, não é?

Quase saio do corpo. Ergo a cabeça e vejo uma das mulheres que Nina convidou para a reunião da APM, mas não consigo lembrar o nome dela.

Ela está empurrando um carrinho também e tem um sorriso falso nos lábios carnudos e pintados.

– Isso? – respondo, hesitante

– Eu sou a Patrice – diz ela. – Você é a mocinha da Nina, não é?

Eu me irrito com o rótulo que ela me dá. *A mocinha da Nina*. Uau. Espera só até ela descobrir que Andrew largou Nina e que ela vai se ferrar no divórcio graças ao acordo pré-nupcial. Espera até descobrir que sou a nova namorada de Andrew Winchester. Em breve, talvez *eu* seja a pessoa a quem ela precise agradar.

– Eu trabalho para os Winchesters – falo num tom duro.

Mas não por muito tempo.

– Ah, bom. – Seu sorriso se alarga. – Passei a manhã toda tentando falar com a Nina. A gente tinha combinado de se encontrar pra um brunch... Sempre tomamos um brunch às segundas e quintas no Kristen's Diner... Mas ela não apareceu. Está tudo bem?

– Está – minto. – Tudo bem.

Patrice comprime os lábios.

– Acho que ela deve ter esquecido, então. Você com certeza já sabe que não dá pra confiar na Nina às vezes.

Ah, ela é muito mais do que uma pessoa não confiável. Mas mantenho a boca fechada.

Os olhos dela vão para o telefone na minha mão.

– Esse é o telefone que a Nina deu pra você usar?

– É... sim. É.

Ela joga a cabeça para trás e dá uma gargalhada.

– Preciso dizer que acho bem legal da sua parte deixar que ela acompanhe onde você está o tempo inteiro. Não sei se me sentiria bem com isso se fosse eu.

Dou de ombros.

– Ela só me manda mensagens. Não é tão ruim assim.

– Não é disso que estou falando. – Ela aponta para o telefone. – Estou falando desse aplicativo de rastreamento que ela instalou. Você não fica irritada de ela querer saber onde você está o tempo todo?

Sinto como se tivesse levado um soco no estômago. *Nina rastreia o meu celular?* Como assim?

Como sou burra. É *claro* que ela faria algo do gênero. Faz todo o sentido.

E agora percebo que ela não precisou vasculhar minha bolsa para encontrar o programa do espetáculo nem ligar para casa naquela noite. Ela sabia exatamente onde eu estava.

– Ah! – Patrice tapa a boca com a mão. – Desculpa. Você não tinha percebido?

Quero dar um tapa na cara cheia de Botox dessa mulher. Não tenho certeza se ela estava ciente de que eu sabia disso ou não, mas parece que está sentindo um prazer imenso em me contar. Um suor frio irrompe na minha nuca.

– Com licença – falo para Patrice.

Passo por ela, deixando meu carrinho de compras para trás. Corro para o estacionamento e só consigo respirar de novo quando estou fora da loja. Coloco as mãos nos joelhos e me inclino para a frente, e permaneço assim até que minha respiração volte ao normal.

Quando me endireito de novo, um carro está saindo a toda do estacionamento. Reconheço o Lexus branco. Parece o carro de Nina.

E então meu telefone começa a tocar mais uma vez.

Eu o arranco da bolsa. Mais uma vez, número restrito. Tudo bem, se ela quer falar comigo, pode ir em frente e dizer o que quer. Se quiser me ameaçar e me chamar de destruidora de lares, que seja.

Pressiono o botão verde.

– Alô? Nina?

– Olá! – diz uma voz alegre. – Chegou ao nosso conhecimento que a garantia do seu veículo pode ter expirado recentemente!

Afasto o telefone do ouvido e o encaro, incrédula. Não era Nina, no fim das contas. Era uma chamada de spam besta. Minha reação foi completamente exagerada.

Mas ainda não consigo afastar a sensação de que estou em perigo.

TRINTA E SEIS

Andrew está preso no trabalho esta noite.

Às quinze para as sete, me enviou uma mensagem pesarosa:

Problemas no trabalho. Vou ficar preso aqui por pelo menos mais uma hora. Pode comer sem mim.

Mandei uma mensagem de volta:

Tranquilo. Toma cuidado na volta.

Mas, por dentro, estou morrendo de decepção. Eu me diverti tanto jantando em Manhattan com ele que estava tentando recriar um dos pratos que comemos naquele restaurante francês. Filé *au poivre*. Usei pimenta-do-reino que comprei no supermercado (depois que consegui reunir forças para voltar), cebolinha picada, conhaque, vinho tinto, caldo de carne e creme de leite. O cheiro estava incrível, mas não ia dar para esperar mais uma ou duas horas – bife não é a mesma coisa quando a gente requenta. Não tive escolha a não ser comer meu jantar magnífico sozinha. E agora estou aqui sentada de barriga cheia, zapeando a TV.

Não gosto de ficar sozinha nesta casa. Quando Andrew está aqui, parece que a casa é *dele*, e de fato é. Mas, quando não está, o lugar inteiro cheira à

Nina. Seu perfume emana de cada rachadura e fenda – ela marcou território com seu cheiro, feito um bicho.

Mesmo depois de Andrew ter me dito para não fazer isso, fiz uma limpeza pesada na casa quando voltei do mercado, tentando me livrar do perfume dela. No entanto, ainda consigo sentir o cheiro.

Por mais desagradável que Patrice tenha sido, ela me fez um grande favor. Nina *estava* me rastreando. Encontrei o aplicativo escondido em uma pasta aleatória, em um lugar que eu jamais teria visto. Apaguei no mesmo instante.

Mas ainda não consigo afastar a sensação de que ela está me observando.

Fecho os olhos e penso no aviso que Enzo me deu esta manhã. *Você tem que sair daqui. Você está correndo perigo.* Ele tinha medo de Nina, vi nos olhos dele no dia em que estávamos conversando e ela passou perto da gente.

Você está correndo perigo.

Fico enjoada e tento me livrar da sensação. Nina se foi. Mas talvez ela ainda possa me machucar.

O sol se pôs e, quando olho pelo vidro, tudo que consigo ver é meu reflexo. Eu me levanto do sofá e vou até a janela, o coração batendo forte. Pressiono a testa contra a vidraça gelada, olhando para a escuridão lá fora.

Tem um carro estacionado do lado de fora do portão?

Olho para a escuridão, tentando descobrir se estou apenas imaginando coisas. Fico pensando que poderia ir lá fora para dar uma olhada mais de perto, mas isso envolveria destrancar as portas da casa.

Claro, que diferença faz se a porta está destrancada quando Nina tem uma chave?

Meus pensamentos são interrompidos pelo som do meu celular tocando na mesa de centro. Corro para pegá-lo antes que perca a chamada e franzo a testa quando vejo outro número restrito na tela. Balanço a cabeça. Outra chamada de spam, exatamente do que eu preciso.

Pressiono o botão verde para aceitar a chamada, esperando ouvir a gravação desagradável. Mas, em vez disso, ouço uma voz distorcida e mecânica:

– *Fique longe de Andrew Winchester!*

Respiro fundo.

– Nina?

Eu não saberia dizer se era um homem ou uma mulher, muito menos se era Nina. Então há um clique do outro lado da linha. A ligação caiu.

Engulo em seco. Estou farta dos jogos de Nina. A partir de amanhã, vou retomar o controle desta casa. Vou chamar um chaveiro para trocar o segredo das fechaduras das portas. E, esta noite, vou dormir na suíte principal. Chega dessa palhaçada de quarto de hóspedes. Não sou mais uma hóspede aqui.

Andrew disse que queria que isso se tornasse algo permanente. Então agora esta casa é minha também.

Vou até as escadas, subindo dois degraus por vez. Continuo andando até chegar ao quarto abafado no sótão, o meu quarto – exceto que ele não será mais meu depois desta noite. Vou arrumar tudo e me mudar para o andar de baixo. Esta será minha última vez neste quartinho claustrofóbico com fechadura estranha do lado de fora da porta.

Pego uma das minhas malas do armário. Começo a jogar roupas dentro dela, sem me preocupar em ser muito cuidadosa, já que vou apenas descer um lance de escadas. Claro, vou ter que pedir permissão a Andrew antes de abrir espaço em uma gaveta no andar de baixo. Mas ele não pode esperar que eu continue vivendo aqui. É desumano. Este quarto é uma espécie de câmara de tortura.

– Millie? O que você está fazendo?

A voz atrás de mim quase me causa um ataque cardíaco. Levo a mão ao peito e me viro.

– Andrew. Não ouvi você entrar.

Seu olhar dispara para as minhas malas.

– O que você está fazendo? – repete.

Enfio na mala um punhado de sutiãs que tinha nas mãos.

– Bom, pensei em me mudar pro andar de baixo.

– Ah.

– Tem... tem problema?

De repente, me sinto desconfortável. Tinha presumido que estaria tudo bem para Andrew, mas talvez eu não devesse ter feito essa suposição.

Ele dá um passo na minha direção. Mordo meu lábio até doer.

– Claro que não. Eu mesmo ia sugerir isso. Mas não tinha certeza se você iria querer.

Meus ombros caem.

– Quero, sim, com certeza. Eu... tive um dia meio difícil.

– O que você fez hoje? Vi alguns dos meus livros na mesa de centro. Você estava lendo?

Eu adoraria que isso tivesse sido a única coisa que fiz hoje.

– Pra falar a verdade, não quero conversar sobre isso.

Ele dá mais um passo para se aproximar de mim e estende a mão para traçar meu queixo com a ponta do dedo.

– Quem sabe eu consigo fazer você esquecer isso…

Tremo com o toque dele.

– Aposto que consegue.

E consegue mesmo.

TRINTA E SETE

Apesar de quão incrivelmente desconfortável é a minha cama comparada ao fabuloso colchão do quarto de hóspedes, eu desmaio logo depois que Andrew e eu fazemos amor lá em cima, envolta nos braços dele. Nunca pensei que transaria com alguém neste quarto. Em especial porque Nina era extremamente rigorosa em relação a me deixar receber convidados.

Essa regra com certeza não funcionou muito bem para ela.

Acordo por volta das três da manhã. A primeira sensação que tenho é de que minha bexiga está cheia, de um jeito até um pouco desconfortável. Preciso ir ao banheiro. Normalmente, vou bem antes de ir para a cama, mas Andrew me cansou e peguei no sono antes que pudesse reunir energia para fazer isso.

A segunda sensação da qual me dou conta é de um vazio. Andrew não está mais na cama.

Suspeito que, depois que adormeci, ele decidiu ir para a própria cama. Não o julgo. Essa cama não é confortável nem para uma pessoa, quanto mais para duas, e o quarto é absolutamente claustrofóbico. Talvez ele tenha tentado ficar, mas, depois de virar de um lado para outro, migrou para baixo. Andrew é mais de dez anos mais velho que eu, e minhas costas mal conseguem passar a noite neste colchão, então não posso mesmo culpá-lo.

Estou muito feliz de esta ser a última noite que vou dormir aqui. Talvez, depois de usar o banheiro, eu vá me encontrar com Andrew lá embaixo.

Eu me levanto, as tábuas do assoalho rangendo sob meu peso. Vou até a porta e giro a maçaneta. Como de costume, ela trava. Então, giro com mais firmeza.

Continua travada.

O pânico cresce no meu peito. Pressiono o corpo contra a porta, as marcas de arranhões na madeira esfolando meu ombro, e coloco a mão direita na maçaneta. Tento mais uma vez girá-la no sentido horário, mas ela não se mexe. Nem um milímetro. E é aí que percebo o que está acontecendo.

A porta não está travada. Está trancada.

PARTE II

TRINTA E OITO

NINA

Se há poucos meses alguém me dissesse que hoje eu estaria passando a noite em um quarto de hotel enquanto Andy está na *minha* casa com outra mulher – a empregada! –, eu não teria acreditado.

Mas cá estou eu. Com um roupão felpudo que encontrei no armário, jogada na cama queen-size do hotel. A televisão está ligada, mas mal presto atenção. Pego meu celular e clico no aplicativo que tenho usado nos últimos meses. Buscar Meus Amigos. Aguardo até que ele me mostre a localização de Wilhelmina Calloway.

Contudo, sob o nome dela, diz: localização não encontrada. O mesmo resultado desde hoje à tarde.

Ela deve ter descoberto que eu a estava rastreando e desativou o aplicativo. Garota esperta.

Mas não o suficiente.

Pego minha bolsa em cima da mesinha de cabeceira. Fuço até encontrar a única fotografia impressa que tenho de Andy. Alguns anos atrás, ele tirou fotos profissionais para o site da empresa e me deu uma cópia. Encaro seus olhos castanhos profundos no pedaço de papel brilhante, seu cabelo castanho perfeito, a covinha sutil em seu queixo definido. Andy é o homem mais bonito que já conheci. Eu me apaixonei por ele no segundo em que o vi.

Em seguida, encontro outro objeto dentro da bolsa e o coloco no bolso do roupão.

Eu me levanto da cama queen-size, meus pés afundando no tapete macio do quarto do hotel. Este quarto está custando uma fortuna, mas tudo bem. O cartão é de Andy, e não vou passar muito tempo aqui.

Entro no banheiro e seguro a fotografia do rosto sorridente dele. Então, puxo o objeto que tenho no bolso.

É um isqueiro.

Aciono a roldana até que uma chama amarela saia dele. Seguro a luz bruxuleante na borda da fotografia e ela começa a queimar. Observo o rosto bonito do meu marido ficar marrom e se desintegrar, até que a pia esteja cheia de cinzas.

Então, sorrio. Meu primeiro sorriso genuíno em quase oito anos. Não acredito que finalmente me livrei daquele escroto.

• • •

Como se livrar de seu marido sádico e cruel: um guia de Nina Winchester

Primeiro passo: engravide depois de transar bêbada em uma única noite casual, abandone o doutorado e arrume um emprego de merda para pagar as contas

Meu chefe, Andrew Winchester, sempre pareceu um sonho.

Ele não é exatamente meu chefe. Está mais para o chefe do chefe do meu chefe. Pode ser que haja mais algumas pessoas entre mim (uma recepcionista) e ele (o CEO da empresa desde a aposentadoria do pai).

Então, quando estou sentada à minha mesa, do lado de fora da sala do meu chefe imediato, admirando Andrew Winchester de longe, não é que eu esteja encantada por um homem de *verdade*. É mais como admirar um ator famoso na estreia de um filme ou talvez até mesmo uma pintura no museu de belas-artes. Especialmente porque não tenho espaço na minha vida para encontros, muito menos para um namorado.

Mesmo assim, ele é *tão* bonito. Tem todo esse dinheiro e, além disso, ainda é lindo desse jeito. Se ele não fosse tão *gentil*, diria que isso é a prova de que a vida é injusta.

Por exemplo, quando ele foi falar com o meu chefe (um cara pelo menos vinte anos mais velho que ele chamado Stewart Lynch, que claramente se ressente de responder a um sujeito ao qual se refere como "o garoto"), Andrew Winchester parou na minha mesa, sorriu para mim e me chamou pelo nome.

– Oi, Nina. Como estão as coisas hoje?

Obviamente, ele não sabe quem eu sou. Ele só leu meu nome na placa em cima da mesa. Mas, mesmo assim, foi legal ver que tenha feito esse esforço. Gostei de ouvir meu nome comum de quatro letras saindo de sua boca.

Os dois estão conversando na sala de Stewart há cerca de meia hora. Stewart me instruiu a não ir embora enquanto o Sr. Winchester estivesse lá, porque ele poderia precisar de mim para buscar algum dado no computador. Não consigo entender o que Stewart faz, porque sou eu que faço todo o trabalho dele. Mas tudo bem. Não me importo, desde que eu receba meu salário e meu seguro-saúde. Cecelia e eu precisamos de um lugar para morar, e o pediatra diz que ela precisa tomar uma série de injeções no mês que vem (para doenças que ela sequer tem!).

Mas o que me incomoda um pouco mais é que Stewart não me avisou que ia me pedir para esperar. Eu deveria estar tirando leite agora. Meus seios estão cheios e doloridos, esticando os grampos do meu frágil sutiã de amamentação. Estou dando o meu melhor para não pensar em Cece, porque, se o fizer, o leite quase certamente vai explodir pelos meus mamilos. E esse não é o tipo de coisa que você quer que aconteça quando está sentada diante de sua mesa de trabalho.

Nesse momento, Cece está com a minha vizinha, Elena. Ela também é mãe solo, então nos revezamos tomando conta das crianças. Meu horário é mais certinho, enquanto ela trabalha no turno da noite em um bar. Assim, cuido de Teddy para ela e ela cuida de Cece para mim. Estamos conseguindo dar conta. Mais ou menos.

Sinto falta de Cece quando estou no trabalho. Penso nela o tempo todo. Sempre fantasiei que, quando tivesse um bebê, conseguiria ficar em casa pelo menos nos primeiros seis meses. Em vez disso, tirei minhas duas semanas de licença e voltei direto para o trabalho, embora ainda sentisse dor ao andar. Eles teriam me concedido doze semanas de licença, mas as outras dez não teriam sido remuneradas. Quem consegue ficar dez semanas sem receber? Com certeza, eu, não.

Às vezes, Elena se ressente do filho em razão de tudo de que abriu mão por causa dele. Vivendo em estado de quase pobreza, eu mal conseguia me dedicar ao doutorado em inglês quando acabei me deparando com um teste de gravidez positivo. Ao ver as duas linhas azuis, me dei conta de que aquele estilo de vida como eterna aluna de pós-graduação jamais seria suficiente para mim e aquela criança que nasceria em breve. No dia seguinte, desisti. E comecei a bater perna por aí, em busca de algo com que pudesse pagar as contas.

Este não é o meu emprego dos sonhos. Longe disso. Mas o salário é justo, os benefícios são ótimos e o horário é estável e não muito longo. E me disseram que é possível subir na empresa. Em algum momento.

Mas, agora, eu só preciso passar os próximos vinte minutos sem que meus seios vazem.

Estou *muito* perto de sair correndo até o banheiro com minha bombinha e minhas garrafas de leite quando a voz de Stewart estala no interfone.

– Nina? – diz ele num tom irritado. – Você poderia me trazer os dados do Grady?

– Sim, senhor, agora mesmo!

Acesso meu computador e carrego os arquivos que ele quer, então clico em imprimir. São cerca de cinquenta páginas de informações, e fico ali sentada, batendo o pé no chão, vendo a impressora cuspir cada folha de papel. Quando a última página é impressa, puxo as folhas e corro para a sala dele.

Abro a porta.

– Sr. Lynch?

– Entra, Nina.

Empurro a porta e deixo que ela se abra sozinha. Imediatamente, noto que os dois homens estão me encarando. E não é o olhar admirado que eu costumava receber em bares antes de engravidar e minha vida mudar por completo. Estão olhando para mim como se houvesse uma aranha gigante pendurada no meu cabelo e eu não tivesse notado. Estou prestes a perguntar o que diabos os dois estão olhando quando olho para baixo e descubro.

Meus seios estão vazando.

Não apenas vazando: estão esguichando leite como se eu fosse uma vaca. Há dois círculos enormes ao redor de cada um dos meus mamilos, e algumas gotas de leite escorrem pela minha blusa. Quero rastejar para debaixo de uma mesa e morrer.

– Nina! – choraminga Stewart. – Vá se limpar!

– Claro – respondo depressa. – Eu… sinto muito. Eu…

Largo as folhas de papel na mesa de Stewart e saio correndo do escritório o mais rápido que consigo. Pego meu casaco para esconder a blusa, o tempo todo piscando para conter as lágrimas. Nem sei dizer ao certo o que me chateou mais: o fato de que o chefe do chefe do meu chefe me viu desse jeito ou o desperdício de todo esse leite.

Levo a bomba para o banheiro, ligo e alivio a pressão em meus seios. Apesar do constrangimento, é *tão* bom esvaziar todo esse leite. Talvez seja melhor do que sexo. Não que me lembre de como é fazer sexo – a última vez que isso aconteceu foi naquela única noite casual que acabou me colocando nesta situação. Encho duas garrafas de 150 mililitros inteirinhas e as ajeito dentro da minha bolsa junto com um saco de gelo. Vou deixá-las na geladeira até a hora de ir para casa. Agora, tenho que voltar para minha mesa. E fico de casaco durante o resto da tarde, porque descobri recentemente que, mesmo depois de seco, o leite deixa uma mancha.

Quando abro a porta do banheiro, me assusto ao ver que tem alguém parado ali. E não é qualquer um. É Andrew Winchester. O chefe do chefe do meu chefe. Seu punho está suspenso no ar, pronto para bater à porta. Seus olhos se arregalam ao me ver.

– É… oi – falo. – O banheiro masculino é… ali.

Eu me sinto ridícula dizendo isso. Esta é a empresa *dele*. Além disso, há uma placa de uma mulher com um vestido na porta do banheiro. Ele deve ter percebido que este é o banheiro feminino.

– Na verdade – diz ele –, eu estava atrás de você.

– De mim?

Ele assente.

– Queria saber se você estava bem.

– Estou bem. – Tento sorrir, escondendo a humilhação que passei antes. – É só leite.

– Eu sei, mas… – Ele franze a testa. – Stewart foi um babaca com você. Aquilo foi inaceitável.

– Bom, sim… – Estou tentada a contar a ele sobre uma centena de outras situações em que Stewart foi um babaca comigo. Mas é uma má ideia falar mal do próprio chefe. – Tudo bem. De qualquer forma, eu ia mesmo sair pra almoçar, então…

– Eu também. – Ele arqueia uma sobrancelha. – Quer ir comigo?

Claro que digo que sim. Mesmo que ele não fosse o chefe do chefe do meu chefe, eu teria dito sim. Ele é lindo, para início de conversa. Amo o sorriso dele; o jeito que a pele enruga ao redor dos olhos e a sugestão de uma covinha no queixo. Mas não dá para dizer que ele está me convidando para um encontro. Ele só está se sentindo mal pelo que aconteceu na sala de Stewart. Provavelmente, alguém do RH falou para ele fazer isso a fim de amenizar a situação.

Acompanho Andrew Winchester escada abaixo até o saguão do edifício do qual ele é dono. Presumo que vá me levar a um dos muitos restaurantes chiques do bairro, então fico chocada quando me conduz até o carrinho de cachorro-quente na frente do prédio e entra na fila.

– Melhor cachorro-quente da cidade. – Ele dá uma piscadinha para mim. – O que você gosta no seu?

– Hum… mostarda, acho?

Quando chega a nossa vez, ele pede dois cachorros-quentes, ambos com mostarda, e duas garrafas de água. Ele me entrega um cachorro-quente e uma das garrafas, e me leva a um conjunto de apartamentos geminados no final do quarteirão. Ele se senta nos degraus e eu me junto a ele. É quase cômico um homem bonito desses sentado nos degraus de pedra marrom, vestindo seu terno caro e segurando um cachorro-quente coberto de mostarda.

– Obrigada pelo cachorro-quente, Sr. Winchester.

– Andy – me corrige ele.

– Andy – repito.

Dou uma mordida no cachorro-quente. É muito bom. Mas o melhor da cidade? Já não tenho tanta certeza sobre isso. Tipo, é uma carne misteriosa dentro de um pão.

– Quantos anos tem o seu bebê? – pergunta ele.

Meu rosto fica vermelho de felicidade, como sempre acontece quando alguém me pergunta sobre minha filha.

– Cinco meses.

– Como se chama?

– Cecelia.

– Muito bonito. – Ele sorri. – Como a música.

Agora ele marcou muitos pontos, porque a música de Simon e Garfunkel é o motivo pelo qual dei esse nome a ela, embora a grafia seja diferente. Era a música favorita dos meus pais. Era a música *deles* antes de aquele acidente de avião tirá-los de mim. E essa homenagem fez com que eu me sentisse perto deles novamente.

Ficamos ali sentados por vinte minutos, comendo nossos cachorros-quentes e conversando. Fico surpresa de ver quão pé no chão é Andy Winchester. Adoro o jeito que sorri para mim. Adoro o jeito que faz perguntas sobre mim, como se estivesse realmente interessado. Não me surpreende que tenha se saído tão bem com a empresa: ele é bom em lidar com pessoas. O que quer que o RH tenha lhe dito, ele fez um bom trabalho. Definitivamente não estou mais chateada com o incidente na sala de Stewart.

– É melhor eu voltar – falo para ele quando meu relógio marca uma e meia. – Stewart vai me matar se eu voltar tarde do almoço.

Não menciono o fato de Stewart trabalhar para *ele*.

Ele se levanta e limpa as migalhas das mãos.

– Tenho a impressão de que cachorro-quente não era o almoço que você esperava de mim.

– Foi ótimo.

E foi mesmo. Eu me diverti muito comendo cachorro-quente com Andy.

– Deixa eu compensar isso, então. – Ele me olha nos olhos. – Deixa eu te levar pra jantar hoje à noite.

Meu queixo cai. Andrew Winchester poderia ter qualquer mulher que quisesse. *Qualquer uma*. Por que iria querer *me levar* para jantar? Mas ele convidou.

E eu quero muito ir, o que torna quase doloroso ter que recusar.

– Não posso. Não tenho ninguém pra tomar conta da minha filha à noite.

– A minha mãe vai estar em Manhattan amanhã à tarde – diz ele. – Ela adora bebês. Com certeza ficaria felicíssima em tomar conta da Cecelia pra irmos jantar amanhã.

Agora estou mesmo boquiaberta. Ele não apenas me convidou para jantar, como também, quando lhe apresentei uma barreira, devolveu com uma solução. Envolvendo a *mãe* dele. Ele quer mesmo sair para jantar comigo.

Como eu poderia recusar?

TRINTA E NOVE

Segundo passo: ingenuamente se case com o homem sádico e cruel

Andy e eu estamos casados há três meses e às vezes tenho que me beliscar.

Nosso namoro foi rápido. Antes de conhecê-lo, todos os caras com quem eu havia saído queriam só se divertir. Mas Andy não era desses. Desde a noite do nosso primeiro e mágico encontro, ele deixou suas intenções claras para mim. Estava em busca de um relacionamento sério. Um ano antes, tinha sido noivo de uma mulher chamada Kathleen, mas não dera certo. Ele estava pronto para se casar. Estava disposto a cuidar de mim e de Cecelia.

E, do meu ponto de vista, ele era tudo que eu estava procurando. Eu queria um lar seguro para mim e minha filha. Queria um homem com um emprego estável, que fosse uma figura paterna para minha garotinha. Queria um homem gentil e responsável e… bem, sim, atraente. Andy cumpria todos os requisitos.

Mesmo nos dias que antecederam nosso casamento, eu continuava procurando defeitos. Não era possível alguém tão perfeito quanto Andy Winchester. Ele devia ter um problema secreto com jogos de azar ou, quem sabe, outra família escondida em Utah. Cogitei até ligar para Kathleen, a ex-noiva. Ele havia me mostrado fotos dela – ela era loura como eu e tinha um rosto doce –, mas eu não sabia seu sobrenome e não consegui localizá-la nas redes sociais. Pelo menos, ela não estava falando mal dele na internet. Encarei isso como um bom sinal.

A única coisa em relação a Andy que não era ideal era… bem, sua mãe. Evelyn Winchester passava mais tempo por perto do que eu gostaria. E não diria que ela era a pessoa mais calorosa do mundo. Apesar de Andy ter garantido que a mãe "adorava bebês" e ficava "felicíssima" em tomar conta de Cece, ela sempre parecia um pouco incomodada quando a convidávamos para cuidar da bebê. E a noite invariavelmente terminava com uma série de críticas ao jeito como crio minha filha, discretamente veladas como "sugestões".

Mas o casamento seria com Andy, não com a mãe dele. Ninguém gosta da sogra, certo? Eu conseguiria lidar com Evelyn, principalmente porque ela não se interessa muito por mim de modo geral, exceto pela minha aparente falta de habilidade como mãe. Se esse era o único problema de Andy, por mim tudo bem.

Então me casei com ele.

E, mesmo passados três meses, ainda estou nas nuvens. Não acredito que tenho estabilidade financeira para poder ficar em casa com a minha filha. Quero voltar para o doutorado em algum momento, mas, agora, quero aproveitar cada minuto com a minha família. Cece e Andy. Como uma mulher pode ter tanta sorte?

E, em troca, tento ser a esposa perfeita. No meu pouco tempo livre, frequento a academia para garantir que esteja em forma. Comprei um guarda-roupa de peças brancas nada práticas porque ele me acha linda com essa cor. Pesquisei receitas na internet e estou tentando cozinhar para ele o máximo que posso. Quero ser digna desta vida incrível que ele me dá.

Esta noite, beijo Cecelia em sua bochecha macia de bebê, demorando-me alguns segundos a mais para olhar para ela e absorver o som de sua respiração profunda e o cheiro de talco. Coloco uma mecha de seu cabelo louro macio atrás de uma de suas orelhas quase translúcidas. Ela é tão bonita. Eu a amo tanto que às vezes sinto que seria capaz de engoli-la.

Quando saio do quarto dela, Andy está me esperando do lado de fora. Está sorrindo para mim, seu cabelo escuro sem um fio sequer fora do lugar, tão lindo quanto no dia em que o conheci. Ainda não entendo por que me escolheu. Ele poderia ter qualquer mulher do mundo. Por que eu?

Mas talvez eu não devesse questionar. Talvez devesse apenas ficar feliz com isso.

– Ei. – Ele prende uma mecha do meu cabelo louro atrás da minha orelha. – Suas raízes estão começando a aparecer um pouco.

– Ah.

Toco meu cabelo, envergonhada. Andy ama cabelo louro, então comecei a ir ao salão depois que ficamos noivos a fim de clarear meu cabelo para um tom mais dourado.

– Caramba, acho que ando tão ocupada com a Cece que acabei esquecendo – comento.

Não consigo ler a expressão em seu rosto. Ele ainda está sorrindo, mas há algo errado. Será que o incomoda tanto o fato de eu ter me esquecido do horário que marquei no salão?

– Escuta – diz ele. – Eu preciso da sua ajuda com uma coisa primeiro.

Ergo uma sobrancelha, feliz por ele não parecer muito chateado em relação ao meu cabelo.

– Claro. O que é?

Ele levanta a cabeça na direção do teto.

– Tem uns papéis do trabalho que enfiei lá em cima. Queria saber se você poderia me ajudar a tentar encontrá-los. Preciso escrever esse contrato hoje à noite. E depois a gente pode… – Ele sorri para mim. – Você sabe…

Ele não precisa me pedir duas vezes.

Estou morando nesta casa há cerca de quatro meses e nunca fui ao sótão. Subi as escadas uma vez, enquanto Cece estava tirando uma soneca, mas a porta estava trancada, então voltei. Andy diz que tem apenas um monte de papéis lá, nada muito interessante.

E a verdade é que não gosto de subir naquele lugar. Não tenho fobias loucas de sótãos, mas a escada que leva até lá é meio assustadora. É escuro, e os degraus rangem a cada passo. Enquanto acompanho Andy escada acima, fico perto dele.

Quando chegamos ao topo da escada, Andy me leva pelo pequeno corredor até a porta trancada, no final. Ele pega seu molho de chaves e coloca uma das menores na fechadura. Em seguida, abre a porta e puxa uma corda para acender a luz.

Pisco enquanto meus olhos se ajustam à claridade e observo o ambiente. Não é um depósito como imaginei que seria. É mais um quarto minúsculo, com uma cama dobrável enfiada em um canto. Há até uma pequena cômoda e um frigobar, além de uma única janela minúscula no outro extremo do cômodo.

– Ah – falo, coçando o queixo. – É um *quarto*. Eu achava que aqui só tivesse um monte de coisas velhas guardadas.

– Bom, eu deixo tudo naquele armário ali – explica ele, apontando para o armário perto da cama.

Vou até o armário e dou uma espiada. Não há nada do lado de dentro, exceto um balde azul. Não há papéis, muito menos o suficiente para exigir o trabalho de duas pessoas. Não entendo muito bem o que ele quer que eu faça.

Então ouço uma porta se fechar.

Levanto a cabeça e me viro. De repente, estou sozinha neste quarto minúsculo. Andy saiu e fechou a porta.

– Andy? – chamo.

Atravesso o quarto em duas passadas e alcanço a maçaneta. Mas ela não gira. Tento com mais força, jogando meu peso contra a porta, mas continuo sem sorte. A maçaneta não se move nem um centímetro.

Está trancada.

– Andy? – chamo mais uma vez. Nenhuma resposta. – Andy!

Que diabos está acontecendo?

Talvez ele tenha descido para pegar alguma coisa e a porta se fechou. Mas isso não explica por que não há papel nenhum aqui dentro, afinal ele disse que era isso que viríamos buscar.

Bato na porta com o punho fechado.

– Andy!

Ainda sem resposta.

Pressiono o ouvido contra a porta. Ouço passos, mas eles não estão se aproximando. Estão se afastando, desaparecendo na escada.

Ele não deve estar me ouvindo. É a única explicação. Apalpo meus bolsos, mas meu telefone está no quarto. Não tenho como ligar para ele.

Droga.

Meus olhos vão parar na janela minúscula no canto do quarto. Eu me aproximo e olho para fora, percebendo que ela dá para o quintal. Sendo assim, não há como chamar a atenção de ninguém do lado de fora. Estou presa aqui até Andy voltar.

Não sou exatamente claustrofóbica, mas este quarto é muito pequeno, com um teto baixo que se inclina sobre a cama. E a ideia de estar trancada aqui dentro está começando a me assustar. Sim, Andy vai voltar em breve, mas não gosto deste espaço fechado. Minha respiração acelera e meus dedos começam a formigar.

Preciso abrir esta janela.

Empurro a parte inferior, mas ela não se move. Nem um milímetro. Por um momento, acho que talvez abra para fora, mas não. Qual é o problema desta janela besta? Respiro fundo, tentando me acalmar. Olho a janela com mais atenção e…

Está selada com tinta.

Quando Andy voltar, ele vai ver só. Eu me considero bastante equilibrada, mas *não* estou gostando de ficar trancada neste quarto. Temos que fazer alguma coisa em relação à fechadura da porta, para garantir que não volte a trancar sozinha. Quer dizer, e se nós dois estivéssemos aqui dentro? Estaríamos realmente presos.

Volto a bater na porta.

– Andy! – grito a plenos pulmões. – Andy!

Depois de quinze minutos, estou rouca de tanto gritar. Por que ele não voltou? Mesmo que não consiga me ouvir, deve ter percebido que ainda estou no sótão. O que eu poderia estar fazendo aqui sozinha? Nem sei que papéis ele quer.

Será que ele estava descendo as escadas e tropeçou, desceu rolando e agora está inconsciente em uma poça de sangue lá embaixo? Porque essa é a única coisa que faz sentido para mim.

Trinta minutos depois, estou prestes a enlouquecer. Minha garganta dói e meus punhos estão vermelhos de tanto bater na porta. Quero explodir em lágrimas. Cadê Andy? O que está acontecendo?

Justo quando sinto que estou prestes a perder a cabeça, ouço uma voz do outro lado da porta.

– Nina?

– Andy! – grito com a voz embargada. – Graças a Deus! Eu fiquei trancada aqui! Você não me ouviu gritando?

Há um silêncio prolongado do outro lado da porta.

– Sim. Eu ouvi.

Não sei o que dizer ao escutar isso. Se ele me ouviu, por que não abriu para mim? Mas não posso lidar com isso agora. Só quero sair deste quarto.

– Você pode, por favor, abrir a porta?

Outro longo silêncio.

– Não. Ainda não.

O quê?

– Não entendi – gaguejo. – Por que você não vai abrir a porta? Perdeu a chave?

– Não.

– Então me deixa sair!

– Eu disse que *ainda não*.

Estremeço com a nitidez das duas últimas palavras. Não consigo entender. O que está acontecendo? Por que ele não me deixa sair do sótão?

Olho para a porta entre nós. Tento a maçaneta mais uma vez, esperando que talvez seja algum tipo de piada. Ainda está trancada.

– Andy, você precisa me deixar sair daqui.

– Não me diga o que fazer na minha própria casa. – Sua voz tem uma entonação estranha que mal reconheço como dele. – Você tem que aprender sua lição antes de poder sair.

Sinto uma corrente gelada e nauseante percorrer minhas costas. Enquanto Andy e eu estávamos noivos, ele parecia tão perfeito. Ele era gentil, romântico, bonito, rico e bom para Cecelia. Eu sempre quis saber qual era o seu grande defeito.

Agora eu sei.

– Andy – chamo. – Por favor, me deixa sair daqui. Não sei com o que você está chateado, mas a gente pode resolver isso. Só destranca a porta e vamos conversar.

– Não. – Sua voz é calma e equilibrada, exatamente o oposto de como estou me sentindo agora. – A única forma de aprender é encarar as consequências dos seus atos.

Respiro fundo.

– Andy, me deixa sair desta merda de quarto *agora*.

Chuto a porta com força, embora meus pés descalços não causem muito impacto. Na verdade, fazer isso só machuca meus dedos. Fico esperando ouvir a porta ser destrancada, mas nada acontece.

– Juro por Deus, Andy – vocifero. – Deixa eu sair daqui. Abre. A. Porta.

– Você está chateada – reconhece ele. – Quando se acalmar, eu volto.

E então seus passos ficam mais distantes. Ele está indo embora.

– Andy! – grito. – Não se atreva a ir embora! Volta aqui! Volta aqui e me deixa sair! Andy, se não me deixar sair daqui, eu largo você! Me deixa sair! – Bato com os dois punhos. – Eu estou calma! Me deixa sair!

Mas os passos ficam cada vez mais fracos, até que, por fim, desaparecem.

QUARENTA

Terceiro passo: descubra que seu marido é o mal encarnado

É meia-noite. Três horas depois.

Bati na porta e raspei a madeira até ficar com lascas debaixo das unhas. Gritei até perder a voz. Achei que mesmo que ele não me deixasse sair, talvez os vizinhos ouvissem. Mas, depois de uma hora, perdi a esperança.

Agora estou sentada na cama no canto do quarto. As molas cutucam minha bunda enquanto finalmente deixo as lágrimas rolarem pelo rosto. Não sei o que ele pretende fazer comigo, mas só consigo pensar em Cecelia, dormindo no berço, sozinha com aquele psicopata. O que ele vai fazer comigo? O que ele vai fazer com *ela*?

Se eu sair daqui em algum momento, vou pegar a Cece e correr o mais rápido que puder para longe desse homem. Não me importo com quanto dinheiro ele tem. Não me importo se estamos legalmente casados. Eu quero *sair daqui*.

– Nina?

A voz de Andy. Pulo da cama e corro até a porta.

– Andy – falo com o que resta da minha voz.

– Você perdeu a voz – comenta ele. Não sei o que responder. – Você não deveria se dar ao trabalho de gritar. O sótão é à prova de som. Então, ninguém vai te ouvir. Eu poderia estar dando um jantar lá embaixo e ninguém jamais escutaria você gritando.

– Por favor, me deixa sair – choramingo.

Estou disposta a fazer o que for preciso. Vou concordar com o que ele quiser se me deixar sair daqui. Mas, claro, assim que a porta estiver aberta, vou abandoná-lo. Não estou nem aí se o acordo pré-nupcial diz que não vou receber nada por terminar o casamento no primeiro ano. Qualquer coisa para dar o fora.

– Não se preocupa, Nina – diz ele. – Vou deixar você sair. Prometo.

Solto um suspiro.

– Mas *ainda não* – acrescenta. – Você tem que aprender as consequências do que você fez.

– Do que você está falando? Consequências do *quê*?

– O seu cabelo. – A voz dele está cheia de repulsa. – Não posso ter uma esposa que anda por aí toda desleixada, com as raízes por retocar.

As raízes do meu cabelo. Não consigo acreditar que ele tenha se chateado tanto com isso. Quer dizer, são só alguns milímetros de cabelo.

– Me desculpa. Prometo que vou marcar uma hora com o cabeleireiro imediatamente.

– Isso não basta.

Pressiono a testa contra a porta.

– Vou logo amanhã de manhã. Prometo.

Ele boceja do outro lado da porta.

– Estou indo dormir agora. Aguenta firme aí, e amanhã de manhã a gente fala mais sobre o seu castigo.

Os passos dele desaparecem enquanto se afasta. Mesmo que minhas mãos estejam doendo de tanto socar a porta, começo a bater de novo. Esmurro a porta com tanta força, que não consigo acreditar que ainda não quebrei todos os ossos da minha mão.

– Andy, não ouse me deixar aqui a noite inteira! Volta aqui! Volta!

Mas ele me ignora como fez antes.

• • •

Durmo nesse quarto. É óbvio. Que escolha eu tenho?

Não achei que fosse pegar no sono, mas, sei lá como, aconteceu. Depois de toda aquela gritaria e dos socos na porta, a adrenalina deu lugar à exaustão e acabei desmaiando naquela cama desconfortável. Não é muito pior do que a cama em que costumava dormir no apartamento minúsculo onde morava quando éramos só eu e Cecelia, mas me acostumei com o colchão de espuma viscoelástica de Andy.

Fico pensando em quando éramos só eu e Cece. Eu vivia sobrecarregada, sempre à beira das lágrimas. Não fazia ideia de como minha vida era boa antes de me casar com um psicopata capaz de me trancar em um quarto por uma noite só porque não fui ao cabeleireiro.

Cece. Espero que ela esteja bem. Se aquele babaca tocar num único fio de cabelo dela, juro que o mato. Não me importo de passar o resto da vida na cadeia.

Minhas costas estão doendo quando acordo de manhã e minha cabeça está latejando. Mas o pior de tudo é que a minha bexiga está cheia. Dolorosamente cheia. Essa é a necessidade mais urgente de todas.

O que posso fazer? O banheiro fica do lado de fora.

Mas, sim, se tiver que esperar muito mais, vou fazer xixi nas calças.

Fico de pé e ando pelo quarto. Tento a maçaneta mais uma vez, esperando que talvez tenha imaginado tudo que aconteceu ontem à noite e que ela vai se abrir magicamente. Não tenho essa sorte. Ainda está trancada.

Eu me lembro de quando olhei no armário e havia apenas um item lá. Um balde.

Andy armou tudo isso. Ele me enganou para que eu viesse aqui. Instalou uma fechadura do lado de fora da porta. E também colocou aquele balde lá dentro por um motivo.

Vou ter mesmo que fazer isso.

Acho que há coisas piores do que fazer xixi num balde. Eu o arrasto para fora do armário e faço o que tenho que fazer. Então, coloco o balde lá de volta. Espero não ter que usá-lo de novo.

Minha boca está seca e meu estômago, roncando, mesmo achando que acabaria vomitando se comesse qualquer coisa. Levando em consideração o balde, me pergunto se Andy armou coisas semelhantes em outras partes do quarto. Abro o frigobar, esperando que ele tenha sido generoso e deixado alguma comida por lá.

Em vez disso, há três garrafinhas de água. Três lindas garrafas de água.

Quase desmaio de alívio. Pego uma delas, abro e viro tudo praticamente em um gole só. Minha garganta ainda está seca e em carne viva, mas um pouco melhor.

Olho para as outras duas garrafas. Adoraria beber mais água, mas estou com medo. Quanto tempo Andy vai me deixar aqui? Não faço ideia. Acho melhor preservar meus recursos.

– Nina? Você está acordada?

A voz de Andy surge do outro lado da porta. Saio tropeçando até lá, minha cabeça latejando a cada passo.

– Andy…

– Bom dia, Nina.

Fecho os olhos para conter uma onda de vertigem.

– Cecelia está bem?

– Ela está bem. Falei pra minha mãe que você foi visitar uns parentes e ela vai cuidar da Cecelia até você voltar.

Solto um suspiro. Pelo menos, minha filha está segura. Evelyn Winchester não é minha pessoa favorita no mundo, mas é uma babá vigilante.

– Andy, por favor, me deixa sair.

Ele ignora meu pedido, o que sequer me surpreende a esta altura.

– Você encontrou a água na geladeira?

– Encontrei. – E, mesmo que isso acabe comigo, acrescento: – Obrigada.

– Você vai ter que fazer essa água durar. Não posso te dar mais nenhuma.

– Então me deixa sair – resmungo.

– Eu vou deixar – diz ele. – Mas primeiro você precisa fazer uma coisa por mim.

– O quê? Faço qualquer coisa.

Ele faz uma pausa.

– Você precisa entender que o seu cabelo é um privilégio.

– Sim, eu entendo.

– Entende mesmo, Nina? Porque eu sinto que, se você entendesse, não andaria por aí toda largada, com essas raízes escuras aparecendo.

– Eu… Me desculpa por isso.

– Como você não conseguiu cuidar bem do seu cabelo, agora você vai me dar ele.

Sinto uma sensação horrível na boca do estômago.

– O quê?

– Não tudo. – Ele ri, porque é claro que *isso* seria ridículo. – Quero cem fios do seu cabelo.

– Você… você quer cem fios do meu cabelo?

– Isso mesmo. – Ele dá dois tapinhas na porta. – Você me dá cem fios do seu cabelo e eu te deixo sair do quarto.

Esse é o pedido mais estranho que já ouvi. Ele quer me punir por minhas raízes escuras recebendo uma centena de fios do meu cabelo? Deve ter mais ou menos isso emaranhado na minha escova. Será que ele tem algum tipo de fetiche por cabelo? É disso que se trata?

– Se você olhar na minha escova...

– Não – interrompe ele. – Eu quero que saia do seu couro cabeludo. Quero ver a raiz.

Fico lá, parada, atordoada.

– Você está falando sério?

– Parece que estou brincando? – dispara ele. Em seguida, sua voz suaviza. – Tem uns envelopes na gaveta da cômoda. Você coloca os fios lá dentro e desliza os envelopes por baixo da porta. Se fizer isso, vai ter aprendido sua lição, então eu deixo você sair.

– Está bem – concordo. Corro a mão pelo meu cabelo louro e duas mechas se soltam nos meus dedos. – Resolvo isso em cinco minutos.

– Tenho que ir trabalhar agora, Nina – diz ele, irritado. – Mas, quando eu chegar em casa, os fios precisam estar prontos pra mim.

– Mas eu posso fazer isso rápido!

Puxo meu cabelo novamente e outra mecha se solta.

– Vou estar em casa às sete – avisa ele. – E, lembre-se, quero cabelos totalmente intactos. Tenho que ver a raiz, senão não conta!

– Não! Por favor!

Agarro meu cabelo com mais violência desta vez. Meus olhos lacrimejam, mas apenas mais alguns fios se soltam.

– Vou fazer isso agora! Espera um pouco!

Mas Andrew não vai esperar. Ele está indo embora. Seus passos desaparecem como antes.

Aprendi que nenhuma quantidade de gritos nem batidas na porta vai fazê-lo voltar. Não adianta desperdiçar minha energia e agravar minha já agonizante dor de cabeça. Tenho que me concentrar no que ele quer que eu faça. Assim, posso voltar para a minha filha. E posso escapar desta casa para sempre.

QUARENTA E UM

Às sete horas, já completei a tarefa.

Consegui cerca de vinte fios passando os dedos repetidamente pelo cabelo. Depois disso, sabia que teria que arrancar o resto pela raiz. Cerca de oitenta vezes, agarrei um fio do meu cabelo, me preparei e puxei. Tentei conseguir alguns fios de uma só vez, mas foi doloroso demais. Felizmente, meu cabelo é saudável, então a maioria dos fios soltou com o folículo piloso intacto. Se fosse logo depois que tive Cecelia, acabaria ficando careca antes de ter arrancado os cem fios.

Então, às sete horas em ponto, estou sentada na cama, segurando um envelope contendo cem fios do meu cabelo. Mal posso esperar para entregar a ele e sair daqui. E para dar entrada no divórcio. Maldito desgraçado da cabeça.

– Nina?

Olho para o relógio. Sete em ponto. Ele é pontual, pelo menos isso.

Dou um pulo da cama e pressiono minha cabeça contra a porta.

– O envelope está aqui.

– Desliza por baixo da porta.

Deslizo o envelope pela fresta. Fico imaginando Andrew do outro lado. Rasgando o envelope, examinando meus folículos capilares. Não dou a mínima para o que ele vai fazer a esta altura, contanto que me deixe sair. Fiz o que ele queria.

– E aí?

Minha garganta parece dolorosamente ressecada. Tomei as outras duas garrafas de água ao longo do dia, guardando a segunda para a última hora aqui dentro. Quando eu sair daqui, vou beber cinco copos de água seguidos. E fazer xixi em um banheiro de verdade.

– Um minuto, por favor – diz ele. – Estou conferindo.

Cerro os dentes, ignorando o ronco raivoso do meu estômago. Não como nada há 24 horas e estou tonta de fome. Cheguei a ponto de achar que meu cabelo parece apetitoso.

– Cadê a Cece? – pergunto, engasgada.

– Está lá embaixo, no cercadinho – diz ele.

Criamos uma área fechada e segura na sala, onde ela poderia brincar sem que tivéssemos medo de que se machucasse. Foi ideia de Andy. Ele é tão cuidadoso.

Não, ele não é cuidadoso. Isso foi tudo uma ilusão. Uma encenação. Ele é um monstro.

– Hum... – diz Andy.

– O quê? O que foi?

– Bom, *quase* todos os fios estão bons, mas um deles está sem o folículo.

Desgraçado.

– Tudo bem. Eu te dou outro.

– Não – diz ele e dá um suspiro. – Você vai ter que começar tudo de novo. Eu volto amanhã de manhã. Espero que até lá você tenha cem cabelos intactos pra mim. Caso contrário, vamos ter que continuar tentando.

– Não…

Seus passos desaparecem no corredor, e me ocorre que ele está realmente me abandonando aqui. Sem comida e sem água.

– Andy! – Minha voz está rouca e não é muito mais alta do que um sussurro. – Não faz isso! Por favor! Por favor, não faz isso!

Mas ele se foi.

• • •

Tenho mais cem fios prontos na hora de dormir, caso ele volte, mas isso não acontece. Coloquei até dez fios extras. Não sei como, mas eles estão saindo mais fácil agora. Mal sinto quando o cabelo se solta do meu couro cabeludo.

Só consigo pensar em água. Comida e água, mas principalmente água. E, claro, na minha Cecelia. Não tenho certeza se a verei de novo. Não sei quanto tempo uma pessoa consegue ficar sem água, mas não deve ser muito. Andy jurou que ia me deixar sair daqui, mas e se ele estiver mentindo? E se ele for me deixar morrer aqui?

Tudo porque não fui ao cabeleireiro.

Quando adormeço à noite, sonho com uma poça d'água. Abaixo a cabeça em direção à poça e a água se afasta de mim. Cada vez que tento beber, a água me escapa. Parece tortura.

– Nina?

A voz de Andy me acorda. Não sei ao certo se peguei no sono ou se desmaiei, mas passei a noite inteira esperando, então preciso me levantar e dar a Andy o que ele quer. É a única maneira de sair daqui.

Levante-se, Nina!

Assim que me sento na cama, minha cabeça gira violentamente. Tudo fica preto por um segundo. Agarro a borda do colchão fino, esperando minha visão clarear. Leva um bom tempo.

– Acho que não posso deixar você sair a menos que me dê esses fios de cabelo – diz Andy do outro lado da porta.

O som de sua voz horripilante provoca uma onda de adrenalina que me põe de pé. Meus dedos estão tremendo quando pego o envelope e saio tropeçando até a porta.

Deslizo o envelope por debaixo da porta, depois caio contra a parede, escorregando para o chão.

Aguardo enquanto ele conta. Parece levar uma eternidade. Se ele disser que fracassei de novo, não sei o que vou fazer. Não suporto mais doze horas aqui. Vai ser o fim. Vou morrer neste quarto.

Não, preciso continuar, não importa o que aconteça. Por Cece. Não posso deixar minha filha com esse monstro.

– Muito bem – diz ele por fim. – Bom trabalho.

E então a fechadura gira. E a porta se abre.

Andy está de terno, já pronto para o trabalho. Imaginei que, no momento em que visse esse homem depois de ficar presa neste quarto por duas noites, eu pularia em cima dele e arrancaria seus olhos. Mas, em vez disso, permaneço no chão, fraca demais para me mover. Andy se agacha ao meu lado, e é quando percebo que está segurando um copo grande de água e um bagel.

– Aqui – diz ele. – Trouxe isto pra você.

Eu deveria jogar a água na cara dele. Quero jogar. Mas acho que não consigo sair deste quarto se não comer e beber alguma coisa. Então, aceito o presente dele, virando o copo d'água e enfiando pedaços do bagel goela abaixo até acabar com tudo.

– Sinto muito por ter que fazer isso – diz ele –, mas é a única maneira de você aprender.

– Vai pro inferno – falo entredentes.

Tento me levantar, mas tropeço novamente. Mesmo depois de beber a água, minha cabeça ainda está girando. Não consigo andar em linha reta. Duvido que consiga descer as escadas.

Então, embora me odeie por isso, deixo Andy me ajudar. Deixo que me leve para baixo, e tenho que me apoiar com força nele durante todo o caminho. Quando chego ao segundo andar, ouço Cecelia cantando lá embaixo. Ela está bem. Ele não a machucou. Graças a Deus.

Não vou permitir que ele tenha outra oportunidade.

– Você precisa se deitar – diz Andy em um tom sério. – Não está bem.

– Não – resmungo.

Quero ficar com Cecelia. Meus braços anseiam por ela.

– Você está muito doente – insiste ele, como se eu estivesse me recuperando de uma gripe e não do fato de ele ter me prendido em um quarto por dois dias. Ele está falando comigo como se *eu* fosse a louca. – Vamos.

Mas, seja lá o que for, ele tem razão: preciso me deitar. Minhas pernas estão tremendo a cada passo e minha cabeça não para de girar. Então, deixo que me leve até a nossa cama king-size e ele me coloca debaixo das cobertas. Se havia alguma chance de eu conseguir sair daqui, ela se foi assim que cheguei na cama. É como dormir em uma nuvem depois de desmaiar naquele colchão horrível nas últimas duas noites.

Minhas pálpebras parecem chumbo. Não consigo lutar contra a vontade de dormir. Andy está sentado ao meu lado, na beira da cama, passando os dedos pelo meu cabelo.

– Você não tem se sentido bem – diz ele. – Precisa de um dia de sono. Não se preocupa com a Cecelia. Garanto que ela vai ficar bem.

A voz dele é tão gentil e suave que começo a me perguntar se talvez eu tenha imaginado tudo. Afinal, ele tem sido um marido tão bom. Ele realmente me trancaria em um quarto e me faria arrancar meu cabelo? Isso não soa como algo que ele faria. Talvez eu esteja com febre e tudo isso seja uma alucinação terrível.

Não. Não foi uma alucinação. Foi real. Eu sei que foi.

– Eu odeio você – sussurro.

Andy ignora o que eu digo enquanto continua a acariciar meu cabelo até meus olhos se fecharem.

– Dorme um pouco – diz ele suavemente. – É só disso que você precisa.

QUARENTA E DOIS

Quarto passo: faça todo mundo acreditar que você é louca

Acordo com o som de água correndo ao longe.

Ainda me sinto grogue e fora do ar. Quanto tempo leva para o corpo se recuperar da privação de comida e água por dois dias? Olho para o relógio – já passa de meio-dia.

Esfrego os olhos, tentando identificar de onde vem o som de água corrente. Parece ser do banheiro da suíte, que está fechado. Será que Andy está tomando banho? Se estiver, não tenho muito tempo para dar o fora daqui.

Meu celular está na mesa de cabeceira ao lado da cama. Eu o pego, tentada a chamar a polícia para contar o que Andy fez comigo. Mas não, vou esperar. Até estar bem longe dele.

Só que o telefone está cheio de mensagens de texto de Andy. Devo ter acordado com o som das notificações. Percorro todas elas, franzindo a testa diante da tela.

Você está bem?

Você estava agindo de um jeito muito estranho hoje de manhã. Por favor, me liga pra eu saber que está tudo bem.

Nina, tá tudo bem? Vou entrar numa reunião, mas me avisa se você está bem.

Como você e a Cece estão? Por favor, liga ou manda mensagem.

É a última mensagem que me chama a atenção. Cecelia. Não a vejo faz dois dias. Antes disso, nunca tinha passado um dia sequer longe dela. Não a deixei nem durante a lua de mel. Onde ela está agora?

Afinal, Andy não me deixaria sozinha com ela se eu estivesse dormindo, não é?

Olho para a porta fechada do banheiro. Quem está lá dentro? Tinha presumido que fosse Andy, mas não pode ser. Ele está me mandando mensagens do trabalho. Será que deixei a água aberta por engano? Talvez eu tenha levantado e usado o banheiro e esquecido de fechar a torneira da pia. Parece possível, considerando como estou me sentindo aérea.

Descubro as pernas. Minhas mãos estão pálidas e trêmulas. Tento me levantar, mas é difícil. Mesmo tendo bebido água e descansado, ainda me sinto muito mal. Tenho que me apoiar na cama para andar. Não tenho certeza se consigo ir dali até o banheiro.

Respiro fundo, me esforço para superar a tontura e ando o mais devagar que consigo. Cruzo cerca de dois terços do caminho até lá antes de cair de joelhos. Meu Deus, o que há de errado comigo?

Mas preciso saber que som é este. Por que tem água correndo no banheiro? E, agora que estou mais perto, vejo que a luz está acesa do lado de dentro. Quem está lá? *Quem está no meu banheiro?*

Rastejo o restante do caminho até lá. Quando finalmente chego à porta do banheiro, alcanço a maçaneta e empurro a porta para abri-la. E o que vejo quando entro é algo que jamais esquecerei pelo resto da minha vida.

É Cece. Ela está dentro da banheira, apoiada nela. Seus olhos estão fechados. A água enche rapidamente a banheira, subindo acima do nível de seus ombros. Mais um minuto ou dois, e cobrirá a cabeça dela.

– Cecelia – chamo, ofegante.

Ela não diz uma palavra. Não chora nem chama por mim. Mas suas pálpebras tremem ligeiramente.

Tenho que salvar minha filha. Tenho que fechar a torneira e arrastá-la para fora da banheira. Só que não consigo fazer meus pés funcionarem, e meus movimentos são extremamente lentos. Mas vou salvá-la. Vou salvar minha filha nem que isso exija cada pingo da minha força. Nem que isso me mate.

Rastejo pelo chão do banheiro. Minha cabeça está girando tanto que não tenho certeza se consigo manter a consciência. Mas não posso desmaiar. Meu bebê precisa de mim.

Estou chegando, Cece. Por favor, aguente firme. Por favor.

Quando meus dedos roçam a porcelana da banheira, quase choro de alívio. A água está praticamente na altura do queixo dela agora. Começo a alcançar a torneira, mas uma voz áspera faz meus dedos congelarem.

– Sra. Winchester. Não se mova.

Alcanço a torneira mesmo assim. Ninguém vai me impedir de salvar meu bebê. Consigo parar a água, mas, antes que possa fazer qualquer outra coisa, mãos fortes agarram meus braços, me puxando para ficar de pé. Em meio a uma névoa, vejo um homem de uniforme puxando Cecelia para fora da banheira.

– O que você está fazendo? – tento perguntar, mas minha fala está arrastada.

O homem que resgatou Cecelia ignora minha pergunta.

– Ela está viva, mas parece que foi drogada – diz outra voz.

– Sim – consigo falar. – Drogada.

Eles sabem. Sabem o que Andy tem feito conosco. E agora ele drogou nós duas. Graças a Deus a polícia veio.

Um paramédico coloca Cecelia em uma maca, e eles estão me colocando em uma também. Nós duas vamos ficar bem. Eles vieram para nos salvar.

Um homem de uniforme da polícia ilumina meus olhos. Desvio o olhar, estremecendo com o brilho insuportável.

– Sra. Winchester – diz ele bruscamente. – Por que estava tentando afogar sua filha?

Abro a boca, mas nenhum som sai. *Afogar minha filha?* Do que ele está falando? Eu estava tentando *salvá-la*. Será que eles não viram isso?

Mas o policial apenas balança a cabeça. Ele se vira para um dos colegas.

– Ela está totalmente fora do ar. Parece que também se entupiu de remédios. Leva ela pro hospital. Vou ligar pro marido e informar que chegamos a tempo.

Chegaram aqui a tempo? Do que ele está falando? Eu passei o dia inteiro dormindo. Pelo amor de Deus, *o que eles acham que eu fiz*?

QUARENTA E TRÊS

Passo os oito meses seguintes no Hospital Psiquiátrico de Clearview.

A história, que me foi repetida inúmeras vezes, é que tomei um monte de sedativos que meu médico havia receitado e também dei à minha filha alguns comprimidos na mamadeira. Em seguida, coloquei Cecelia na banheira e liguei a água. Minha intenção, aparentemente, era matar nós duas. Graças a Deus, Andy, meu maravilhoso marido, suspeitou que havia algo errado e a polícia chegou a tempo de nos salvar.

Não me lembro de nada disso. Não me lembro de tomar remédio algum. Não me lembro de colocar Cecelia na banheira. Não me lembro sequer do meu médico prescrevendo esse medicamento, mas o médico de família que cuida de mim e de Andy nos assegurou que o fez.

De acordo com o terapeuta que me atende em Clearview, sofro de depressão e delírios graves. Foram esses delírios que me levaram a acreditar que meu marido me manteve presa em um quarto por dois dias. A depressão foi o que me levou à tentativa de homicídio-suicídio.

A princípio, não acreditei. Minhas lembranças de estar no sótão são tão vívidas que eu quase podia sentir no meu couro cabeludo as picadas dos fios de cabelo que arranquei. Mas o Dr. Barringer continua me explicando que, quando se tem delírios, as coisas podem parecer muito reais, mesmo quando não são.

Então, agora estou tomando dois medicamentos para evitar que isso aconteça, um antipsicótico e um antidepressivo. Quando tenho minhas sessões com o Dr. Barringer, assumo a responsabilidade pelo que fiz, mesmo que não me lembre de nada disso. Só me lembro de acordar e encontrar Cecelia na banheira.

Mas eu devo ter feito. Não havia mais ninguém lá.

A parte que finalmente me convenceu de que eu tinha feito aquilo sozinha é que Andy jamais poderia ter feito algo desse tipo comigo. Desde o dia em que o conheci, ele não tem sido nada além de maravilhoso. E, durante toda a minha estadia em Clearview, ele me visitou sempre que pôde. Os funcionários o adoram. Ele traz muffins e biscoitos para as enfermeiras. E sempre guarda um para mim.

Hoje ele me trouxe um muffin de mirtilo. Ele bate à porta do quarto particular em Clearview, uma instituição cara para pessoas com questões psiquiátricas que também têm dinheiro. Ele veio direto do trabalho, veste terno e gravata, e está dolorosamente bonito.

Quando cheguei aqui, ficava trancada no quarto. Mas melhorei tanto com a medicação que me concederam o privilégio de ter um quarto destrancado. Andy fica na outra ponta da cama enquanto coloco o muffin na boca. O antipsicótico aumentou meu apetite e engordei dez quilos desde que cheguei aqui.

– Está pronta pra voltar pra casa na semana que vem? – pergunta ele.

Assinto, limpando migalhas dos lábios.

– Eu… acho que sim.

Ele pega minha mão, e me encolho, mas consigo não me afastar. Quando cheguei aqui, não suportava que ele me tocasse. Mas consegui deixar de lado minha sensação de repulsa.

Andy não fez nada comigo. Foi meu cérebro ferrado que imaginou tudo.

Mas parecia tão real...

– Como está a Cecelia? – pergunto.

– Está ótima. – Ele aperta minha mão. – Muito animada por você estar voltando pra casa.

Pensei que ela acabaria me esquecendo durante o período que passei aqui, mas ela não esquece nunca. Não tive permissão para vê-la nos primeiros meses em que estive internada, mas, quando Andy finalmente a trouxe para mim, nós duas nos agarramos uma à outra e, no fim do horário de visita, ela chorou até meu coração se partir em mil pedacinhos.

Preciso ir para casa. Preciso retomar minha vida, do jeito que ela era. Andy tem sido tão incrível. Ele assumiu mais responsabilidades do que precisava.

– Então venho te buscar no domingo ao meio-dia – diz ele. – Depois vou te levar pra casa. Minha mãe vai ficar com a Cece.

– Ótimo – respondo.

Por mais que esteja animada para voltar para casa e ver minha filha, a ideia de retornar para aquele lugar me dá uma sensação de mal-estar na boca do estômago. Não estou ansiosa para pisar lá de novo. Principalmente no sótão.

Nunca mais vou subir lá.

QUARENTA E QUATRO

– Do que você tem medo, Nina?

Ergo os olhos para o Dr. Hewitt diante da pergunta. Tenho feito essas sessões ao longo dos últimos quatro meses, duas vezes por semana, desde que tive alta em Clearview. O Dr. Hewitt não teria sido minha primeira escolha. Para início de conversa, eu provavelmente teria escolhido uma terapeuta mulher e mais jovem (alguém que não tivesse uma cabeça cheia de cabelos grisalhos). No entanto, a mãe de Andy recomendou muitíssimo o Dr. John Hewitt, e não me senti confortável em dizer não, considerando que Andy pagou por todos os meus cuidados psiquiátricos.

De todo modo, o Dr. Hewitt tem se mostrado muito bom. Ele me pressiona com algumas perguntas difíceis. Agora, por exemplo, estamos abordando o fato de eu não ter mais chegado perto do sótão da nossa casa desde que voltei.

Eu me remexo no sofá de couro. O mobiliário caro neste consultório é uma prova do grande sucesso do meu terapeuta.

– Não sei do que tenho medo. Esse é o problema.

– Você acha mesmo que tem uma masmorra no sótão?

– Não uma masmorra, mas…

Depois de todas as minhas alegações sobre o que haviam feito comigo em nossa casa, um policial foi enviado para verificar o sótão. Ele encontrou o quarto lá em cima e conferiu que não era nada mais do que um depósito, cheio de caixas e papéis.

Foi um delírio. Algo deu errado com minha química cerebral, e imaginei que Andy havia me mantido lá como refém. Quer dizer, me fazer arrancar os cabelos e colocá-los em um envelope só porque não fui ao cabeleireiro? Isso é completamente insano, olhando em retrospecto.

Mas parecia tão real na época. E tenho sido diligente em pintar meu cabelo desde que voltei para casa. Só por garantia.

Andy tem mantido a porta da escada que dá no sótão fechada. Pelo que sei, ele não a abriu desde que voltei para casa.

– Acho que seria terapêutico você ir até lá – sugere o Dr. Hewitt, franzindo a testa e unindo as grossas sobrancelhas brancas. – Assim, o lugar não vai ter mais nenhum poder sobre você. Vai ver por si mesma que é só um quartinho de depósito.

– Talvez…

Andy também tem me encorajado a ir lá. *Só veja por si mesma. Não há nada a temer.*

– Promete que vai tentar, Nina – diz ele.

– Vou tentar.

Talvez. Vamos ver.

O Dr. Hewitt me acompanha até a sala de espera, onde Andy está sentado em uma das cadeiras de madeira, lendo algo no celular. Quando me vê, seu rosto se abre em um sorriso. Ele reorganizou a agenda para me levar a cada uma dessas consultas. Não sei como ainda pode me amar tanto depois das coisas terríveis das quais o acusei. Mas estamos trabalhando juntos para chegarmos à cura.

E ele espera até que estejamos em seu BMW para perguntar sobre a sessão.

– Então, como foi?

– Ele acha que eu deveria visitar o quarto do sótão.

– E?

Engulo com dificuldade enquanto observo a paisagem passando pela janela.

– Estou cogitando.

Andy assente.

– Acho que é uma boa ideia. Quando você chegar lá em cima, vai perceber que foi tudo um delírio. Vai ser tipo uma revelação, sabe?

Ou eu poderia ter outro colapso e tentar matar Cecelia mais uma vez. Claro, isso seria difícil, já que atualmente não tenho autorização para ficar sozinha com ela. Andy ou a mãe dele estão sempre por perto. Essa foi uma das condições para que eu pudesse voltar para casa. Não sei por quanto tempo vou precisar que alguém tome conta de mim quando estiver com minha própria filha, mas, neste momento, está claro que ninguém confia em mim.

• • •

Cece está no chão, brincando com um dos jogos educativos que Evelyn comprou para ela. Quando minha filha nos vê entrar, abandona o jogo e se atira em mim até que seu corpinho toque minha perna esquerda. Quase me derruba no chão. Embora eu não tenha permissão para ficar sozinha com ela, Cece tem ficado bastante grudada comigo desde que voltei para casa.

– Mamãe, me levanta! – Ela ergue os braços até que eu a pegue no colo. Está usando um vestido branco cheio de babados, uma roupa um pouco sem sentido para uma garotinha brincando na sala de estar (deve ser coisa de Evelyn). – Casa, mamãe.

Evelyn não é tão rápida quanto Cece. Ela se levanta do sofá devagar, limpando sua calça branca imaculada. Eu nunca havia notado a frequência com que Evelyn se veste de branco, que sempre foi a cor favorita de Andy em mim. Mas combina com ela. Seu cabelo parece ter sido louro, mas agora ela está naquele limbo entre o louro e o branco, os fios surpreendentemente grossos e saudáveis para uma mulher de sua idade. Evelyn é, de modo geral, muito conservada e impecável. Eu nunca a vi com um fio de cabelo solto no suéter.

– Obrigada por tomar conta da Cece, mãe – diz Andy.

– Imagina – diz Evelyn. – Ela se comportou muito bem hoje. Mas… – Seus olhos se dirigem para o teto. – Notei que você deixou as luzes acesas no quarto no andar de cima. Que desperdício de energia.

Ela lança ao filho um olhar de reprovação, e o rosto de Andy fica vermelho. Percebi como ele fica desesperado pela aprovação da mãe.

– Foi culpa minha. – Não sei ao certo se foi, mas e daí? Posso muito bem assumir a culpa, Evelyn já não gosta de mim mesmo. – Eu deixei a luz acesa.

Evelyn me repreende.

– Nina, produzir eletricidade consome muitos recursos do nosso planeta. Você deve se lembrar de desligar as luzes quando sair de qualquer cômodo.

– Pode deixar – prometo.

Evelyn me olha como se não tivesse certeza se estou falando sério ou não, mas o que ela vai fazer? Já fracassou em impedir que o filho se casasse comigo. Claro, talvez ela estivesse certa a meu respeito depois da coisa terrível que fiz.

– Nós paramos pra comprar comida, mãe – diz Andy. – Trouxemos um pouco mais. Quer jantar com a gente?

Fico aliviada quando Evelyn faz que não com a cabeça. Ela não é uma convidada agradável. Sua permanência para a refeição garante uma série de críticas sobre nossa sala de jantar, a limpeza dos nossos pratos e utensílios e sobre a própria comida.

– Não, é melhor eu ir – diz ela. – Seu pai está me esperando.

Ela hesita na frente de Andy. Por um momento, acho que vai beijá-lo na bochecha, algo que nunca a vi fazer antes. Mas, em vez disso, estende a mão e ajusta a gola da camisa dele, alisando o tecido. Ela inclina a cabeça, examinando-o, então assente em aprovação.

– Muito bem, estou indo agora.

Depois que Evelyn vai embora, desfrutamos de um jantar agradável juntos, só nós três. Cecelia está sentada na sua cadeirinha alta e come macarrão com as mãos. No meio do jantar, um dos fios de massa, sei lá como, chega à testa dela e fica lá pelo resto do jantar. Mas, mesmo enquanto tento aproveitar a refeição, algo se revira na boca do meu estômago. Fico pensando no que o Dr. Hewitt disse. Ele acha que eu deveria ir até o sótão. E Andy também.

Talvez ambos tenham razão.

Então, depois que coloco Cecelia para dormir, quando Andy aborda o assunto, digo sim.

QUARENTA E CINCO

Quinto passo: descubra que você não é louca, afinal

– A gente vai bem devagar – promete Andy, enquanto estamos juntos na porta da escada do sótão. – Mas vai ser bom você ver por si mesma que não há nada a temer. Que tudo isso estava só na sua cabeça.

– Claro. – É só o que consigo dizer.

Sei que ele tem razão. Mas parecia *tão* real.

Andy pega minha mão. Não me encolho mais quando ele me toca. Voltamos a fazer amor. Confio nele de novo. Este será o último passo para retornar ao ponto onde estávamos antes de eu fazer essa coisa terrível. Antes de o meu cérebro pifar.

– Pronta? – pergunta ele.

Assinto.

Subimos a escada rangente de mãos dadas. Precisamos colocar uma lâmpada aqui em algum lugar. O resto da casa é tão bonito. Quem sabe se toda essa área fosse menos assustadora eu me sentisse melhor. Não que seja uma desculpa para o que fiz.

Logo chegamos ao quarto do sótão. Ali está o depósito que de alguma forma transformei em uma masmorra na minha cabeça. Andy ergue as sobrancelhas para mim.

– Você está bem?

– Eu… acho que sim.

Ele gira a maçaneta e empurra a porta. A luz está apagada, o quarto escuro como breu. O que é estranho, porque há uma janela e sei que a lua está cheia nesta noite, pois a admirei da janela do meu quarto. Eu entro, tentando ajustar a visão em meio às sombras.

– Andy. – Engulo um nó na garganta. – Você pode acender a luz?

– Claro, querida.

Ele puxa a corda e o cômodo se ilumina. Mas não é uma luz normal. A luz que vem de cima quase me cega. É muito brilhante, como nada que já experimentei antes. Solto a mão de Andy e levo as mãos aos olhos, para bloquear a claridade.

E então ouço o som da porta se fechando.

– Andy! – chamo. – Andy!

Meus olhos se ajustaram à luz incrivelmente brilhante apenas o suficiente para ser capaz de distinguir, de olhos semicerrados, o conteúdo do quarto. E… é exatamente como me lembro. O colchão sujo no canto. O armário com o balde. O frigobar que continha três garrafinhas d'água.

– Andy? – chamo mais uma vez.

– Estou aqui, Nina. – A voz dele está abafada.

– Onde? – Tateio sem conseguir enxergar, ainda forçando a vista. – Pra onde você foi?

Meus dedos fazem contato com o metal frio da maçaneta da porta. Giro para a direita e…

Não. *Não.* Não pode ser.

Estou tendo outro colapso? Isso é tudo coisa da minha cabeça? Não pode ser. Parece tão real.

– Nina. – A voz de Andy novamente. – Você consegue me ouvir?

Protejo os olhos com a mão.

– Está tão claro aqui. Por que está claro desse jeito?

– Apaga a luz.

Continuo tateando até encontrar a corda que controla a luz, então dou um puxão forte. Sinto uma onda de alívio quando mergulho de volta na escuridão. Dura cerca de dois segundos, até eu perceber que estou completamente cega aqui dentro.

– Seus olhos vão se ajustar um pouco – diz ele. – Mas não vai ajudar muito. Eu coloquei umas tábuas na janela na semana passada e lâmpadas novas.

Se você apagar a luz, o mundo vai ficar escuro como breu. Se ligar… Bem, essas lâmpadas são bem fortes, né?

Fecho os olhos e não vejo nada além de escuridão. Abro-os, e é exatamente a mesma coisa. Nenhuma diferença. Minha respiração acelera.

– Luz é um privilégio, Nina – diz ele. – Minha mãe já havia notado antes que você se esqueceu de apagar as luzes. Sabia que em outros países existem pessoas que sequer têm eletricidade? E o que você faz? Você desperdiça.

Pressiono a palma da mão contra a porta.

– Isso realmente está acontecendo, né?

– O que você acha?

– Que você é um perturbado mental, um psicopata!

Andy dá uma gargalhada do outro lado da porta.

– Pode ser. Mas foi *você* quem foi parar numa clínica de gente doida por tentar se matar e matar sua filha. A polícia viu você fazendo isso. Você *admitiu* ter feito isso. E, quando eles vieram aqui pra verificar, este quarto parecia exatamente um depósito.

– Foi real – falo, ofegante. – Esse tempo todo, era tudo real. Você…

– Eu queria que você soubesse com o que está lidando. – Ele parece estar se divertindo. Ele realmente acha isso *divertido*. – Queria que você soubesse o que aconteceria se tentasse fugir.

– Eu entendi. – Pigarreio. – Juro pra você, não vou fugir. Só me deixa sair daqui.

– Ainda não. Primeiro você precisa aprender a não desperdiçar energia elétrica.

O som dessas palavras traz de volta uma esmagadora sensação de déjà-vu. Sinto que vou vomitar. Caio de joelhos.

– Então, vai ser assim, Nina – diz ele. – Como sou um cara *muito* legal, vou te dar duas opções. Você pode ter a luz ou a escuridão. Só depende de você.

– Andy, por favor…

– Boa noite, Nina. A gente conversa mais amanhã.

– Por favor! Andy, não faz isso!

Lágrimas brotam dos meus olhos enquanto os passos dele desaparecem. Gritar não vai fazer diferença. Sei disso porque aconteceu exatamente a mesma coisa comigo há um ano. Ele me trancou aqui do mesmo jeito que fez agora.

E, de alguma forma, deixei que fizesse isso de novo.

Imagino as coisas se desenrolando da mesma forma que da última vez. Emergindo desta sala, fraca e grogue. Ele fazendo parecer que eu estava tentando me machucar, ou pior, machucar Cecelia. Ninguém vai pensar duas vezes antes de acreditar na história dele depois da última vez. Imagino ser afastada da minha filha de novo. Acabei de recuperá-la. Não posso deixar isso acontecer. *Não posso.*

Faço qualquer coisa.

• • •

Mais uma vez, Andy deixou três garrafas de água para mim na geladeira. Decido guardá-las para o dia seguinte, porque é tudo que vou ter, e não faço ideia de quanto tempo ficarei aqui. Vou guardá-las para quando não aguentar nem mais um minuto. Quando minha língua começar a parecer uma lixa.

A questão da luz está me deixando completamente louca. Há duas lâmpadas nuas no teto, e ambas são ultrabrilhantes. Se eu acender a luz, fica torturantemente claro aqui dentro. Mas, com elas desligadas, fica escuro como breu. Tenho a ideia de empurrar a cômoda até que fique bem embaixo das lâmpadas, subo nela e consigo desatarraxar uma delas. É um pouco melhor com apenas uma, mas ainda brilhante o suficiente para que eu tenha que semicerrar os olhos.

Andy não volta de manhã. Passo o dia inteiro no quarto, sentada, preocupada com Cecelia, me perguntando o que vou fazer quando e se sair daqui. Mas isto não é um delírio. Não é uma alucinação. Isto realmente está acontecendo comigo.

Preciso me lembrar disso.

É hora de dormir quando finalmente ouço passos do lado de fora do quarto. Estou deitada na cama, escolhendo a opção da escuridão. Durante o dia, alguns pequenos feixes de luz do sol passavam pelas frestas, e eu quase podia distinguir a sombra de alguns objetos. Mas, agora que o sol se pôs, está escuro como breu de novo.

– Nina?

Abro a boca, mas minha garganta está seca demais para dizer qualquer coisa. Tenho que dar um pigarro.

– Estou aqui.

– Vou deixar você sair.

Espero que ele acrescente "mas não ainda", só que ele não faz isso.

– Mas, primeiro – diz ele –, vamos fixar algumas regras básicas.

– O que você disser. – *Só, por favor, me deixa sair daqui.*

– Pra começar, você não pode contar pra ninguém o que aconteceu neste quarto. – A voz dele é firme. – Não pode contar para suas amigas, não pode contar para o seu médico, não pode contar pra *ninguém*. Porque ninguém vai acreditar em você, e, se falar sobre isso, só vai ser um sinal de que está tendo delírios de novo e de que a pobre Cecelia pode estar em perigo.

Olho para a escuridão. Mesmo sabendo o que ele ia dizer, ouvir isso tudo me enche de raiva. Como pode esperar que eu não fale sobre o que ele acabou de fazer comigo?

– *Você entendeu, Nina*?

– Entendi – consigo dizer.

– Ótimo. – Quase posso ver seu sorriso satisfeito. – Em segundo lugar, de vez em quando, se você precisar ser disciplinada, isso será feito aqui neste quarto.

Será que ele está brincando comigo?

– De jeito nenhum. Esquece.

– Acho que você não está em posição de negociar, Nina. – Ele bufa. – Só estou te dizendo como vai ser. Você é minha esposa agora, e tenho expectativas muito específicas. De verdade, é para o seu próprio bem. Eu te ensinei uma lição valiosa sobre o desperdício de eletricidade, não foi?

Busco por ar em meio à escuridão. Sinto que estou sufocando.

– Isto é *por você*, Nina – insiste ele. – Pensa só nas escolhas terríveis que você fez na vida antes de eu aparecer. Você tinha um emprego que te pagava um salário mínimo e não ia te levar a lugar nenhum. Engravidou de um zé-ninguém que simplesmente sumiu. Estou só tentando te ensinar a ser uma pessoa melhor.

– Eu queria nunca ter te conhecido – disparo.

– Isso não é uma coisa muito legal de se dizer. – Ele ri. – Acho que não posso te julgar por isso. Estou impressionado que você tenha conseguido desatarraxar uma das lâmpadas. Eu nem pensei nessa possibilidade.

– Você... Como você...?

– Estou de olho em você, Nina. Estou sempre de olho. – Posso ouvir a respiração dele atrás da porta. – Essa vai ser a nossa vida a partir de agora.

Seremos um casal feliz como todos os outros. E você será a melhor esposa de toda a vizinhança. Vou garantir que isso aconteça.

Pressiono os dedos contra minhas sobrancelhas, tentando extinguir a dor de cabeça que aflora nas minhas têmporas.

– Você entendeu, Nina?

Lágrimas se formam em meus olhos, mas não consigo chorar. Estou desidratada demais. Nada sai.

– *Você entendeu, Nina*?

QUARENTA E SEIS

Sexto passo: tente viver desse jeito mesmo

Abro a janela do Audi de Suzanne para que o vento despenteie meu cabelo fino enquanto ela me leva para casa depois do nosso almoço. Deveríamos estar discutindo questões da APM, mas nos distraímos e começamos a fofocar. É difícil não fofocar. Há tantas donas de casa entediadas nesta cidade.

As pessoas acham que sou uma delas.

Andy e eu estamos casados há sete anos. E ele cumpriu cada uma de suas promessas. Tem sido, de muitas maneiras, um marido maravilhoso. Andy me apoiou financeiramente, foi uma figura paterna para Cecelia, é tranquilo e agradável. Não bebe muito nem me trai como tantos outros homens nesta cidade fazem com a esposa. Ele é quase perfeito.

E eu odeio Andy com todas as minhas forças.

Fiz tudo que pude para sair deste casamento. Tentei negociar com ele. Disse que iria embora apenas com Cecelia e minhas roupas, mas ele só deu risada. Com meu histórico de problemas de saúde mental, seria fácil para ele dizer à polícia que eu havia sequestrado Cece e que a machucaria de novo. Tentei fazer o papel da esposa perfeita, torcendo para não dar mais nenhuma desculpa para ele me jogar no sótão. Preparei jantares deliciosos, mantive a casa impecável e até fingi não sentir repulsa quando transávamos. Mas ele sempre encontrava alguma coisa, algo que eu jamais poderia imaginar ter feito errado.

Em um determinado momento, desisti. Não ficaria tentando ser legal quando isso sequer afetava a frequência com que ele me colocava lá. Minha nova estratégia passou a ser repeli-lo. Comecei a me comportar como uma megera, brigando com ele por cada coisinha que me irritava. Ele não se importava, quase parecia gostar do abuso. Parei de ir à academia e comecei a comer tudo que sentia vontade, torcendo para que ele perdesse o tesão em mim por causa da minha aparência, já que isso não acontecia diante do meu comportamento agressivo. Uma vez, ele me pegou comendo um bolo de chocolate, então me arrastou até o sótão e me deixou passar fome por dois dias como punição. Mas, depois disso, pareceu não se importar mais.

Tentei encontrar Kathleen, a ex-noiva de Andy, na esperança de que ela corroborasse minha história para que eu finalmente pudesse ir à polícia sem parecer uma louca. Eu tinha uma ideia de como ela era e sua idade aproximada, então achei que poderia encontrá-la. Mas sabe quantas pessoas entre 30 e 35 anos se chamam Kathleen? Uma porção. Não consegui encontrá-la. Por fim, desisti de tentar.

Em média, ele me faz ficar no sótão uma vez a cada dois meses. Às vezes, é mais frequente, às vezes menos. Certo período, passaram-se seis meses sem uma única viagem até lá. Não sei se é melhor ou pior quando acontece quando não estou esperando. Seria horrível saber o dia exato e temer a chegada do momento, mas também é horrível nunca saber se vou passar uma determinada noite na minha própria cama ou naquele colchão desconfortável. E, claro, nunca sei que tipo de tortura ele armou para mim, pois nunca sei que transgressão cometi.

E não sou só eu. Se Cecelia faz algo inaceitável, sou eu que sou punida. Ele encheu um guarda-roupa inteiro com vestidos cheios de babados que ela odeia, que fazem com que as outras crianças zombem dela, mas ela sabe que, se não os usar ou se os sujar, sua mãe vai desaparecer por dias (e provavelmente vou passar o tempo todo nua, para aprender que ter roupas é um privilégio). Então, ela obedece.

Tenho medo de que algum dia ele comece a puni-la, mas, enquanto isso, aceito o meu destino com prazer se isso significa que ele vai poupar minha filha.

E Andy deixa bem claro que, se eu tentar fugir dele, Cecelia pagará o preço. Ele quase já a afogou. Sua outra maneira favorita de me perturbar é manter um pote de manteiga de amendoim em nossa despensa, mesmo sabendo que ela é alérgica. Joguei dezenas desses potes no lixo, e eles sempre reaparecem (às vezes, inclusive sou punida pela transgressão). Felizmente, a alergia dela não coloca sua vida em risco, apenas surgem erupções por todo o corpo. De vez em quando, ele coloca um pouco na comida dela, e, quando ela começa a se coçar e as incômodas bolhas surgem no final da refeição, fica muito claro do que ele é capaz.

Se eu tivesse certeza de que não iria parar na cadeia por isso, pegaria uma faca e enfiaria no pescoço dele.

Mas Andy se preparou para essa eventualidade. Claro, ele sabe que minha tentação de providenciar sua morte ou matá-lo eu mesma pode se tornar esmagadora. Ele me informou que, no caso de sua morte por qualquer motivo, seu advogado enviará uma carta ao departamento de polícia, informando a respeito do meu comportamento instável e de ameaças de morte contra ele. Não que ele precise fazer isso, com meu histórico psiquiátrico.

Então, fico com ele. E não o mato enquanto dorme, nem contrato um assassino profissional. Mas fantasio com isso. Quando Cecelia for mais velha e não precisar de mim, talvez eu possa fugir. Assim, ele não terá mais nenhuma forma de me ameaçar. Desde que ela esteja segura, não me importo com o que aconteça comigo.

– Chegamos! – anuncia Suzanne alegremente enquanto paramos em frente ao portão da nossa casa.

Engraçado como, na primeira vez que os vi, pensei que era mesmo encantador ter uma casa cercada por portões. Agora, ela parece exatamente o que é: uma prisão.

– Obrigada pela carona – falo, mesmo que ela não tenha me agradecido por pagar o almoço.

– De nada – responde ela. – Espero que o Andrew chegue logo em casa.

Fecho a cara diante do tom de preocupação na voz dela. Alguns anos atrás, quando eu estava ficando muito próxima de Suzanne, tomamos uns drinques a mais na casa dela e eu contei tudo. *Tudinho*. Implorei que ela me ajudasse. Disse que queria ir à polícia, mas não podia. Não sem ninguém me apoiando.

Passamos horas conversando. Suzanne segurou minha mão e jurou que ficaria tudo bem. Ela me disse para ir para casa e que daríamos um jeito nisso juntas. Chorei de alívio, acreditando que meu pesadelo finalmente havia acabado.

Mas, quando cheguei em casa, Andy estava esperando por mim.

Aparentemente, toda vez que eu fazia uma nova amiga, Andy procurava essa pessoa, sentava-se com ela e lhe dava uma pista do meu histórico de problemas de saúde mental. Contava o que eu havia tentado fazer anos antes. E pedia que, caso surgisse algum motivo de preocupação, essa pessoa entrasse em contato com ele na mesma hora, porque eu poderia estar tendo outra crise.

Sem que eu percebesse, Suzanne escapuliu brevemente durante nossa conversa, sob o pretexto de precisar usar o banheiro, e ligou para Andy. Ela o avisou que eu estava tendo delírios de novo. Então, quando cheguei em casa, ele estava pronto para mim. Foram mais dois meses de estadia em Clearview, onde descobri que pelo menos um dos diretores era amigo de golfe do pai dele.

Quando saí, Suzanne pediu milhares de desculpas. *Eu só estava preocupada com você, Nina. Estou muito feliz de você ter recebido ajuda.* Eu a perdoei, é claro. Ela foi enganada da mesma forma que eu. Mas as coisas nunca mais foram as mesmas entre nós. E nunca mais fui capaz de confiar em ninguém.

– Então te vejo na sexta, certo? – diz Suzanne. – Na peça da escola.

– Claro – respondo. – A que horas começa mesmo?

Suzanne não responde, subitamente distraída por alguma coisa.

– É às sete? – Eu a pressiono.

– Aham – responde ela.

Olho por cima do ombro para ver o que chamou sua atenção. Reviro os olhos quando descubro. É Enzo, o jardineiro que contratamos para cuidar do nosso quintal alguns meses atrás. Ele faz um bom serviço (sempre trabalha duro e nunca inventa desculpas) e é, de fato, muito agradável aos olhos. Mas é impressionante como todo mundo que vem à nossa casa quando Enzo está no quintal fica babando por ele e de repente se lembra de que tem algum trabalho que precisa ser feito no jardim.

– Uau! – Suzanne suspira. – Eu tinha ouvido dizer que o seu jardineiro era gato, mas *caramba*.

Reviro os olhos mais uma vez.

– Ele cuida do jardim, só isso. E nem fala inglês.

– Por mim, tudo bem – diz Suzanne. – Isso pode até ser uma vantagem.

Ela não vai desistir até eu passar o número do telefone de Enzo. Não que eu me importe. Ele parece ser um cara bem legal, e fico feliz que esteja conseguindo alguns serviços extras. Mesmo que seja só por ele ser gostoso, e não por causa do seu trabalho.

Quando saio do carro e passo pelo portão, Enzo ergue os olhos de sua tesoura e acena para mim.

– *Ciao, signora.*

Retribuo seu sorriso.

– *Ciao*, Enzo.

Eu gosto de Enzo. Mesmo não falando inglês, ele parece uma pessoa gentil, dá para ver. Planta várias flores lindas no nosso jardim. Cece às vezes o observa, e, quando ela pergunta sobre as flores, ele aponta para cada uma e diz o nome delas com toda a paciência. Ela repete, e ele balança a cabeça e sorri. Algumas vezes, ela já perguntou se poderia ajudá-lo, e ele olhou para mim e perguntou "Tudo bem?". Quando concordei, ele pediu que ela cuidasse de um canteiro de flores, embora isso provavelmente fosse atrasá-lo.

Ele tem tatuagens por toda a parte superior dos braços, principalmente escondidas por baixo da camisa. Uma vez, enquanto o observava trabalhar, vi o nome Antonia dentro de um coração em seu bíceps. Isso me fez pensar em quem era Antonia. Tenho certeza de que Enzo não é casado.

Tem alguma coisa nele que me atrai. Se ao menos ele falasse inglês, sinto que poderia confiar nele. Que ele poderia ser a única pessoa que acreditaria em mim. Que poderia de fato me ajudar.

Fico ali, observando-o cortar as cercas. Não trabalho desde o dia em que me mudei para cá – Andy não permite. Sinto falta disso. Enzo entenderia. Tenho certeza. Pena que ele não fala inglês. Mas, de certa forma, isso faz com que seja mais fácil confiar nele. Às vezes, sinto que, se não disser as palavras em voz alta, vou acabar enlouquecendo de verdade.

– Meu marido é um monstro – falo em voz alta. – Ele me tortura. Me mantém refém no sótão.

Os ombros de Enzo enrijecem. Ele abaixa a tesoura, com a testa franzida.

– *Signora*… Nina…

Sinto um gelo na barriga. Por que eu disse isso? Jamais deveria ter pronunciado essas palavras. É que eu sabia que ele não me entenderia, e senti que precisava contar a *alguém* que não me denunciasse para Andy. Achei que seria seguro contar a Enzo. Afinal, ele nem sabe inglês. Mas, quando olho em seus olhos escuros, vejo que ele entendeu.

– Deixa pra lá – falo depressa.

Ele dá um passo na minha direção, e eu balanço a cabeça, recuando. Cometi um grande erro. Agora, provavelmente vou ter que demitir Enzo.

Mas então ele parece compreender. Pega novamente sua tesoura e volta ao trabalho.

Corro para dentro de casa o mais rápido que posso e bato a porta. Bem junto à janela, há um arranjo de flores espetacular. Dá para dizer que todas as cores do arco-íris estão representadas ali. Ao voltar do trabalho ontem à noite, Andy o trouxe para mim, uma surpresa, para me mostrar o marido incrível que ele é quando "me comporto bem".

Espio além das flores, em direção ao jardim. Enzo ainda está trabalhando na cerca, segurando a tesoura afiada com as mãos enluvadas. Mas ele faz uma pausa por um momento e olha para a janela. Nossos olhos se encontram por uma fração de segundo.

E então eu desvio o olhar.

QUARENTA E SETE

Faz vinte horas que estou no sótão.

Andy me trouxe para cá ontem à noite, logo depois que Cecelia foi dormir. Aprendi a não discutir. Se o fizer, haverá outra estadia em Clearview. Ou talvez, quando tentar buscar Cece na escola no dia seguinte, descobrirei que ela não está lá, e não a verei por uma semana inteira, enquanto ela estiver "fora da cidade". Ele não quer machucar Cecelia, mas com certeza vai. Afinal, se a polícia não tivesse chegado naquela hora, ela poderia ter se afogado na banheira anos atrás. Falei com ele sobre isso uma vez, e ele apenas sorriu para mim. *Isso teria te ensinado uma lição, não acha?*

Andy quer outro filho. Outra criança que vou amar e querer proteger, que ele usará para me controlar nos próximos anos. Não posso deixar isso acontecer. Então, dirigi até uma clínica em Manhattan, dei um nome falso e paguei em dinheiro para que colocassem um DIU em mim. Ensaiei minha expressão perplexa para quando os testes de gravidez dessem negativo.

Desta vez, minha transgressão foi borrifar muito odorizador de ambiente no nosso quarto. Foi exatamente a mesma quantidade de sempre, e, se eu não tivesse usado o produto, ele teria me trancado no sótão com algo malcheiroso, como um peixe podre. Eu agora sei como a mente dele funciona.

Enfim, de alguma maneira, ontem à noite havia odorizador demais e os olhos dele ficaram irritados. Meu castigo? Tive que borrifar spray de pimenta em mim mesma.

Aham.

Ele deixou o frasco na gaveta da cômoda.

Aponte para os olhos e pressione a válvula.

Além disso, tem que deixar os olhos abertos. Ou não conta.

Então, eu fiz isso. Borrifei spray de pimenta em mim mesma só para sair deste maldito quarto. Já levou spray de pimenta na cara? Não recomendo. Arde de um jeito terrível, e, logo de cara, meus olhos começaram a lacrimejar de um jeito absurdo. Meu rosto parecia estar queimando. E então meu nariz começou a escorrer. Um minuto depois, pingou na minha boca, onde senti uma ardência, além do gosto péssimo. Passei vários minutos sentada na cama, apenas lutando para respirar. Mal consegui abrir os olhos por quase uma hora.

Definitivamente foi pior do que um pouco de odorizador.

Mas agora já se passaram muitas horas. Consigo abrir os olhos de novo. Ainda sinto como se tivesse uma queimadura de sol no rosto, e meus olhos estão inchados, mas a sensação de que vou morrer passou. Tenho certeza de que Andy vai querer esperar até que minha aparência volte minimamente ao normal antes de me deixar sair daqui.

O que significa mais uma noite. Mas torço que não.

A janela não está coberta com tábuas, como ele faz às vezes, então pelo menos há alguma luz natural entrando no quarto. É a única coisa que me impede de ficar completamente louca. Vou até a janela e olho para o quintal, desejando estar lá fora em vez de aqui dentro.

É quando percebo que o quintal não está vazio.

Enzo está trabalhando lá. Começo a recuar, mas ele olha para a janela bem na hora em que estou ali. Ele me encara e, mesmo do terceiro andar da casa, posso ver o olhar sombrio em seu rosto. Ele arranca as luvas de jardinagem e sai do quintal.

Ah, não. Isso não é bom.

Não sei o que Enzo vai fazer. Será que vai chamar a polícia? Não tenho certeza se isso seria uma coisa boa ou não. Andy sempre conseguiu virar essas situações contra mim. Ele está sempre um passo à frente. Cerca de um ano atrás, comecei a guardar algum dinheiro dentro de uma bota no meu armário, economizando na esperança de fugir dele. Então, um dia, todo o dinheiro desapareceu e, no dia seguinte, ele me forçou a ir para o sótão.

Cerca de um minuto depois, alguém bate à porta do sótão. Dou um passo para trás, me encolhendo contra a parede.

– Nina! – É a voz de Enzo. – Nina! Eu sei que você está aí!

Pigarreio.

– Eu estou bem!

A maçaneta sacode.

– Se você está bem, então abre a porta que eu quero ver.

Nesse momento, me dou conta de que Enzo está falando inglês muito bem. Sempre tive a impressão de que ele entendia um pouco do idioma e falava muito menos, mas seu inglês parece excelente agora. O sotaque italiano nem é tão forte.

– Eu… eu estou ocupada – falo com uma voz anormalmente estridente. – Mas estou bem! Só estou fazendo umas coisas aqui.

– Você me disse que o seu marido tortura você e te tranca no sótão.

Dou um suspiro. Eu só disse isso porque achei que ele não conseguia entender. Mas agora está claro que ele entendeu tudo que eu disse. Tenho que dar um jeito nisso. Não posso fazer nada para irritar Andy.

– Como você entrou na casa, afinal?

Enzo solta um som irritado.

– Você deixa uma chave debaixo do vaso de plantas do lado da porta da frente. Agora me diz, onde está a chave deste quarto? Me fala.

– Enzo…

– *Me fala.*

Eu sei onde está a chave da porta do sótão. Isso não me ajuda em nada quando estou aqui, mas poderia contar para ele. Se eu quisesse.

– Eu sei que você está tentando ajudar, mas não está ajudando. Por favor, fica fora disso. Ele vai me deixar sair hoje, mais tarde.

Há um silêncio prolongado do outro lado da porta. Espero que ele esteja pensando se vale a pena se envolver na vida pessoal de uma cliente. E não sei qual é a situação dele no país, mas sei que não nasceu aqui. Tenho certeza de que Andy e sua família têm dinheiro e poder suficientes para deportá-lo, se quiserem.

– Se afasta – diz Enzo por fim. – Eu vou arrombar a porta.

– Não, você não pode fazer isso! – Meus olhos se enchem d'água. – Escuta, você não entende. Se eu não fizer o que ele diz, ele vai machucar a Cecelia. E vai me internar… Ele já fez isso antes.

– Não. Isso são só desculpas.

– Não são, não! – Uma única lágrima rola pelo meu rosto. – Você não entende a quantidade de dinheiro que ele tem. Você não entende o que ele poderia fazer com você. Quer ser deportado?

Enzo fica em silêncio de novo.

– Isso é errado. Ele está machucando você.

– Eu estou bem. Juro.

É verdade, em grande parte. Meu rosto ainda parece estar queimando e meus olhos ainda ardem, mas Enzo não precisa saber disso. Daqui a mais um dia, estarei completamente recuperada. Como se nunca tivesse acontecido. E então poderei voltar à minha vida normal e miserável.

– Você quer que eu vá embora – diz ele.

Não quero que ele vá. Não há nada que eu queira mais do que o ver derrubando aquela porta, mas sei como Andy vai distorcer as coisas. Só Deus sabe do que vai nos acusar. Nunca pensei que ele seria capaz de me internar em um hospital psiquiátrico várias vezes apenas por tentar dizer a verdade. Não quero que a vida de Enzo vire isso também. Afinal, Andy sempre teve motivos para querer que eu saísse, mas não teria problema algum em deixar Enzo trancado lá para sempre.

– Quero – respondo. – Vai, por favor.

Ele solta um longo suspiro.

– Eu vou. Mas se não te vir amanhã de manhã, vou subir aqui e arrombar a porta. E vou chamar a polícia.

– Está bem.

Só tenho mais uma garrafinha de água, então, se Andy não me deixar sair pela manhã, estarei em péssimas condições.

Fico esperando até ouvir seus passos se afastando. Mas não os ouço. Ele ainda está do outro lado da porta.

– Você não merece ser tratada dessa maneira – diz ele, por fim.

Então seus passos desaparecem no corredor enquanto as lágrimas escorrem pelo meu rosto.

• • •

Andy me deixa sair do quarto naquela noite. Quando finalmente chego ao espelho, fico chocada com o quanto meus olhos estão inchados por conta do spray de pimenta, e meu rosto está vermelho como se eu tivesse sido escaldada. Mas, na manhã seguinte, pareço quase normal. Minhas bochechas estão rosadas, como se eu tivesse pegado sol demais no dia anterior.

Enzo está trabalhando no jardim quando Andy sai da garagem, com Cece presa à cadeirinha no banco de trás. Ele vai deixá-la na escola enquanto descanso hoje. Ele geralmente é muito legal comigo por vários dias depois que me deixa sair do sótão. Tenho certeza de que esta noite vai voltar para casa com flores e talvez algumas joias para mim, como se isso pudesse compensar qualquer coisa.

Observo da janela enquanto Andy passa pelo portão, saindo para a rua. Depois que o carro desaparece, percebo Enzo me encarando. Geralmente, ele não passa dois dias seguidos na nossa casa. Enzo está aqui por um motivo que não tem nada a ver com o estado dos nossos canteiros de flores.

Saio pela porta da frente, em direção ao local onde ele está parado com sua tesoura. Só então me ocorre como elas são afiadas. Se ele as enfiasse no peito de Andy, seria o fim. Claro, ele não precisaria fazer isso. Provavelmente seria capaz de matar Andy com as próprias mãos.

– Viu? – Abro um sorriso forçado. – Falei que estava bem.

Ele não retribui meu sorriso.

– Juro – reforço.

Seus olhos são tão escuros que é impossível distinguir as pupilas.

– Me fala a verdade.

– Você não quer ouvir a verdade.

– Me fala.

Nos últimos cinco anos, todas as pessoas para quem contei sobre as coisas que Andy fez comigo – a polícia, os médicos, minha melhor amiga – me chamaram de louca. *Paranoica*. Fui internada por falar sobre o que ele fez comigo. Mas aqui está um homem que quer ouvir a verdade. Ele vai acreditar em mim.

Então, neste lindo dia ensolarado no jardim da frente de casa, conto tudo a Enzo. Conto a ele sobre o quarto no sótão. Conto a ele algumas das maneiras como Andy me torturou. Conto sobre ter encontrado Cecelia inconsciente na banheira. Isso foi há anos, mas me lembro do rosto dela debaixo d'água como se fosse ontem. Conto tudo a ele enquanto seu rosto fica cada vez mais sombrio.

Antes mesmo de eu terminar, Enzo solta algumas palavras em italiano. Não conheço a língua, mas reconheço palavrões quando os ouço. Seus dedos apertam a tesoura até ficarem brancos.

– Vou matar esse cara – sibila Enzo. – Hoje à noite, vou matar ele.

Todo o sangue se esvai do meu rosto. Foi muito bom contar a ele tudo que aconteceu comigo, mas foi um erro. Ele está mais do que furioso.

– Enzo...

– Ele é um monstro! – explode Enzo. – Você não *quer* que eu mate ele?

Sim, quero ver Andy morto. Mas não quero lidar com nenhuma das consequências disso, principalmente com a carta que irá para a polícia caso ele morra. Eu o quero morto, mas não o suficiente para passar o resto da minha vida na cadeia.

– Você não pode fazer isso. – Balanço a cabeça com firmeza. – Você vai ser preso. Nós dois vamos. É isso que você quer?

Enzo murmura baixinho mais alguma coisa em italiano.

– Ok. Então você precisa largar ele.

– Não posso.

– Você pode, *sim*. Vou te ajudar.

– O que você pode fazer?

Não é inteiramente uma pergunta retórica. Talvez Enzo seja secretamente rico. Talvez ele tenha alguma ligação com a máfia que eu desconheça.

– Você consegue me arrumar uma passagem de avião? Um passaporte novo? Uma identidade nova?

– Não, mas... – Ele esfrega o queixo. – Vou descobrir um jeito. Conheço algumas pessoas. Vou te ajudar.

Quero muito acreditar nele.

QUARENTA E OITO

Sétimo passo: tente fugir

Uma semana depois, eu me encontro com Enzo para bolar um plano.

Tomamos muito cuidado. Na verdade, quando recebo minhas amigas da APM, armo um barraco, acusando-o de estar arruinando meus gerânios, só para evitar qualquer possível fofoca. Tenho quase certeza de que Andy colocou um dispositivo de rastreamento em algum lugar do meu carro, então não posso dirigir até a casa dele. Em vez disso, vou até um fast-food, paro no estacionamento e entro no carro de Enzo antes que alguém me veja. Deixo meu telefone para trás.

Não posso correr nenhum risco.

Enzo vive em um pequeno apartamento alugado no porão de uma casa, mas com uma entrada privativa. Ele me leva até sua minúscula cozinha, onde há uma mesa redonda e cadeiras bambas, e a cadeira geme ameaçadoramente quando me sento. Eu me sinto constrangida ao notar que nossa casa é mil vezes melhor do que o lugar onde Enzo vive, mas não acho que ele seja o tipo de pessoa que se importaria com algo assim.

Enzo vai até a geladeira, pega uma cerveja e estende para mim.

– Quer?

Começo a dizer não, mas mudo de ideia.

– Quero, por favor.

Ele volta para a mesa com duas garrafas. Usa o abridor pendurado em seu chaveiro para abri-las e, em seguida, desliza uma delas sobre a mesa para mim. Pouso os dedos na garrafa, sentindo a condensação gelada na minha pele.

– Obrigada.

Ele dá de ombros.

– Não é uma cerveja muito boa.

– Não estou me referindo à cerveja.

Ele estala os dedos. À medida que os músculos de seus braços se flexionam, é difícil ignorar como esse homem é incrivelmente sexy. Se as mulheres do meu bairro soubessem que estive na casa dele, todas morreriam de inveja. Elas iam achar que ele rasgou minhas roupas enquanto a gente conversava, pronto para me devorar; provavelmente ficariam com raiva por ele ter me escolhido dentre todas as outras mulheres do quarteirão que são mais atraentes do que eu. *Enzo poderia arrumar alguém muito melhor.* Elas não fazem ideia. Está tão longe da verdade que chega a ser engraçado. Mas não é, de fato.

– Eu tinha um pressentimento – diz ele. – O seu marido… dá pra ver que ele é uma pessoa ruim.

Tomo um bom gole de cerveja.

– Eu nem sabia que você falava inglês.

Enzo ri. Ele trabalha no meu quintal há dois anos, e esta é a primeira vez que o ouço rir.

– É mais fácil fingir que não entendo. Caso contrário, as donas de casa nunca me deixam em paz, entende?

Apesar de tudo, também dou risada. Ele tem razão.

– Você nasceu na Itália?

– Sicília.

– Então… – Giro a cerveja na garrafa. – O que te trouxe aqui?

Seus ombros caem.

– A história não é muito boa.

– E a minha é?

Ele olha para sua garrafa de cerveja.

– O marido da minha irmã, Antonia… era como o seu. Uma pessoa ruim. Um cara rico e poderoso, que batia nela pra se sentir melhor. Eu disse pra ela, vai embora… Mas ela não ia nunca. Então, um dia, ele empurrou

Antonia escada abaixo, ela foi parar no hospital e nunca mais acordou. – Ele agarra a manga da camiseta e a puxa para cima para revelar a tatuagem que vi do coração com o nome Antonia inscrito nele. – Agora é assim que me lembro dela.

– Ah. – Cubro a boca com a mão. – Sinto muito.

Ele engole em seco.

– Não existe justiça pra homens como ele. Ele não foi preso. Não recebeu nenhuma punição por matar a minha irmã. Então, decidi punir ele. Eu mesmo.

Eu me lembro do olhar sombrio dele quando contei o que Andy fazia comigo. *Vou matar esse cara.*

– Você...?

– Não. – Ele estala os dedos de novo, e o som ecoa pelo apartamento minúsculo. – Não fui tão longe assim. E me arrependo. Porque, depois disso, minha vida passou a não valer mais nada. *Niente.* Juntei todo o dinheiro que tinha e usei pra fugir. – Ele toma um gole da cerveja. – Se eu voltar, vou ser morto antes de sair do aeroporto.

Não sei o que dizer.

– Foi difícil pra você ir embora?

– Vai ser difícil pra você ir embora daqui?

Reflito por um momento e faço que não com a cabeça. Quero ir embora. Quero ficar o mais longe possível de Andrew Winchester. Se isso significar ir para a Sibéria, eu vou.

– Você vai precisar de passaporte pra você e pra Cecelia. – Ele conta nos dedos. – Uma carteira de motorista. Certidões de nascimento. Dinheiro suficiente pra manter vocês duas até você encontrar trabalho. E duas passagens de avião.

Meu coração acelera.

– Então eu preciso de dinheiro...

– Eu tenho um dinheiro guardado que posso te dar – diz ele.

– Enzo, eu jamais...

Ele dá um tapinha no ar diante do meu protesto.

– Mas não é suficiente. Você vai precisar de mais. Consegue arrumar?

Vou ter que encontrar um jeito.

• • •

Alguns dias depois, levo Cecelia para a escola como faço quase todos os dias. Seu cabelo louro está dividido em tranças idênticas e impecáveis atrás da cabeça, e ela está usando um de seus vestidos claros cheios de babados que a fazem se destacar entre os colegas de classe. Morro de medo de que as outras crianças tirem sarro dela por causa desses vestidos e que ela não consiga brincar como quer por causa deles. Mas, se ela não os usa, Andy me pune.

Cece bate os dedos no vidro da janela traseira, distraída, enquanto viro na rua até a Windsor Academy. Ela nunca me dá trabalho para ir à escola, mas não acho que goste de fato. Queria muito que ela tivesse mais amigos. Eu a matriculo em inúmeras atividades para que se distraia e para ajudá-la a conhecer pessoas, mas, no fim das contas, não ajuda.

Mas isso não importa mais. Em breve, tudo vai mudar. Muito em breve.

Quando chego na área de desembarque da escola, Cece continua no banco de trás do carro, a testa franzida.

– Você vem me buscar hoje, né? Não o papai, né?

Andy é o único pai que ela conheceu na vida. Cecelia não sabe o que ele faz comigo, mas sabe que, às vezes, quando ela faz algo de que ele não gosta, eu desapareço por dias a fio. E, quando isso acontece, é ele quem vem buscá-la. Isso a assusta. Cece jamais dirá isso em voz alta, mas ela o odeia.

– Sou eu que venho te buscar – asseguro.

O rostinho dela relaxa. Quero deixar escapar as palavras em voz alta: *Não se preocupe, amor. Logo vamos embora daqui, e ele nunca mais vai conseguir ferir a gente.* Mas ainda não posso. Não posso arriscar. Não até o dia em que eu for buscá-la e formos direto para o aeroporto.

Depois que Cecelia sai do carro, faço a volta e dirijo para casa. Tenho mais uma semana aqui. Uma semana antes de arrumar as malas e fazer a viagem de noventa minutos até onde um cofre no banco me aguarda com meu novo passaporte, minha nova carteira de motorista e uma pilha de dinheiro. Vou comprar as passagens no aeroporto em espécie, porque, da última vez que comprei uma passagem com antecedência, Andy estava à minha espera no portão de embarque. Enzo me ajudou a planejar tudo de forma a minimizar as chances de Andy descobrir o que estou fazendo. Até agora, ele ainda está no escuro.

Ou assim acredito, até que entro em casa e encontro Andy sentado à mesa de jantar. Esperando por mim.

– Andy – falo, engasgada. – É... Oi.

– Olá, Nina.

É quando vejo as três pilhas dispostas na frente dele.

O passaporte, a carteira de motorista e a pilha de dinheiro.

Ah, não.

– Então, o que você estava planejando fazer com isso... – Ele olha para baixo e lê o nome na carteira de motorista. – Tracy Eaton?

Sinto que estou sufocando. Minhas pernas começam a tremer e tenho que me segurar na parede para não desmoronar.

– Como você conseguiu isso?

Andy se levanta da cadeira.

– Você ainda não entendeu que é impossível esconder qualquer segredo de mim?

Dou um passo para trás.

– Andy...

– Nina – diz ele. – É hora de subir.

Não, não vou. Não vou quebrar a promessa que fiz à minha filha de que iria buscá-la hoje. Não vou me permitir passar dias trancada lá dentro, quando imaginava que logo estaria a caminho da liberdade. Não vou. Não posso mais fazer isso.

Antes que Andy consiga se aproximar, saio correndo pela porta da frente e volto para o carro. Acelero para fora da garagem tão rápido que quase bato no portão na saída.

Não sei para onde estou indo. Parte de mim quer ir direto para a escola de Cecelia, arrancá-la de lá e depois só sair dirigindo até chegar na fronteira com o Canadá. Mas vai ser difícil fugir dele sem aquele passaporte ou a carteira de motorista. Tenho certeza de que ele está ligando para a polícia neste exato momento e contando uma história sobre como a esposa maluca está tendo uma recaída.

Só existe uma coisa certa nisso tudo. Ele encontrou apenas um dos dois cofres. Os dois cofres separados foram ideia de Enzo. Ele encontrou o que tinha o passaporte e a carteira de motorista, mas ainda há uma segunda reserva de dinheiro da qual ele não tem conhecimento.

Continuo dirigindo até chegar ao bairro de Enzo. Estaciono a dois quarteirões de distância do apartamento dele e então ando o resto do caminho. No momento em que chego, ele está subindo em sua caminhonete, então corro na direção dele.

– Enzo!

Ele levanta a cabeça ao som da minha voz. Seu rosto desaba quando vê minha expressão.

– O que aconteceu?

– Ele encontrou um dos cofres. – Faço uma pausa para recuperar o fôlego. – Acabou… Acabou. Não tenho como ir embora.

Então, desmorono. Antes de começar a conversar com Enzo, havia aceitado que essa seria a minha vida, pelo menos até Cecelia completar 18 anos. Mas agora acho que não consigo mais. Não posso viver desse jeito. *Não posso.*

– Nina…

– O que eu vou fazer? – choramingo.

Ele estende os braços e eu me jogo neles. Deveríamos tomar mais cuidado. Alguém poderia nos ver. E se Andy achar que estou tendo um caso com Enzo?

A propósito, não estamos tendo um caso. Não mesmo. Ele pensa em mim como Antonia, a irmã que não conseguiu salvar. Enzo jamais me tocou de um jeito que não fosse fraternal. É a última coisa na qual qualquer um de nós dois está pensando. No momento, tudo em que consigo pensar é no futuro que acho que possa ter sido jogado no lixo. Mais uma década vivendo com aquele monstro.

– O que eu vou fazer? – repito.

– É simples – diz ele. – Vamos partir pro plano B.

Levanto o rosto manchado de lágrimas.

– Qual é o plano B?

– Eu mato esse desgraçado.

Sinto um calafrio, porque vejo em seus olhos escuros que ele está falando sério.

– Enzo…

– Pode deixar. – Ele se afasta de mim; seu queixo está rígido. – Ele merece morrer. Isso não está certo. Vou fazer por você o que deveria ter feito pela Antonia.

– E nós dois vamos pra cadeia?

– Você não vai pra cadeia.

Dou um tapa no braço dele.

– Não gosto da ideia de você ser preso.

– O que você sugere, então?

E então me vem a ideia. É tão absurdamente simples. E, mesmo que eu odeie Andy, também o conheço muito bem. Vai dar certo.

QUARENTA E NOVE

Oitavo passo: encontre uma substituta

Não posso escolher qualquer uma.

Em primeiro lugar, ela tem que ser bonita. Mais bonita do que eu, o que não deve ser difícil, já que deliberadamente me larguei ao longo dos últimos anos. Ela tem que ser mais jovem do que eu, jovem o suficiente para dar a Andy os filhos que ele tanto deseja. Tem que ficar bem de branco. Ele adora essa cor.

E, acima de tudo, ela tem que estar desesperada.

Então conheço Wilhelmina Calloway. Ela é tudo que eu queria. As roupas desalinhadas que usa na entrevista não conseguem esconder quão jovem e bonita é. Está desesperada para me agradar. Daí, quando a mera verificação de antecedentes que faço revela uma ficha criminal, sei que encontrei uma mina de ouro. Esta é uma garota desesperada por um trabalho minimamente digno e bem remunerado.

– Não vou compactuar com isso – diz Enzo quando vou até o quintal lhe perguntar o nome do detetive particular que ele conhece. – Isso não está certo.

Quando contei meu plano algumas semanas atrás, ele não ficou feliz. *Você seria capaz de sacrificar outra pessoa?* Ele não entende.

– Andy me controla por causa da Cece. Essa menina não tem filhos, não tem amarras. Nada que ele possa usar pra ameaçá-la. Ela pode ir embora.

– Você sabe que não é assim que funciona – resmunga ele.
– Você vai me ajudar ou não?
Seus ombros caem.
– Vou. Você sabe que vou te ajudar.

Contrato, então, o investigador particular que Enzo recomendou, usando parte do dinheiro restante que tinha guardado. E o detetive me conta tudo que preciso saber sobre Wilhelmina Calloway. Ele me diz que ela foi demitida de seu último emprego e que seus empregadores por pouco não precisaram chamar a polícia. Conta que ela está morando no próprio carro. E menciona mais outro detalhe que muda tudo. Logo depois que falo com o detetive, ligo para Millie e ofereço o emprego a ela.

O único problema é Andy.

Ele não vai querer uma desconhecida morando na nossa casa. Com muita relutância, ele permitiu que pessoas entrassem por algumas horas para limpar, mas apenas isso. Ele nunca autoriza que alguém tome conta de Cecelia, exceto sua mãe. Mas o timing é perfeito. O pai de Andy se aposentou há pouco tempo e, depois de uma queda feia, eles decidiram se mudar para a Flórida. Dava para ver que Evelyn não estava nem um pouco entusiasmada com a ideia, e eles decidiram manter a antiga casa para o verão, mas a esta altura a maioria dos amigos deles já havia se mudado para o sul da Flórida. E o pai de Andy estava ansioso para passar a aposentadoria jogando golfe todos os dias com os amigos.

O que importa é que precisamos de ajuda.

A parte mais complicada é que o novo quarto de Millie será no sótão. Ele não vai gostar nem um pouco. Mas tem que ser assim. Para que pense nela como minha substituta, Andy precisa vê-la lá em cima. Tenho que convencê-lo.

Organizo tudo antes de atirá-la em cima dele. Acordo todas as manhãs reclamando de enxaquecas que me impossibilitam de cozinhar ou limpar. Faço um grande esforço para deixar a casa uma zona. Mais alguns dias e nossa casa estaria pronta para ser declarada inabitável. Precisamos de ajuda. Desesperadamente.

Ainda assim, logo depois que Andy descobre que contratei Millie, ele me encurrala do lado de fora do meu carro, crava os dedos no meu antebraço e me dá um puxão.

– O que diabos você pensa que está fazendo, Nina?

– A gente precisa de ajuda. – Levanto o queixo em desafio. – A sua mãe está longe. Precisamos de alguém pra cuidar da Cece e pra ajudar a limpar.

– Você colocou ela no sótão – vocifera ele. – Aquele é o *seu* quarto. Você deveria colocar ela no quarto de hóspedes.

– E onde seus pais vão ficar quando vierem visitar a gente? No sótão? No sofá da sala?

Vejo seu maxilar trincando enquanto ele reflete. Evelyn Winchester *jamais* dormiria no sofá da sala.

– Deixa ela ficar uns dois meses – falo. – Até o ano letivo acabar, até eu ter mais tempo livre pra limpar e sua mãe voltar da Flórida.

– Nem pensar.

– Então demite ela se quiser. – Sustento o olhar dele. – Não posso te impedir.

– Pode ter certeza de que vou demitir mesmo.

Só que ele não faz isso. Porque, ao chegar em casa nessa noite, pela primeira vez a casa está limpa. E a empregada lhe serve um jantar que não está queimado. Além disso, é jovem e bonita.

Então, Millie fica no sótão.

• • •

Isso só vai funcionar se três coisas acontecerem:

1. Millie e Andy sentirem uma atração mútua;
2. Millie me odiar o suficiente para dormir com meu marido;
3. Eles tiverem essa oportunidade.

A parte da atração é fácil. Millie é linda, ainda mais atraente do que eu quando era mais jovem. E, embora Andy seja bem mais velho que ela, mesmo assim ainda é lindo de morrer. Às vezes, Millie me olha como se não conseguisse entender o que ele vê em mim. Faço o meu melhor para ganhar peso. Como Andy não tem a opção de me trancar no sótão, ouso pular a visita ao salão e deixar as raízes escuras começarem a aparecer.

E, acima de tudo, trato Millie feito lixo.

Não é fácil tratar a moça desse jeito. No fundo, sou uma boa pessoa. Ou pelo menos era antes de Andy me destruir. Agora, tudo é um meio para um fim. Millie pode não merecer, mas eu não aguento mais. Preciso sair daqui.

Ela começa a me odiar em sua primeira manhã na nossa casa. Tenho uma reunião da APM à noite e vou para a cozinha logo de manhã. Venho deixando tudo bagunçado ao longo das últimas semanas, e Millie tem limpado tudo com perfeição. Ela tem trabalhado muito. Todas as superfícies da casa estão brilhando.

Eu me sinto terrível em relação isso. De verdade.

Destruo a cozinha inteira. Tiro do armário todos os pratos e todas as xícaras que encontro. Atiro panelas e frigideiras no chão. Quando Millie chega, estou a caminho da geladeira. Quando criança, eu era responsável por parte das tarefas, e é fisicamente doloroso pegar uma caixa de leite e entorná-la no piso, deixando o líquido se espalhar por todos os lados. Mas eu me forço. Meios para um fim.

Quando Millie entra na cozinha, eu me viro e olho para ela com um tom acusador.

– Cadê?

– Cadê? Cadê *o quê*?

– Minhas anotações! – Levo a mão à testa como se o horror de tudo aquilo fosse me fazer desmaiar. – Deixei todas as minhas anotações para a reunião da APM de hoje à noite na bancada da cozinha! E agora elas sumiram! – E, em seguida, acuso: – O que você fez com elas?

As anotações para a reunião estão comigo. Mas estão em segurança, escondidas no meu computador. Por que minhas únicas cópias estariam aqui, empilhadas na bancada da cozinha? Não faz sentido, mas continuo insistindo que é verdade. Ela sabe que não deixei as anotações lá, mas não sabe que estou ciente disso.

Grito alto o suficiente para chamar a atenção de Andy. Ele sente pena dela. Seu coração está compadecido porque estou acusando Millie de algo que ele sabe que ela não fez. Ele se sente atraído por ela porque estou transformando essa moça em uma vítima.

Da mesma forma que fui uma vítima quando gritaram comigo por meus seios vazarem leite, anos atrás.

– Desculpa, Nina – gagueja Millie. – Se houver alguma coisa que eu possa fazer…

Meus olhos percorrem o desastre que fiz no chão da cozinha.

– Você pode limpar essa nojeira que deixou na minha cozinha enquanto eu resolvo esse problema.

E, naquele momento, alcancei todos os meus três objetivos. Primeiro, a atração mútua: ela, em uma calça jeans skinny, linda sem fazer qualquer esforço. Segundo, Millie me odeia. Terceiro, quando me retiro, eles têm a oportunidade de ficar sozinhos.

Mas não é o bastante. Tenho outro ás na manga. Andy quer ter um bebê.

Não vai ser comigo. Não com o DIU encaixado confortavelmente no meu útero. E Andy vai descobrir que sou estéril, porque o investigador particular que Enzo encontrou para mim conseguiu obter fotos excelentes do especialista em fertilidade com outra mulher (e não a esposa com quem é casado há 25 anos). Tudo que o bom médico precisa fazer é dizer a Andy que eu não tenho chance de engravidar, então essas fotos vão para o lixo.

Um dia antes da nossa consulta com o Dr. Gelman, ligo para Evelyn na Flórida. Como sempre, ela não parece nem um pouco animada em ouvir a minha voz.

– Oi, Nina – diz ela, em um tom seco.

A pergunta *O que você quer de mim?* está implícita.

– Só queria que você fosse a primeira a saber – começo – que minha menstruação está atrasada. Acho que estou grávida!

– Ah… – Ela faz uma pausa, dividida entre querer se entusiasmar com a ideia de ter o primeiro neto biológico e odiar a ideia de que eu seria a mãe da criança. – Que adorável.

Adorável. Provavelmente é o oposto do que ela está pensando.

– Espero que esteja tomando multivitamínicos pré-natais – diz ela. – E você precisa seguir uma dieta rigorosa quando estiver grávida. Não é bom para o bebê se você ficar se entupindo de guloseimas extremamente calóricas, como costuma fazer. Andy é negligente com você deixando que se comporte assim, mas, para o bem do bebê, você deveria tentar se controlar.

– Sim, claro. – Sorrio de leve, feliz com a certeza de que Evelyn jamais será avó de um filho meu. – Além disso, eu estava pensando… Seria *ótimo* se você pudesse mandar pra gente algumas coisinhas de quando o Andy era bebê. Ele estava falando outro dia sobre querer que o filho ficasse com as mantinhas dele, esse tipo de coisa. Você acha que consegue mandar pra gente?

– Sim, vou ligar pro Roberto e pedir que ele mande uma caixa.

– *Adorável.*

• • •

Andy fica abalado com a revelação do Dr. Gelman. Observo o rosto dele no consultório do médico quando a bomba cai. *Sinto informar que a Nina nunca mais vai conseguir levar uma gravidez até o fim.* Seus olhos se enchem de lágrimas. Se ele fosse outra pessoa, talvez eu sentisse pena dele.

Então, naquela noite, puxo briga com ele. E não qualquer briga. Eu o lembro do motivo pelo qual nunca será pai de um filho meu.

– A culpa *é* minha! – Forço as lágrimas, lembrando-me da vez que ele me trancou no sótão e ligou o aquecedor no máximo, até eu sentir meu corpo inteiro arder. – Se estivesse com uma mulher mais jovem, poderia ter um bebê como você quer! A culpa é *minha*!

Uma mulher mais jovem feito Millie. Não digo isso, mas ele deve estar pensando. Vejo o jeito que olha para ela.

– Nina... – Ele estende a mão para me tocar, e ainda há amor em seus olhos. *Ainda*. Eu o odeio tanto por me amar. Por que ele não poderia ter escolhido outra pessoa? – Por favor, não fala isso. Não é culpa sua.

– É, sim!

A raiva cresce dentro de mim como um vulcão e, antes que me dê conta do que estou fazendo, dou um soco no espelho de maquiagem. O estrondo ecoa pelo quarto. Apenas um segundo depois, minhas mãos queimam de dor e percebo o sangue pingando dos meus dedos.

– Ai, meu Deus. – O rosto de Andy fica pálido. – Deixa eu pegar um pouco de papel pra você.

Ele pega alguns lenços no banheiro, mas resisto à sua ajuda e, quando ele consegue envolver minha mão, fica com sangue nas mãos também. Então Andy entra no banheiro para se limpar, e ouço um ruído do lado de fora da porta. Será que Cecelia ouviu a nossa briga? Odeio a ideia de que meus gritos possam tê-la assustado.

Abro a porta, mas não é minha filha quem está lá. É Millie. E posso ver em seu rosto que ouviu cada palavra da nossa discussão. Ela percebe o sangue em minhas mãos e arregala os olhos.

Ela acha que sou louca. Tornou-se um sentimento familiar.

Millie acha que sou louca. Andy acha que estou velha demais. Depois disso, é só uma questão de oportunidade. Andy vai querer me dar ingressos para assistir a *Showdown* depois de eu ter falado sem parar sobre o assunto (ele adora fazer coisas para me agradar, alternando com os horrores aos quais me submete). Mas é Millie quem irá ao espetáculo, não eu. Ela irá ao show e depois passará a noite no quarto do hotel. É quase perfeito demais. E isso me dá a oportunidade de tirar Cecelia do acampamento, de modo que Andy não possa usá-la contra mim.

Quando o GPS do celular de Millie registra que ela está em Manhattan naquela noite, sei que a vitória é minha. Vejo a maneira como eles se olham depois disso. Acabou. Andy está apaixonado por ela. Agora ele é problema dela.

Estou livre.

CINQUENTA

Nunca mais vai acontecer. Ele nunca mais vai me levar para o sótão. Nunca mais vai espalhar para a vizinhança inteira que sou louca e que eles precisam observar meu comportamento. Nunca mais vai me prender.

Claro, ainda que ele tenha me colocado para fora de casa, não vou me sentir cem por cento confiante até que estejamos divorciados. Tenho que tomar cuidado com isso. Ele precisa dar entrada no divórcio primeiro. Se suspeitar de que isso é ideia minha, está tudo acabado.

Eu me deito na cama queen-size do meu quarto de hotel, planejando meu próximo passo. Vou dirigir até o acampamento para buscar Cecelia amanhã. E então iremos... para algum lugar. Não sei para onde, mas preciso de um novo começo. Graças a Deus, Andy nunca a adotou. Ele não tem direito nenhum em relação a ela. Posso levar minha filha para onde eu quiser. Não preciso sequer me preocupar com identidades falsas, mas sem dúvida voltarei a usar meu nome de solteira. Não quero nenhuma lembrança daquele homem.

Ouço uma batida na porta do quarto. Por um momento terrível, penso que pode ser Andy. Eu o imagino parado do lado de fora da porta do quarto do hotel. *Você achou mesmo que seria fácil assim, Nina? Vamos. Direto pro sótão.*

– Quem é? – pergunto com cuidado.

– Sou eu, Enzo.

Sinto uma onda de alívio. Abro a porta e lá está ele, vestindo uma camiseta e uma calça jeans sujas de terra, a testa franzida.

– E aí? – pergunta ele.

– Acabou. Ele me colocou pra fora de casa.

Seus olhos se iluminam.

– O quê? É sério?

Enxugo as lágrimas dos meus olhos úmidos com as costas da mão.

– É sério.

– Isso é incrível...

Respiro fundo.

– Preciso te agradecer. Sem você, eu jamais teria...

Ele assente devagar.

– Foi um prazer te ajudar, Nina. Era meu dever. Eu...

Ficamos ali por um instante, nos encarando. Então ele se inclina para a frente e, um segundo depois, está me beijando.

Eu não esperava isso. Quer dizer, sim, sempre achei Enzo um gato. Impossível não notar. Mas sempre estivemos completamente tomados pelo propósito comum de me afastar de Andy. E a verdade é que, depois de tantos anos casada com aquele monstro, achei que estava morta por dentro. Andy e eu ainda fazíamos sexo, porque ele exigia isso de mim, mas era sempre algo totalmente mecânico, como lavar a louça ou a roupa. Eu não sentia nada. Não achava que fosse possível ter esse tipo de sentimento por mais ninguém. Estava cem por cento em modo de sobrevivência.

Mas agora – agora que sobrevivi – descubro que não estou morta por dentro, afinal de contas. Nem perto disso.

Sou eu que puxo Enzo pela camiseta até a cama queen-size. Mas é ele quem desabotoa minha blusa, exceto pelo botão que acaba arrancando. E praticamente tudo que acontece depois é um esforço conjunto.

É tão bom. Melhor que bom. *Incrível*. É incrível estar com um homem que eu não desprezo com todas as partes do meu ser. Um homem que é bom e gentil. Um homem que ajudou a salvar minha vida. Mesmo que seja apenas por uma noite.

E, meu Deus, como ele beija bem.

Quando acaba, estamos os dois morrendo de calor, suados e felizes. Enzo coloca o braço em volta de mim e eu me aninho ao lado dele.

– Foi bom? – pergunta ele.

– *Muito* bom. – Enterro minha bochecha em seu peito nu. – Eu não imaginava que era isso que você sentia por mim.

– Sempre foi – diz ele. – Desde a primeira vez que te vi. Mas eu tento ser, você sabe, *o bom moço*.

– Eu achava que você pensava em mim como uma irmã.

– Irmã! – Ele parece horrorizado. – Não. Irmã, não. Definitivamente, não.

É impossível não dar risada da expressão em seu rosto. Mas, tão rápido quanto começou, a risada morre.

– Vou embora da cidade amanhã. Você sabe disso, né?

Ele fica em silêncio por um tempo. Será que está pensando em me pedir para ficar? Gosto muito de Enzo, mas não posso ficar por ele. Não posso ficar aqui por ninguém. Ele deveria saber disso melhor do que qualquer outra pessoa. Talvez vá se oferecer para ir comigo. Não tenho certeza de como me sentiria em relação a isso, caso ele fizesse essa proposta. Eu gosto muito dele. Mas depois de tudo que aconteceu, preciso ficar sozinha por um tempo. Vai demorar muito até que eu consiga realmente confiar em um homem outra vez, embora suspeite de que, se há alguém em quem eu possa confiar, essa pessoa é Enzo. Ele conquistou isso.

Mas ele não me pede para ficar, não se oferece para ir comigo. O que ele diz é algo totalmente diferente:

– A gente não pode abandonar ela, Nina.

– Como é que é?

– Millie. – Ele olha para mim com seus olhos escuros. – A gente não pode deixar ela lá com ele. Não é certo. Não vou permitir.

– Você não vai *permitir*? – repito, incrédula, enquanto me afasto dele. Minha euforia pós-sexo simplesmente evaporou. – O que isso quer dizer?

– Quer dizer... – Ele cerra o maxilar, depois diz: – Millie não merece ficar com ele tanto quanto você não merecia.

– Ela é uma criminosa!

– Olha o que você está falando. Ela é um ser humano.

Eu me sento na cama, usando os cobertores para cobrir meu peito nu. Enzo respira com dificuldade e uma veia está saltando em seu pescoço. Acho que não o julgo por estar chateado. Mas ele não sabe de nada.

– A gente precisa contar pra ela – insiste ele.

– Não, a gente não precisa.

– Eu vou contar pra ela. – Um músculo se contrai no queixo dele. – Se você não contar, eu vou. Vou avisar a ela.

Meus olhos se enchem de lágrimas.

– Você não ousaria…

– Nina. – Ele balança a cabeça. – Me desculpa. Eu… eu não quero te magoar, mas isso não está certo. A gente não pode fazer isso com ela.

– Você não entende – insisto.

– Entendo, sim.

– Não – repito –, não entende.

PARTE III

CINQUENTA E UM

MILLIE

– Andrew? – chamo. – Andrew!

Silêncio.

Agarro o metal frio da maçaneta mais uma vez e giro com toda a minha força, torcendo para que esteja apenas emperrada. Não tenho sorte. A porta está trancada. Mas como?

A única coisa em que consigo pensar é que, talvez, quando Andrew saiu do quarto para dormir na própria cama (não posso julgá-lo: se o meu colchão já é desconfortável para uma pessoa, é pior ainda para duas), trancou a porta sem pensar, achando que ainda era um armário. Se ele estava sonolento, imagino que esse seja um erro bastante razoável de se cometer.

Isso significa que vou ter que ligar para ele e acordá-lo para que abra a porta do quarto. Não estou nem um pouco feliz em fazer isso, mas, se estou trancada aqui, a culpa é dele. Não vou passar a noite inteira presa neste sótão, principalmente porque preciso fazer xixi.

Acendo a luz, e é aí que vejo que há três livros no chão, bem no meio do quarto. Que coisa mais estranha. Eu me abaixo ao lado deles, lendo os títulos nas capas. *Guia das prisões dos EUA*, *A história da tortura*, e uma lista telefônica.

Estes livros não estavam aqui quando fui dormir ontem à noite. Será que Andrew os trouxe para cá porque pensou que, como de manhã eu desocuparia o cômodo, ele poderia converter o espaço em um depósito de novo? Essa é a única coisa que faz sentido.

Chuto os livros pesados para fora do caminho e vou até a cômoda em busca do meu telefone, que coloquei para carregar ontem à noite. Ou, pelo menos, achei que tivesse colocado. Não está lá.

O que será que está acontecendo?

Pego a calça jeans que abandonei no chão e começo a vasculhar os bolsos. Nenhum sinal do celular. Cadê? Reviro as gavetas da cômoda, procurando por aquele pequeno retângulo que se tornou minha tábua de salvação. Chego a tirar os lençóis e os cobertores da cama, pois quem sabe ele acabou se perdendo durante nossas atividades recreativas ontem à noite. Então me ajoelho e olho *embaixo* da cama.

Nada.

Devo ter deixado o aparelho lá embaixo, embora tenha a lembrança de usá-lo aqui ontem à noite. Acho que não. Que péssimo momento para esquecer meu telefone lá embaixo, trancada aqui nesta porcaria de sótão e precisando usar o banheiro.

Eu me acomodo de volta na cama, tentando não pensar na minha bexiga cheia. Não sei como vou conseguir pegar no sono. Quando Andrew aparecer aqui atrás de mim amanhã de manhã depois de perceber que me trancou neste lugar por acidente, ele vai ver só.

• • •

– Millie? Você está acordada?

Meus olhos se abrem. Não sei como consegui adormecer, porém, de alguma forma, caí no sono. Mas ainda é muito cedo. O quarto minúsculo está escuro, com apenas alguns raios de sol entrando pela minha pequena janela.

– Andrew. – Eu me sento na cama, a pressão na minha bexiga agora mais do que urgente. Pulo dali e vou tropeçando até a porta. – Você me trancou aqui ontem à noite!

Há um silêncio prolongado do outro lado. Espero um pedido de desculpas, um tilintar de chaves enquanto ele tenta localizar a que me vai deixar sair, mas não ouço nada disso. Ele está completamente em silêncio.

– Andrew – chamo de novo. – Você está com a chave aí, né?

– Ah, estou com a chave, sim – confirma ele.

E é nesta hora que tenho uma sensação de mal-estar. Na noite anterior, passei muito tempo dizendo a mim mesma que havia sido um acidente. Só podia ser. Mas, de repente, não tenho tanta certeza. Afinal, como você acidentalmente tranca sua namorada em um quarto e só percebe isso horas depois?

– Andrew, você pode, por favor, abrir a porta?

– Millie. – A voz dele soa estranha, desconhecida. – Lembra que ontem você estava lendo uns livros meus, da minha estante?

– Lembro…

– Bom, você pegou os livros e deixou na mesa de centro. Aqueles livros são meus, e você não tratou eles muito bem, né?

Não sei do que ele está falando. Sim, tirei alguns livros da estante. Três, no máximo. E talvez tenha me distraído e não tenha colocado tudo de volta na estante. Mas isso é tão sério assim? Por que ele parece tão chateado?

– Me… me desculpa.

– Hum. – A voz dele ainda soa estranha. – Você está pedindo desculpas, mas esta casa é minha. Você não pode fazer o que bem entende sem que haja consequências. Achei que soubesse disso, já que você é a *empregada* e tal.

Sinto um calafrio com a maneira depreciativa como ele descreve o meu trabalho, mas vou dizer qualquer coisa para acalmá-lo.

– Me desculpa. Eu não queria fazer bagunça. Vou arrumar.

– Eu já arrumei. Você demorou demais.

– Escuta, você pode abrir a porta pra gente conversar melhor sobre isso?

– Vou abrir – diz ele. – Mas você precisa fazer uma coisa pra mim primeiro.

– O quê?

– Está vendo os três livros que eu deixei pra você no chão?

Os livros que ele deixou no meio do meu quarto, nos quais quase tropecei na noite anterior. Ainda estão exatamente onde Andrew os deixou.

– Estou…

– Quero que você se deite no chão do quarto e equilibre os três na barriga.

– *Como é que é*?

– Você me ouviu – diz ele. – Quero que equilibre esses livros na barriga. Por três horas seguidas.

Olho para a porta, imaginando a expressão perturbada no rosto de Andrew.

– Você está brincando, né?

– Nem um pouco.

Não tenho a menor ideia de por que ele está fazendo isso. Este não é o Andrew por quem me apaixonei. É como se ele estivesse fazendo uma espécie de jogo bizarro comigo. Não sei se percebe o quanto está me magoando.

– Escuta, Andrew, não sei qual é o seu objetivo nem que jogo é esse que você quer jogar, só abre a porta e me deixa ir ao banheiro, pelo menos.

– Acho que você ainda não entendeu. – Ele estala a língua. – Você foi descuidada e largou meus livros no meio da sala, e eu tive que guardar todos no devido lugar. Então, agora quero que você aguente o peso desses livros aí.

– Eu não vou fazer isso.

– Bom, é uma pena. Porque você não vai sair desse quarto enquanto não fizer o que eu mandei.

– Está bem. Provavelmente vou fazer xixi nas calças então.

– Tem um balde no armário se você precisar se aliviar.

Quando me mudei para cá, notei aquele balde azul no canto do armário. Na época, o deixei guardado e nunca pensei muito no assunto. Abro o armário e vejo que ainda está lá. Sinto espasmos na barriga e cruzo as pernas.

– Andrew, estou falando sério. Eu preciso muito ir ao banheiro.

– E eu acabei de te dizer o que você pode fazer.

Ele não está cedendo. Não consigo entender o que está acontecendo aqui. *Nina* sempre foi a louca. Andrew era a única pessoa *razoável*, aquele que me salvou quando Nina me acusou de roubar as roupas dela.

Será que os dois são loucos? Os dois estão juntos nisso?

Bem, vamos acabar logo com isso. Eu me sento no chão e pego um dos livros para que ele consiga ouvir.

– Tá. Muito bem, os livros estão em cima de mim. Você pode me deixar sair agora?

– Os livros não estão em cima de você.

– Estão, sim.

– Não minta.

Bufo, exasperada.

– Como sabe se eu estou mentindo ou não?

– Porque estou vendo você.

Sinto um calafrio nas costas. Ele está *me vendo*? Meu olhar percorre as paredes em busca de uma câmera. Há quanto tempo ele está me observando? Esteve me espionando o tempo todo em que estive aqui?

– Você não vai encontrar – diz ele. – Está bem escondida. E não se preocupa, eu não passei esse tempo todo te observando. Faz só algumas semanas.

Fico de pé em um pulo.

– Qual é o seu problema? Você precisa me deixar sair daqui *agora mesmo*.

– Olha só – diz Andrew calmamente. – Acho que você não está em posição de fazer exigências.

Voo em direção à porta. Bato os punhos fechados contra a madeira, forte o suficiente para deixar minhas mãos vermelhas e doloridas.

– Juro por Deus, é melhor você me deixar sair daqui! Isso não tem a menor graça!

– Ei. *Ei.* – A voz calma de Andrew interrompe minhas batidas. – Sossega. Olha, eu vou deixar você sair. Prometo.

Deixo os braços caírem ao lado do corpo. Meus punhos estão latejando.

– *Obrigada.*

– Mas *não ainda.*

Sinto minhas bochechas quentes.

– Andrew...

– Eu já disse o que você precisa fazer pra sair – diz ele. – É uma punição extremamente justa pelo que fez.

Contraio os lábios, com raiva demais para responder.

– Por que você não tira um tempinho pra pensar sobre isso, Millie? Volto mais tarde.

Juro por Deus, continuo acreditando que tudo é apenas uma brincadeira, até que seus passos desaparecem no corredor.

CINQUENTA E DOIS

MILLIE

Já faz uma hora desde que Andrew esteve aqui.

Usei o balde. Não quero falar sobre isso. Mas chegou a um ponto em que, se eu não usasse, o xixi escorreria pelas minhas pernas. Foi uma experiência interessante, para dizer o mínimo.

Depois de cuidar dessa necessidade, meu estômago começou a roncar. Dei uma olhada no frigobar, onde costumo guardar alguns lanches, como iogurte. Mas, de alguma forma, ele foi esvaziado nos últimos dias. A única coisa que restou foram três daquelas garrafinhas de água. Virei o conteúdo de duas delas, embora logo depois tenha me arrependido. E se ele me deixar aqui por muitas horas mais? Ou *dias*? Talvez eu precise dessa água.

Coloco meu jeans e uma camiseta limpa, então examino a pilha de livros no chão. Andrew disse que queria que eu mantivesse aqueles livros pousados na minha barriga por três horas e só então me deixaria sair do quarto. Não entendo muito bem o propósito desse jogo ridículo, mas acho que é melhor participar. Assim, ele me deixa sair e eu posso dar o fora daqui para sempre.

Então me estico no chão sem carpete. É o início do verão, o que significa que o sótão está insuportavelmente abafado, mas o chão ainda está fresco. Apoio a cabeça no chão e pego o livro sobre prisões. É um livro grosso que deve pesar vários quilos. Eu o coloco sobre a minha barriga.

Sinto uma pressão, mas não é exatamente desconfortável. Se eu tivesse feito isso antes de usar o balde, provavelmente já teria feito xixi nas calças a esta altura. Mas não é tão ruim assim. Então pego o segundo livro.

Este é o da tortura. Imagino que o título não seja inteiramente uma coincidência. Ou talvez seja. Quem sabe?

Coloco o segundo livro na minha barriga. Desta vez, a pressão se torna mais desconfortável. Os livros são pesados. E a protuberância da minha escápula e do meu cóccix beliscam o chão duro e sem carpete. Não é agradável, mas é tolerável.

Mas ele quer os três livros.

Pego o último livro: a lista telefônica. Este não é apenas pesado, mas volumoso. É difícil até mesmo levantá-lo com dois outros livros já em cima de mim. Preciso fazer algumas tentativas, mas consigo equilibrá-lo no meu abdômen.

O peso dos três livros quase me tira o fôlego. Sustentar dois era possível, mas três é horrível. É muito, *muito* desconfortável. É difícil respirar fundo. E a borda do livro de baixo machuca minhas costelas.

Não, não vou conseguir fazer isso. *Não vou conseguir.*

Empurro os três livros de cima de mim. Meus ombros levantam enquanto puxo o ar. Ele não pode estar esperando que eu mantenha esses três livros equilibrados em cima de mim por horas. Ou será que pode?

Eu me levanto e imediatamente começo a andar de um lado para outro pelo quarto. Não sei que brincadeira é essa, mas não vou entrar nessa. Ele vai me deixar sair daqui. Ou então eu mesma vou encontrar uma saída. Deve haver uma saída deste lugar. Isso aqui não é uma *prisão*.

Talvez haja uma maneira de desaparafusar as dobradiças da porta. Ou os parafusos na maçaneta. Andrew tem um kit de ferramentas lá embaixo escondido na garagem, e eu daria qualquer coisa para colocar minhas mãos nele agora. Mas tenho muitas coisas nas gavetas da minha cômoda. Talvez haja algo que eu possa usar como uma chave de fenda improvisada.

– Millie?

É a voz de Andrew de novo. Deixo de lado minha busca por ferramentas e corro para a porta.

– Eu coloquei os livros em cima de mim. Por favor, me deixa sair.

– Eu disse três horas. Você só fez isso por cerca de um minuto.

Estou de saco cheio dessa merda.

– Deixa. Eu. Sair. Agora.

– Ou então o quê? – Ele dá risada. – Eu disse o que você precisa fazer.

– Não vou fazer isso.

– Está bem, então você vai ficar trancada aí.

Balanço a cabeça.

– Quer dizer que você vai me deixar morrer aqui dentro?

– Você não vai morrer. Quando a água acabar, você vai entender o que precisa fazer.

Desta vez, eu mal posso ouvir seus passos recuando por conta do som dos meus próprios gritos.

• • •

Faz duas horas e cinquenta minutos que estou com os livros em cima da barriga.

Andrew tinha razão. Depois que tomei a terceira garrafa de água, meu desespero para sair do quarto aumentou consideravelmente. Quando fantasias de cachoeiras começaram a dançar diante dos meus olhos, soube que precisava completar a tarefa que ele queria. Claro, não há garantia de que ele me deixará sair se eu o fizer, mas espero que sim.

Os livros são muito, muito desconfortáveis, não vou mentir. Há momentos em que sinto que não aguento mais um segundo, que o peso vai literalmente esmagar minha pélvis, mas depois respiro – o melhor que consigo com estes livros ridículos em cima de mim – e aguento firme. Está quase acabando.

E quando eu sair daqui…

Quando as três horas se completam, empurro os livros da minha barriga. É um alívio enorme, mas, quando tento me sentar, meu abdômen dói o suficiente para brotarem lágrimas nos meus olhos. Com certeza vou ficar com hematomas. Ainda assim, me arrasto até a porta e bato.

– Pronto! – grito. – Terminei! Me deixa sair daqui!

Mas é claro que ele não vem. Andrew consegue me ver, mas eu não faço ideia de onde ele está. Em casa? No trabalho? Ele poderia estar em qualquer lugar. Andrew sabe onde estou, mas não tenho o mesmo privilégio.

Desgraçado.

Uma hora depois, ouço passos do lado de fora da porta. Quero chorar de alívio. Nunca fui claustrofóbica, mas esta experiência me mudou. Não tenho certeza se serei capaz de andar de elevador depois disso.

– Millie?

– Consegui, babaca. – Disparo em direção à porta. – Agora me deixa sair.

– Hum. – Seu tom indiferente me faz querer agarrar o pescoço dele e apertar. – Acho que não vou poder fazer isso.

– Mas você prometeu! Você disse que, se eu ficasse com os livros na barriga por três horas, me deixaria sair.

– Certo. Mas a questão é a seguinte: você tirou os livros um minuto antes. Então, acho que vai ter que começar de novo.

Meus olhos se arregalam. Se houvesse um momento em que eu me transformaria no Incrível Hulk e arrancaria a porta pelas dobradiças, seria agora.

– Você só pode estar brincando.

– Sinto muito, mas essas são as regras.

– Mas... – gaguejo. – Eu não tenho mais água.

– É uma pena – diz ele com um suspiro. – Da próxima vez, você vai ter que aprender a racionar a água.

– Da próxima vez? – Eu chuto a porta. – Você está maluco? Não vai ter uma próxima vez.

– Na verdade, acho que vai ter, sim – diz ele, pensativo. – Você está em liberdade condicional, certo? Se pegasse algo da nossa casa... e eu tenho certeza de que a Nina me apoiaria nisso... onde você acha que iria parar? Basta um vacilo e você volta pra cadeia! Aqui, pelo menos, você só tem que passar um dia ou dois neste quarto de vez em quando, quando se comportar mal. Acho que é um negócio muito melhor, não?

Ok, *esse* seria o momento em que eu me transformaria no Incrível Hulk.

– Então, se eu fosse você, voltaria ao trabalho. Porque logo, logo você vai ficar com muita sede – conclui ele.

• • •

Desta vez, espero três horas e dez minutos, porque não quero que haja nenhuma chance de Andrew dizer que preciso fazer uma terceira vez. Isso me mataria.

Sinto como se alguém tivesse passado as últimas horas socando a minha barriga. Dói tanto que no começo não consigo nem me sentar. Preciso rolar para o lado e empurrar o corpo para uma posição sentada usando os braços. E minha cabeça dói por causa da desidratação. Tenho que rastejar até a cama e forçar o corpo para cima. Eu me sento lá e espero que Andrew apareça.

Mais meia hora se passa antes que a voz dele surja atrás da porta.

– Millie?

– Fiz o que você pediu – falo, embora minha voz seja apenas um sussurro. Não consigo sequer ficar de pé.

– Eu vi. – Há um tom paternalista na voz dele. – Excelente trabalho.

E então ouço o som mais lindo que já ouvi. É o som da porta sendo destrancada. É ainda melhor do que quando saí da prisão.

Andrew entra no quarto, segurando um copo d'água. Entrega o copo para mim e, por um momento, me ocorre que ele pode ter colocado algum tipo de droga na água, mas não me importo. Viro tudo de uma vez só.

Ele se senta ao meu lado na cama. Pousa a mão na parte inferior das minhas costas e eu me encolho.

– Como você está?

– Minha barriga está doendo.

Ele inclina a cabeça.

– Sinto muito.

– Sente mesmo?

– Você precisa aprender uma lição quando faz algo errado… É a única maneira de aprender. – Seus lábios se contraem. – Se você tivesse feito certo da primeira vez, eu não teria que pedir pra você fazer de novo.

Olho para cima e observo suas belas feições. Como pude me apaixonar por esse homem? Ele parecia bom, normal e maravilhoso. Eu não fazia a menor ideia do monstro que ele é. Seu objetivo não é se casar comigo, é me fazer sua prisioneira.

– Como você sabe exatamente por quanto tempo fiz aquilo? – pergunto. – Não tem como você conseguir ver tão bem.

– Pelo contrário.

Ele tira o telefone do bolso e abre um aplicativo. Uma imagem colorida e nítida do meu quarto preenche a tela. Posso ver nós dois sentados juntos na cama em uma resolução incrível. A imagem de mim mesma me mostra pálida e encurvada, com cabelos desgrenhados.

– Não é ótima a imagem? Parece um filme.

Desgraçado. Ele me viu sofrer aqui o dia inteiro e tem toda a intenção de fazer isso comigo de novo, só que, da próxima vez, será por mais tempo, e só Deus sabe o que vai me obrigar a fazer. Eu já fui presa uma vez, não vou deixar isso acontecer de novo. Não mesmo.

Então enfio a mão no bolso da minha calça jeans.

E pego o frasco de spray de pimenta que encontrei no balde.

CINQUENTA E TRÊS

NINA

Quando contratei o tal detetive particular para investigar o passado de Wilhelmina Calloway, encontrei algumas informações muito interessantes.

Eu imaginava que Millie tivesse sido presa por cometer algum tipo de crime envolvendo drogas ou talvez roubo. Mas não. Millie Calloway foi condenada por algo totalmente diferente: homicídio.

Tinha apenas 16 anos na época do crime e foi presa aos 17, então o detetive precisou se esforçar para obter todas as informações. Millie estava num internato. Não, não era apenas um internato, mas uma escola específica para adolescentes com problemas disciplinares.

Uma noite, Millie e uma de suas amigas fugiram para uma festa no dormitório masculino. Quando Millie estava passando por um quarto, ouviu a amiga gritando por socorro atrás da porta. Entrou no quarto escuro e encontrou um de seus colegas de classe – um jogador de futebol de 90 quilos – tentando estuprar a amiga.

Então Millie pegou um peso de papel em cima de uma mesa e bateu na cabeça do garoto, várias vezes. Ele morreu antes mesmo de chegar ao hospital.

O detetive tinha imagens. O advogado de Millie alegou que ela estava tentando defender a amiga, a qual estava sendo agredida. Mas, se você olha as fotos, fica difícil argumentar que ela não pretendia matá-lo. O crânio dele foi visivelmente esmagado.

Dada a sua idade e as circunstâncias, ela acabou fazendo um acordo e se declarando culpada por homicídio culposo. A família do menino ficou satisfeita: eles queriam vingança pela morte do filho, mas não desejavam que ele fosse tachado de estuprador em toda a internet.

Millie aceitou o acordo porque houvera outros incidentes, coisas que teriam vindo à tona se ela tivesse ido a julgamento.

No ensino fundamental, ela foi expulsa quando entrou em uma briga com um garotinho de sua turma que a xingou. Ela o empurrou de um trepa-trepa, e ele quebrou o braço.

No ensino médio, ela cortou os pneus do carro do professor de matemática após ele lhe dar uma nota baixa. Logo depois, foi enviada para o internato.

E, mesmo depois de sua sentença, os incidentes continuaram. Millie não foi demitida sem razão de seu trabalho de garçonete; ela foi demitida depois de dar um soco no nariz de um dos colegas.

Millie parece ser uma garota doce; é isso que Andrew vê quando olha para ela. Ele não vai desenterrar o passado dela do jeito que eu fiz. Andy não sabe do que ela é capaz.

E a verdade é a seguinte: no começo, eu queria contratar uma empregada na esperança de que ela se tornasse minha substituta, já que, caso Andrew se apaixonasse por outra mulher, ele finalmente me deixaria ir. Mas não foi por isso que contratei Millie. Não foi por isso que dei a ela uma cópia da chave do quarto. E não foi por isso que deixei um frasco de spray de pimenta no balde azul do armário.

Eu a contratei para matá-lo. Ela só não sabe disso.

CINQUENTA E QUATRO
MILLIE

Andrew grita quando o spray de pimenta o atinge nos olhos.

O bocal está a cerca de três centímetros de distância do rosto dele, então ele recebe uma dose bem em cheio. E, em seguida, pressiono a válvula uma segunda vez, só por garantia. Enquanto faço isso, viro minha cabeça para o lado e fecho os olhos. A última coisa de que preciso é tomar um spray de pimenta na cara, embora seja difícil não sentir um pouco do resíduo.

Quando volto a olhar para Andrew, ele está com os dedos cravados no rosto, que ficou vermelho brilhante. Seu celular cai no chão, e eu o pego, tomando muito cuidado para não tocar em mais nada. Tudo tem que dar certo nos próximos vinte segundos. Passei mais de seis horas planejando isso enquanto tinha três livros em cima da barriga.

Minhas pernas estão bambas quando me levanto, mas funcionam. Andrew ainda está se contorcendo na cama, e, antes que ele possa recuperar a visão, saio do quarto e fecho a porta. Em seguida, pego a chave que Nina me deu, encaixo-a na fechadura, viro-a e a coloco no bolso. Então, dou um passo para trás.

– Millie! – grita Andrew do outro lado da porta. – Que porra é essa?

Olho para a tela do celular dele. Meus dedos estão trêmulos, mas consigo acessar as configurações e desativar o bloqueio de tela, de modo que não exija mais senha, antes que o telefone bloqueie.

– Millie!

Dou outro passo para trás, como se ele fosse alcançar a porta e conseguir me agarrar. Mas ele não pode. Estou segura aqui do outro lado.

– Millie. – A voz dele é um grunhido baixo agora. – Me deixa sair daqui *agora mesmo.*

Meu coração está acelerado. É a mesma coisa que senti quando entrei naquele quarto tantos anos atrás e encontrei Kelsey gritando com aquele jogador de futebol de merda. *Sai de cima de mim!* E Duncan ria, bêbado. Fiquei lá parada por um segundo, meu corpo paralisado enquanto meu peito se enchia de raiva. Ele era muito maior do que nós duas, eu não teria como tirá-lo de cima dela. O quarto estava escuro; tateei na mesa até minhas mãos tocarem um peso de papel e...

Jamais vou me esquecer daquele dia. Como foi bom esmagar o crânio daquele desgraçado com o peso de papel até ele parar de se mexer. Quase valeu a pena todos aqueles anos na cadeia. Afinal, quem sabe quantas outras garotas eu salvei dele?

– Eu vou deixar você sair – falo. – Mas *não ainda.*

– Você só pode estar brincando comigo. – A indignação na voz dele é notável. – Esta é a *minha* casa. Você não pode me manter refém aqui. E você é uma criminosa. Tudo que tenho que fazer é chamar a polícia e você volta pra cadeia.

– Beleza, mas como você vai chamar a polícia se estou com o seu telefone?

Olho para a tela do celular dele. Consigo vê-lo parado ali, em cores vivas. Posso até ver como seu rosto está vermelho por conta do spray de pimenta e das lágrimas nas bochechas. Ele verifica os bolsos, depois examina o chão com os olhos inchados.

– Millie – diz com uma voz lenta e controlada. – Quero meu telefone de volta.

Solto uma risada rouca.

– Tenho certeza de que você quer.

– Millie, me devolve o meu celular agora mesmo.

– Hum. Acho que você não está em posição de fazer *exigências.*

– *Millie.*

– Só um instante. – Deslizo o celular dele para dentro do meu bolso. – Eu vou comer alguma coisa. Volto *muito* em breve.

– Millie!

Ele ainda está chamando meu nome enquanto me afasto pelo corredor e depois desço as escadas. Eu o ignoro. Não há nada que ele possa fazer preso naquele quarto. E tenho que descobrir meu próximo passo.

A primeira coisa que faço é exatamente o que disse que ia fazer: vou para a cozinha, onde bebo dois copos d'água. Então, preparo um sanduíche de mortadela. Não, não *muçarela*. Mortadela. Com muita maionese e pão branco. Depois de comer um pouco, me sinto muito melhor. Posso finalmente pensar direito.

Pego o celular de Andrew. Ele ainda está no sótão, andando de um lado para outro, como um animal enjaulado. Se eu o deixasse sair, nem consigo imaginar o que faria comigo. Esse pensamento faz um suor gelado irromper na minha nuca. Enquanto estou olhando para ele, uma mensagem de texto aparece no celular. O nome do contato é "Mãe".

Você vai dar entrada no pedido de divórcio?

Percorro algumas das mensagens anteriores. Andrew contou à mãe tudo sobre a briga com Nina. Tenho que responder, porque, se ele não fizer isso, ela pode vir aqui, e aí estarei ferrada. Ninguém pode suspeitar que algo aconteceu com Andrew.

Vou. Estou falando com o advogado agora mesmo.

A resposta da mãe de Andrew chega quase instantaneamente:

Ótimo. Nunca gostei dela. E sempre dei o meu melhor com a Cecelia, mas Nina era extremamente displicente no que se refere a disciplina, e a garotinha virou uma pirralha irritante.

Sinto no peito uma pontada de empatia por Nina e Cecelia. Já é ruim o suficiente que a mãe de Andrew nunca tenha gostado de Nina, mas falar assim da própria neta? E fico imaginando o que a mãe de Andrew tinha em mente quando falou em "disciplina". Se for algo parecido com a ideia de punição de Andy, fico feliz que Nina nunca tenha dado ouvidos a ela.

Minhas mãos estão tremendo enquanto digito a resposta:

Parece que você estava certa em relação à Nina.

Agora tenho que lidar com aquele babaca.

Enfio o telefone dele de volta no bolso, depois subo as escadas até o segundo andar e, em seguida, vou para o sótão. Quando chego ao último andar, paro de ouvir passos. Ele deve ter me ouvido.

– Millie – diz ele.

– Estou aqui – respondo rigidamente.

Ele pigarreia.

– Já entendi, este quarto é horrível. Sinto muito pelo que fiz.

– Sente, é?

– Sinto. Agora entendo que estava errado.

– Está certo. Quer dizer que você está arrependido?

Ele dá outro pigarro.

– Estou.

– Então fala.

Ele fica em silêncio.

– Falar o quê?

– Que você está arrependido por ter feito uma coisa terrível comigo.

Observo a expressão dele na tela. Ele não quer dizer que está arrependido, porque não está. Andrew só se arrepende de ter deixado que eu tirasse vantagem dele.

– Sinto muito – diz ele por fim. – Eu estava completamente errado. Fiz uma coisa terrível com você e nunca mais vou fazer isso de novo. – Ele faz uma pausa. – Você vai me deixar sair?

– Sim. Eu vou, sim.

– Obrigado.

– Mas *não ainda.*

Ele puxa o ar bruscamente.

– Millie…

– Eu vou te deixar sair. – Minha voz calma desmente as batidas no meu peito. – Mas, antes disso, você tem que ser punido pelo que fez comigo.

– Não entra nesse jogo – vocifera ele. – Você não tem estômago pra isso.

Ele não falaria comigo desse jeito se soubesse que esmaguei o crânio de um homem até a morte com um peso de papel. Ele não faz ideia. Mas aposto que Nina faz.

– Quero que se deite no chão e coloque esses três livros em cima de você.

– Fala sério. Isso é ridículo.

– Não vou deixar você sair desse quarto até que faça isso.

Andrew levanta os olhos em direção à câmera. Sempre achei que ele tinha olhos bonitos, mas há maldade neles enquanto olha para mim. *Não para mim,* lembro. Ele está olhando para a câmera.

– Está bem. Vou fazer a sua vontade.

Ele se deita no chão. Um por um, pega cada livro e os empilha em seu abdômen, da mesma forma que fiz apenas algumas horas antes. Mas ele é maior e mais forte do que eu, e só parece levemente desconfortável com esses livros em cima dele, mesmo quando todos os três estão empilhados na barriga.

– Feliz? – pergunta ele.

– Mais pra baixo.

– O quê?

– *Mova os livros mais pra baixo.*

– Eu não sei o que você…

Pressiono a testa contra a porta enquanto falo:

– Você sabe *exatamente* o que quero dizer.

Mesmo através da porta, posso ouvi-lo respirar profundamente.

– Millie, eu não consigo…

– Se você quer sair deste quarto, vai fazer isso.

Olho para a tela do celular dele, observando-o. Andrew empurra os livros para baixo, para que fiquem bem em cima de seus genitais. Ele não parecia muito desconfortável antes, mas agora tudo mudou. Seu rosto está paralisado, completamente retorcido.

– Meu Deus – diz ele sem ar.

– Ótimo. Agora fique assim por três horas.

CINQUENTA E CINCO
MILLIE

Sentada no sofá, vendo televisão enquanto espero as três horas chegarem ao fim, penso em Nina.

O tempo todo, eu achava que a louca era ela. Agora não sei o que pensar. Ela deve ter deixado o spray de pimenta naquele quarto para mim. Ela desconfiava que ele ia fazer isso comigo. O que me faz pensar que ele fazia a mesma coisa com ela. Talvez diversas vezes.

Será que Nina era mesmo ciumenta? Ou era tudo só atuação? Ainda não tenho certeza. Parte de mim quer ligar para ela e descobrir, mas acho que não seria uma boa ideia. Afinal, Kelsey nunca mais falou comigo depois que matei Duncan. Não entendo por quê, já que eu o matei *por ela.* Ele estava tentando estuprá-la. Mas, quando vi minha ex-melhor amiga depois disso, ela me olhou com repulsa.

Ninguém nunca me entendeu. Depois de me meter em confusão por furar os pneus do Sr. Cavanaugh, tentei explicar à minha mãe que ele tinha me dito que eu ia ser reprovada em matemática a menos que o deixasse me apalpar. Ela não acreditou em mim. Ninguém acreditou. Ela me mandou para um internato, porque eu continuava me metendo em confusão. Não deu muito certo. Depois do incidente no internato, meus pais me largaram de mão por completo.

Quando finalmente consegui um emprego decente depois de sair da cadeia, tive que lidar com aquele barman, Kyle, que passava a mão na minha bunda sempre que podia. Então, um dia, me virei e dei um soco no nariz dele. Ele só não deu queixa porque estava morrendo de vergonha de ter apanhado de uma garota. Mas me disseram para não voltar mais. E, logo depois disso, fui morar no meu carro.

A única pessoa em quem posso confiar sou eu mesma.

Dou um bocejo e desligo a televisão. Faz pouco mais de três horas, e Andrew não se moveu do chão. Ele seguiu todas as regras, embora deva estar em sofrimento. Subo calmamente os degraus até o último andar. Assim que chego, ele empurra os livros de seus genitais. Por alguns segundos, só fica ali, deitado no chão em posição fetal.

– Andrew? – chamo.

– *O que foi*?

– Como você está se sentindo?

– Como você *acha* que estou me sentindo? – responde ele, entredentes. – Me deixa sair daqui, sua vagabunda.

Ele não parece tão calmo e presunçoso quanto da última vez que estive aqui. Ótimo. Eu me aproximo da porta, observando o rosto dele na tela do celular.

– Não gosto nada, nada desse linguajar. Acho que você poderia ser um pouco mais educado, já que depende de mim pra te ajudar.

– Me. Deixa. Sair. Daqui. – Ele se senta no chão, embalando a cabeça nas mãos. – Eu juro por Deus, Millie. Se você não me deixar sair agora, vou te matar.

Ele diz isso sem nenhum constrangimento. *Vou te matar.* Olho para a tela do telefone, imaginando quantas outras mulheres estiveram neste quarto. Fico pensando se alguma delas morreu aqui.

Parece totalmente possível.

– Relaxa. Vou deixar você sair.

– Ótimo.

– Mas *não ainda*.

– Millie… – vocifera ele. – Eu fiz exatamente o que você disse. Três horas.

– Três horas? – Ergo as sobrancelhas, embora ele não possa ver. – Desculpa, você ouviu três horas? Na verdade, eu disse *cinco*. Então, acho que você vai ter que começar de novo.

– Cinco… – Amo o fato de que a tela colorida me permite ver a maneira como o rosto dele perde a cor. – Não dá. Não consigo fazer isso por mais cinco horas. Fala sério, você precisa me deixar sair daqui. Esse jogo acabou.

– Isso não é uma *negociação*, Andrew – falo com paciência. – Se você quer sair deste quarto, vai aguentar esses livros em cima das suas bolas pelas próximas cinco horas. A escolha é sua.

– Millie. *Millie*. – A respiração dele está irregular. – Olha, sempre tem espaço pra gente negociar. O que você quer? Eu te dou dinheiro. Te dou um milhão de dólares agora mesmo se me deixar sair deste quarto. O que você acha?

– Não.

– Dois milhões.

É fácil para ele me oferecer um dinheiro que não tem intenção de me dar.

– Acho que não. Eu vou dormir agora, mas quem sabe de manhã a gente se veja de novo.

– Millie, seja razoável! – A voz dele falha. – Pelo menos eu deixei água pra você. Será que não mereço um pouco de água?

– Acho que não – respondo. – Quem sabe da próxima vez você deixa mais água pra garota que trancar neste quarto, daí sobra mais pra você.

Com essas palavras, viro as costas e me afasto pelo corredor enquanto ele grita meu nome. Assim que chego ao quarto, pesquiso no Google: *Por quanto tempo uma pessoa consegue viver sem água?*

CINQUENTA E SEIS

NINA

Quando cumprimento Cecelia no acampamento, percebo que há muito tempo não a vejo tão feliz. Ela está acompanhada de algumas das novas amigas que fez, e seu rostinho redondo está radiante. Os ombros e as bochechas estão queimados de sol, e há um arranhão no cotovelo com um Band-Aid meio pendurado. Em vez de um daqueles vestidos horrorosos cheios de babados que Andy sempre insiste que ela use, Cecelia está vestindo um short confortável e uma camiseta. Vou ficar bem feliz se ela nunca mais usar um vestido.

– Oi, mãe! Você chegou cedo!

Ela saltita na minha direção, seu rabo de cavalo sacudindo atrás dela. Suzanne disse que quando sua caçula começou a chamá-la de "mãe" em vez de "mamãe" foi uma punhalada no coração. Mas fico feliz que Cece esteja crescendo, porque isso significa que logo ela terá idade suficiente para que *ele* não tenha nenhum poder sobre ela. Sobre *nós*.

– É…

O topo de sua cabeça bate no meu ombro agora. Será que ela cresceu enquanto esteve aqui? Ela me abraça com seus bracinhos magros e pousa a cabeça no meu ombro.

– Pra onde a gente vai agora? – pergunta ela.

Abro um sorriso. Quando Cece estava arrumando suas coisas para o acampamento, pedi que trouxesse várias roupas a mais, pois não tinha certeza se voltaríamos diretamente para casa. Disse que talvez fôssemos para outro lugar depois daqui. Então, algumas bagagens dela estão no porta-malas do meu carro.

Eu não tinha certeza se isso aconteceria. Não sabia que tudo sairia conforme o planejado. Toda vez que penso nisso, meus olhos se enchem de lágrimas. Estamos livres.

– Pra onde você gostaria de ir? – pergunto.

Ela inclina a cabeça.

– Pra Disney!

Poderíamos ir para a Califórnia. Eu adoraria ficar a cinco mil quilômetros de distância de Andrew Winchester. Vai que ele enfia na cabeça que deveríamos ficar juntos de novo.

Vai que Millie não faz o que eu espero que ela faça.

– Vamos! – respondo.

O rosto de Cece se ilumina e ela começa a pular para cima e para baixo. Ela ainda tem aquela felicidade infantil. A capacidade de viver o momento. Ele não roubou isso dela por completo. Ainda não, ao menos.

Então ela para de pular e seu rosto fica sério.

– E o papai?

– Ele não vai.

O alívio em seu rosto espelha o meu. Ele nunca encostou um dedo nela, pelo que sei, e sempre fiquei muito atenta a isso. Se eu tivesse visto o menor hematoma suspeito na minha filha, teria dito a Enzo para ir em frente e matá-lo. Mas nunca vi nada. Ainda assim, ela sabia que algumas de suas próprias transgressões resultavam em uma punição dirigida a mim. Ela é uma garota inteligente.

Claro, o fato de precisar ser sempre tão perfeita perto do pai significava que sofria as consequências disso mesmo quando ele não estava por perto. Cece não confia de verdade em nenhum adulto, a não ser em mim, e às vezes pode ser uma criança difícil. Ela já foi chamada de pirralha malcriada antes. Mas não é culpa dela. Minha filha tem um bom coração.

Cece corre para seu chalé para buscar as malas. Começo a ir atrás dela, mas meu celular vibra na bolsa. Reviro toda a bagunça lá dentro até encontrar o aparelho. É Enzo.

Fico me perguntando se devo ou não atender. Enzo ajudou a salvar minha vida, e não posso negar que ele me proporcionou uma noite inesquecível.

Mas estou pronta para deixar essa parte da minha vida para trás. Não sei por que ele está ligando e não tenho certeza se quero saber.

Mas, sim, Enzo merece que pelo menos eu o atenda.

– Alô? – digo, abaixando um pouco a voz. – O que houve?

O tom de Enzo é grave e sério.

– A gente precisa conversar, Nina.

Ao longo de toda a minha vida, essas quatro palavras nunca levaram a nada de bom.

– O que é? – pergunto.

– Você precisa voltar aqui. Precisa ajudar a Millie.

– Isso está fora de cogitação – respondo, bufando.

– Fora de cogitação? – Já ouvi Enzo irritado antes, mas nunca fui a destinatária da irritação; esta é a primeira vez. – Nina, ela está com problemas. Você a colocou nessa situação.

– Claro, porque ela dormiu com o meu marido. Agora eu tenho que sentir *pena* dela?

– Você levou ela a isso!

– Ela não precisava morder a isca. Não foi obrigada a nada. De todo modo, ela vai ficar bem. Andy passou meses sem fazer nada comigo. Só depois que a gente se casou. – Dou uma fungada. – Vou escrever uma carta pra ela depois do divórcio, está bem? Vou avisar sobre ele. Antes que eles se casem.

Ele fica quieto por alguns segundos do outro lado da linha.

– Faz três dias que a Millie não sai de casa.

Meus olhos disparam para o chalé de Cecelia. Ela ainda está fazendo as malas e provavelmente conversando com as novas amigas. Olho em volta para os outros pais que estão chegando para buscar as crianças. Corro para o lado, falando ainda mais baixo.

– Como assim?

– Eu estava preocupado com a Millie, então fiz uma marca vermelha no pneu do carro dela. Já se passaram três dias e a marca ainda está exatamente no mesmo local. Tem três dias que ela não vai a lugar nenhum.

Bufo.

– Olha, Enzo, isso pode significar qualquer coisa. Talvez os dois tenham viajado juntos.

– Não. Eu vi o carro dele sair.

Reviro os olhos.

– Então talvez eles estejam andando de táxi ou sei lá. Talvez ela simplesmente não tenha tido vontade de dirigir.

– A luz do sótão está acesa.

– A… – Pigarreio, dando mais um passo para longe dos outros pais. – Como você sabe disso?

– Entrei no quintal.

– Depois que o Andy te demitiu?

– Eu precisava verificar! Tem alguém lá em cima.

Aperto o telefone com tanta força que meus dedos começam a formigar.

– E daí? O sótão era o quarto dela. É realmente tão grave que ela esteja lá em cima?

– Não sei. Você me diz.

Uma sensação de vertigem toma conta de mim. Quando planejei tudo isso, quando quis que Millie fosse minha substituta e depois, quando quis que ela matasse aquele desgraçado, jamais parei para pensar nisso. Deixei o spray de pimenta e dei a chave do quarto para ela, achando que ela ficaria bem. Mas agora percebo que posso ter cometido um erro grave. Penso nela presa naquele sótão, tendo que suportar uma das torturas que Andy tenha inventado. Só de pensar nisso sinto náuseas.

– E você? – pergunto. – Você não pode entrar e ver como ela está?

– Eu toquei a campainha. Nenhuma resposta.

– E a chave embaixo do vaso de flores?

– Não estava lá.

– Mas e…

– Nina – diz Enzo, irritado –, você está falando pra eu invadir a casa? Você sabe o que pode acontecer comigo se eu for pego? *Você* tem uma chave. Você tem todo o direito de entrar lá. Eu vou com você, mas não posso entrar sozinho.

– Mas…

– Você só está dando um monte de desculpas! – Ele explode. – Não consigo acreditar que vai deixar ela sofrer do jeito que você sofreu.

Dou uma última olhada no chalé de Cecelia. Ela está saindo agora, carregando as malas.

– Tudo bem. Eu volto. Mas com uma condição.

CINQUENTA E SETE
MILLIE

Quando acordo no quarto de hóspedes na manhã seguinte, a primeira coisa que faço é pegar o celular de Andrew.

Abro o aplicativo que mostra a câmera no sótão. Imediatamente, o quarto aparece. Olho para a tela e meu coração quase para. O quarto está vazio. Andrew não está mais lá.

Ele saiu do sótão.

Agarro os cobertores com a mão esquerda. Meus olhos percorrem o quarto, procurando por ele, talvez espreitando nas sombras. Há um movimento súbito na janela, e quase tenho um ataque cardíaco antes de me dar conta de que é um pássaro.

Onde ele está? E como saiu? Será que existe um botão para alguma passagem secreta que eu desconhecia? Uma maneira de escapar se por acaso ele acabasse nessa situação? Mas é difícil imaginar. Ele manteve aqueles livros em cima dele por horas a fio. Por que teria feito isso se o tempo todo tivesse como sair de lá?

De todo modo, se ele saiu do quarto, deve estar puto da vida.

Tenho que sair desta casa. *Agora*.

Meus olhos vão parar no telefone, e então algo se move na tela. Solto uma respiração lenta. Andrew ainda está no quarto, no fim das contas. Está debaixo das cobertas, em cima da cama. Eu só não o vi porque ele estava muito quieto.

Assisto à gravação para ver o que aconteceu no quarto nas últimas horas. Observo Andrew deitado no chão, fazendo careta com o peso em cima dele. Cinco horas. Ele passou cinco horas fazendo isso. Então, se estou disposta a cumprir minha parte do trato, preciso deixá-lo sair agora.

Não tenho pressa em me preparar. Tomo um banho longo e quente. A tensão no meu pescoço derrete quando a água quente corre pelo meu corpo. Sei o que tenho que fazer a seguir. E estou pronta.

Coloco uma camiseta confortável e uma calça jeans. Prendo meu cabelo louro-escuro para trás em um rabo de cavalo e deslizo o celular de Andrew para dentro do bolso. Então, pego algo que trouxe da garagem no dia anterior e escondo no outro bolso.

Subo os degraus rangentes do sótão. Já subi esta escada tantas vezes que notei que nem todos os degraus rangem, só alguns. O segundo range muito alto, por exemplo. E o último, também.

Quando chego ao topo da escada, bato na porta. Olho para o telefone dele, para a imagem colorida do quarto. Ele não se move da cama.

A preocupação me dá um arrepio na base do pescoço. Andrew não bebe nada há cerca de doze horas. Ele deve estar se sentindo muito fraco. Eu me lembro de como estava me sentindo no dia anterior, quando estava morrendo de sede. E se ele estiver inconsciente? O que eu faço?

Mas então Andrew se mexe no colchão. Observo enquanto ele luta para se sentar e esfrega os olhos com a palma das mãos.

– Andrew – chamo. – Estou de volta.

Ele levanta a cabeça e olha diretamente para a câmera. Eu tremo, imaginando exatamente o que ele faria comigo se eu abrisse esta porta. Se eu fizesse isso, ele me arrastaria pelo rabo de cavalo. Ele me obrigaria a fazer coisas horríveis antes de me deixar sair, se é que me deixaria sair *em algum momento*.

Ele se põe de pé, cambaleante. Caminha até a porta e cai contra ela.

– Eu fiz o que você pediu. Me deixa sair.

Aham. Claro.

– Então, é o seguinte – falo. – Não estou conseguindo acessar as imagens de ontem. Frustrante, né? Acho que o jeito vai ser você…

– *Eu não vou fazer isso de novo.* – O rosto dele está vermelho, e não é do spray de pimenta. – Você precisa me deixar sair *agora mesmo*, Millie. Não estou brincando.

– Eu vou deixar você sair. – Faço uma pausa. – Mas *não ainda.*

Andrew dá um passo para trás, olhando para a porta. Então dá outro passo para trás. E outro. E então se joga contra a porta.

Ele bate na porta com tanta força que as dobradiças tremem.

Mas a porta não se mexe.

Então ele começa a recuar de novo. Merda.

– Escuta – falo. – Vou deixar você sair. Tem só uma outra coisa que você precisa fazer.

– Vai se foder. Eu não acredito em você.

Ele se atira na porta mais uma vez. Ela treme, mas não se move. A casa é relativamente nova e bem-feita. Fico pensando se ele é capaz de derrubar a porta. Talvez em melhores condições, se estivesse bem hidratado. Mas assim, não. E seria difícil derrubá-la porque as dobradiças ficam do lado de dentro.

Andrew está respirando com dificuldade agora. Ele se inclina contra a porta, tentando recuperar o fôlego. Seu rosto está ainda mais vermelho do que antes. Acho que ele não tem como arrombar a porta.

– O que você quer que eu faça? – pergunta.

Puxo do bolso o objeto que peguei na garagem. Eu o encontrei no kit de ferramentas de Andrew. É um alicate. Eu o deslizo pela fresta sob a porta.

Do outro lado, ele se abaixa e pega a ferramenta, girando-a de um lado para o outro. Franze a testa.

– Não entendi. O que você quer que eu faça?

– Bom – respondo –, foi bem difícil dizer exatamente quanto tempo você passou com aqueles livros em cima de você. Isso vai ser mais fácil. É imediato.

– Não estou entendendo.

– É simples. Se você quiser sair do quarto, a única coisa que precisa fazer é arrancar um dos seus dentes.

Observo o rosto de Andrew na tela. Seus lábios se contraem e ele joga o alicate no chão.

– Você está brincando. Nem pensar. Não vou fazer isso.

– Acho que mais algumas horas sem água vão fazer você pensar diferente.

Ele dá mais alguns passos para trás de novo. Está reunindo todas as forças. Corre até a porta e bate nela o mais forte que pode. E, mais uma vez, ela treme, mas não se move. Vejo quando ele levanta um punho e o bate contra a porta de madeira.

Andrew uiva de dor. Para falar a verdade, seria melhor simplesmente arrancar um dente. No bar onde eu trabalhava, um cara ficou bêbado, deu um soco na parede e acabou quebrando um osso da mão. Eu não ficaria surpresa se Andrew tivesse feito o mesmo.

– Me deixa sair! – grita ele. – Me deixa sair desta merda de quarto *agora*.

– Eu vou deixar você sair. Você sabe o que precisa fazer.

Ele está segurando a mão direita com a esquerda. Andrew cai de joelhos, quase dobrado ao meio. Assisto na tela do celular quando ele pega o alicate com a mão esquerda. Prendo a respiração quando ele o leva à boca.

Será que vai mesmo fazer isso? Eu não vou aguentar ver. Fecho os olhos, incapaz de assistir.

Ele uiva de agonia. É o mesmo som que Duncan fez quando acertei aquele peso de papel no crânio dele. Meus olhos se abrem, e Andrew ainda está na tela. Ele continua de joelhos. Observo enquanto abaixa a cabeça e chora feito um bebê.

Ele está a ponto de explodir. Não vai aguentar. Está disposto a arrancar os próprios dentes só para sair deste quarto.

Ele não faz ideia de que isso é só o começo.

CINQUENTA E OITO

NINA

Tem algo errado.

Sinto isso no segundo em que paro na frente da casa de Andrew. Algo terrível aconteceu dentro dessa casa. Eu sinto isso com cada célula do meu corpo.

Concordei em voltar aqui com uma condição: Enzo deveria ficar com Cece e *protegê-la com todas as suas forças*. Não havia mais ninguém no mundo a quem eu confiaria minha filha. Conheço muitas mulheres nesta cidade, e cada uma delas foi seduzida pelo charme do meu marido. Qualquer uma entregaria Cece para ele.

Mas isso significa que estou aqui sozinha.

A última vez que estive aqui foi há uma semana, mas parece uma eternidade. Estaciono do lado de fora dos portões, na rua, atrás do carro de Millie. Eu me agacho atrás do carro dela e noto a marca vermelha que Enzo fez em seu pneu. Ainda está lá. Será que está no mesmo lugar que estava no dia anterior e antes disso? Não faço ideia.

– Nina? É você?

Suzanne. Eu me endireito, me afastando do carro de Millie. Ela está de pé na calçada, inclinando a cabeça interrogativamente na minha direção. A última vez que a vi, ela parecia completamente esquelética, mas agora parece que perdeu ainda mais peso.

– Está tudo bem, Nina? – pergunta Suzanne.

Dou um sorriso forçado.

– Sim, claro. Por que não estaria?

– A gente tinha marcado de almoçar outro dia e você não apareceu. Então vim aqui pra saber de você.

Claro. Meus almoços semanais com Suzanne. Se tem uma coisa da qual não vou sentir falta na vida, é disso.

– Desculpa. Acho que esqueci.

Suzanne comprime os lábios. Nunca vou me esquecer do jeito que ela assentiu para mim, solidária, enquanto eu confessava tudo que Andy tinha feito comigo, depois virou as costas e me dedurou. Ela escolheu acreditar nele em vez de acreditar em mim. Ninguém esquece uma traição como essa.

– Ouvi um boato terrível – diz ela. – Ouvi dizer que você saiu de casa. Que você largou o Andy. Ou que ele…

– Que ele me trocou pela *empregada*? – Percebo a expressão no rosto de Suzanne e sei que acertei em cheio. Todo mundo na cidade está falando sobre nós. – Isso não é verdade. Mais uma vez, os boatos estão equivocados. Eu fui buscar a Cece no acampamento, só isso.

– Ah. – Há um lampejo de decepção no rosto de Suzanne. Ela estava ansiando por uma fofoca suculenta. – Bom, fico feliz em ouvir isso. Estava preocupada com você.

– Não há absolutamente nada para se preocupar. – Minhas bochechas estão começando a doer de tanto sorrir. – A viagem foi longa, então, se me dá licença…

Suzanne me segue com os olhos enquanto caminho até a porta da frente. Tenho certeza de que há milhares de perguntas girando na cabeça dela. Por exemplo, se eu fui buscar Cecelia no acampamento, onde ela está? E por que não estacionei na garagem em vez de na rua? Mas não tenho tempo de me explicar para uma mulher terrível como ela.

Preciso descobrir o que aconteceu com Millie e Andy.

O primeiro andar da minha casa está escuro. Como na última vez que estive aqui Andy me disse para sair de sua casa, começo tocando a campainha em vez de ir entrando. E então espero que alguém abra para mim.

Depois de dois minutos, ainda estou lá, parada.

Por fim, tiro meu chaveiro da bolsa. Já fiz esse movimento milhares de vezes antes. Pego as chaves, encontro a de cobre com a letra A gravada e coloco na fechadura. A porta da minha antiga casa se abre.

Como não é de surpreender, está escuro dentro da casa. Não ouço nenhum som.

– Andy? – chamo.

Nenhuma resposta.

Ando até a porta da nossa garagem. Abro e o BMW de Andy está parado lá. Claro, isso não exclui o fato de que Andy e Millie tenham feito uma viagem juntos. Eles podem ter pegado um táxi para LaGuardia. É o que Andy costuma fazer. Aposto que decidiram tirar férias de última hora juntos.

Mas bem aqui, dentro de mim, sei que não foi isso que aconteceu.

– Andy? – chamo, mais alto desta vez. – Millie?

Nada.

Caminho até a escada. Espio o segundo andar, tentando detectar qualquer movimento. Não vejo nada. No entanto, parece que há alguém aqui.

Começo a subir as escadas. Minhas pernas estão tremendo e há uma possibilidade real de que cedam, mas continuo andando. Sigo em frente até chegar ao segundo andar.

– Andy? – Engulo um nó na garganta. – Por favor... Se houver alguém aqui, fala alguma coisa...

Quando não recebo uma resposta, começo a verificar os quartos. O quarto principal está vazio. O de hóspedes, vazio. O de Cece, vazio. A sala de cinema, também vazia.

Só há mais um lugar para procurar.

A porta da escada do sótão está aberta. A iluminação da escada sempre foi péssima. Agarro o corrimão e olho para o topo. Tem alguém lá dentro. Tenho certeza.

Millie deve estar trancada lá. Andy deve ter feito isso com ela.

Mas cadê Andy, então? Por que o carro dele está aqui se ele não está?

Minhas pernas mal me sustentam enquanto subo os catorze degraus até o patamar do sótão. No final do corredor, está o quarto onde passei tantos dias terríveis ao longo do meu casamento. Há uma luz acesa lá dentro. Está vindo da fresta sob a porta.

– Não se preocupa, Millie – murmuro. – Vou te ajudar.

Enzo tinha razão. Eu jamais deveria tê-la deixado aqui. Achei que ela fosse mais forte do que eu, mas estava enganada. E agora qualquer coisa que aconteça com ela vai ser culpa minha. Espero que esteja bem. Vou tirá-la daqui.

Tiro a chave da porta do sótão da minha bolsa, enfio na fechadura e deixo a porta se abrir.

CINQUENTA E NOVE

NINA

– Meu Deus – sussurro.

A luz está acesa no sótão, como imaginei. As duas lâmpadas piscam no teto. Precisam ser trocadas, mas há luz suficiente para ver Andy.

O que em algum momento foi Andy, ao menos.

Por bons sessenta segundos, a única coisa que consigo fazer é olhar. Então, inclino o corpo para a frente e vomito. Ainda bem que estava nervosa demais para comer qualquer coisa no café da manhã mais cedo.

– Olá, Nina.

Quase tenho um infarto com o som da voz atrás de mim. Fiquei tão enojada com a imagem à minha frente que sequer ouvi os passos na escada até o sótão. Eu me viro e lá está ela. Millie. Segurando um frasco de spray de pimenta apontado para o meu rosto.

– Millie – falo, quase me engasgando.

Suas mãos estão tremendo e seu rosto está muito pálido. É como olhar para um espelho. Mas seus olhos estão pegando fogo.

– Abaixa o spray de pimenta – digo o mais calmamente que consigo. Ela não obedece. – Não vou te machucar… Prometo. – Olho para o corpo no chão, depois de novo para Millie. – Há quanto tempo ele está aqui?

– Cinco dias? – A voz dela é vazia. – Seis? Perdi a conta.

– Ele está morto. – Digo isso como uma afirmação, mas sai mais como uma pergunta. – Há quanto tempo ele está morto?

Millie continua apontando o spray de pimenta para mim, e tenho medo de fazer qualquer movimento rápido. Sei do que essa garota é capaz.

– Você acha que ele está morto mesmo? – pergunta ela.

– Eu posso ir olhar? Se você quiser...

Ela hesita, então assente.

Faço movimentos lentos porque não quero levar um jato na cara; sei muito bem como é ficar encharcada de spray de pimenta. Eu me abaixo ao lado do corpo do meu marido no chão. Ele não parece vivo. Seus olhos estão abertos, as bochechas afundadas e os lábios, entreabertos. Seu peito não está se movendo. Mas a pior parte é todo o sangue seco ao redor da boca e na camisa branca. Vejo que há vários dentes faltando. Contenho a vontade de vomitar.

Mesmo assim, quando estendo a mão para verificar se há pulso, torço para que ele agarre meu braço. Mas isso não acontece. Ele está completamente imóvel. Quando encosto no pescoço dele, não sinto nada.

– Ele está morto – anuncio.

Millie me encara por um momento, então abaixa o spray de pimenta. Ela afunda na cama e enterra o rosto nas mãos. É como se tivesse acabado de perceber a grandiosidade do que aconteceu. Do que ela fez.

– Ai, meu Deus. Ah, não...

– Millie...

– Você sabe o que isso significa. – Ela ergue a cabeça e me encara, os olhos injetados de sangue. A raiva se foi e tudo que resta é medo. – Acabou. Vou passar o resto da vida na cadeia.

Lágrimas escorrem por suas bochechas e seus ombros tremem silenciosamente, do mesmo jeito que Cece faz quando não quer que ninguém saiba que está chorando.

Millie parece dolorosamente jovem de repente. Ela é só uma menina.

E é aí que tomo a decisão.

Eu me sento ao lado dela na cama e coloco meu braço cuidadosamente em seus ombros.

– Não, você não vai pra cadeia.

– Como assim, Nina? – Ela levanta o rosto manchado de lágrimas. – Eu matei ele! Deixei ele definhar aqui, trancado neste quarto, por uma semana! Como assim não vou pra cadeia?

– Porque – respondo – você sequer estava aqui.

Ela enxuga os olhos com as costas da mão.

– Do que você está falando?

Minha querida Cece, por favor, me perdoe pelo que estou prestes a fazer.

– Você vai embora. Vou dizer pra polícia que passei a semana toda aqui. Vou dizer que te dei a semana de folga.

– Mas…

– É o único jeito – falo bruscamente. – Eu tenho uma chance. Você, não. Eu… já fui parar num hospital por questões psiquiátricas. Dos males, o menor… – Respiro fundo. – Vou ser internada de novo.

Millie franze a testa, o nariz vermelho.

– Foi você quem deixou o spray de pimenta pra mim, não foi?

Assinto.

– Você esperava que eu matasse ele.

Assinto mais uma vez.

– Então, por que não matou ele você mesma?

Eu gostaria que houvesse uma resposta fácil para essa pergunta. Tinha receio de ser pega. Medo de ir parar na cadeia. Não sabia o que minha filha faria sem mim.

Mas a verdade é que simplesmente *não consegui*. Eu não tinha coragem de tirar a vida dele. E fiz algo terrível: tentei manipular Millie para que ela o matasse.

E foi o que ela fez.

Só que agora ela pode passar o resto da vida pagando por isso, se eu não fizer algo para ajudá-la.

– Por favor, Millie, vá embora enquanto ainda pode. – Lágrimas surgem nos meus olhos. – Vá. Antes que eu mude de ideia.

Não preciso pedir mais uma vez. Ela se levanta e sai correndo do quarto. Seus passos desaparecem escada abaixo. E então a porta da frente se fecha, me deixando sozinha em casa: só eu e Andy, que está olhando para o teto com seus olhos sem vida. Acabou. Acabou de verdade. E só resta uma coisa a fazer.

Pego meu celular e chamo a polícia.

SESSENTA
NINA

Se eu sair desta casa, será algemada. Não consigo ver outra maneira de contornar isso.

Continuo no meu sofá de couro, segurando os joelhos, me perguntando se esta será a última vez que me sento aqui, enquanto espero o detetive voltar. Minha bolsa está sobre a mesa de centro, e eu a pego em um rompante. Provavelmente deveria estar sentada aqui quieta, como uma pessoa suspeita de homicídio, mas não consigo evitar. Pego meu telefone e abro a lista de chamadas recentes. Seleciono o primeiro número da lista.

– Nina? O que está acontecendo? – A voz de Enzo está cheia de preocupação. – O que está acontecendo aí?

– A polícia ainda está aqui – respondo com dificuldade. – Eu… A situação não parece nada boa. Pra mim. Eles acham…

Não quero dizer as palavras em voz alta. Eles acham que matei Andy. E eu não o matei ativamente. Ele morreu de desidratação. Mas eles acham que sou a responsável.

Eu poderia acabar com tudo isso. Poderia contar a eles sobre Millie. Mas não vou fazer isso.

– Vou testemunhar a seu favor – diz ele. – Vou contar o que ele fazia com você. Eu te vi trancada lá.

Ele está sendo sincero. Enzo fará tudo que puder para me ajudar. Mas qual será o valor do testemunho de um homem que quase certamente será pintado como meu amante secreto? E não posso nem negar. Eu dormi com Enzo.

– Cece está bem? – pergunto.

– Está, sim.

Fecho os olhos, tentando estabilizar minha respiração.

– Ela está vendo TV?

– TV? Não, não, não. Estou ensinando italiano a ela. Cece é um talento nato.

Apesar de tudo, dou risada, mesmo que seja muito fraca.

– Posso falar com ela?

Há uma pausa e Cece aparece do outro lado da linha.

– *Ciao, mama*!

Engulo em seco.

– Oi, querida. Como você está?

– *Bene*. Quando você vem me buscar?

– Logo, logo – minto. – Continue treinando seu italiano, e eu vou chegar aí assim que puder. – Respiro fundo. – Eu… eu te amo.

– Eu também te amo, mãe!

O detetive Connors está descendo as escadas, e seus passos soam como tiros. Enfio o celular de volta na bolsa e a recoloco na mesa de centro. Aparentemente, ele deu uma olhada no corpo de Andy. E tenho certeza de que tem uma nova série de perguntas. Consigo ver em seu rosto quando ele se senta de novo na minha frente.

– Então – diz ele. – Você sabe alguma coisa a respeito dos hematomas no corpo do seu marido?

– Hematomas? – pergunto, genuinamente confusa.

Sei sobre a falta de dentes, mas não pressionei Millie para obter mais detalhes sobre o que aconteceu naquele sótão.

– Há hematomas muito escuros em toda a parte inferior da barriga – diz Connors. – E por toda… a genitália. São quase pretos.

– Ah…

– Como você acha que isso aconteceu?

Ergo as sobrancelhas.

– Você acha que eu bati nele?

A sugestão é risível. Andy era um pouco mais alto que eu, e seu corpo era puro músculo. O meu, não.

– Não faço a menor ideia do que aconteceu lá em cima. – Seus olhos encontram os meus, e tento não desviar o olhar. – A história que você me conta é que seu marido deve ter acidentalmente se trancado no sótão, e você de alguma forma não percebeu que ele tinha sumido. É isso?

– Achei que ele estivesse viajando a trabalho. Ele geralmente pega um táxi até o aeroporto.

– E vocês não trocaram mensagens de texto nem se falaram por telefone durante esse período, mas isso não te deixou preocupada – ressalta ele. – Além disso, de acordo com os pais dele, parece que ele pediu pra você sair de casa na semana passada.

Não posso negar essa parte.

– Sim, isso mesmo. Por isso não nos falamos.

– E essa moça, Wilhelmina Calloway? – Ele tira um pequeno bloco de papel do bolso e consulta sua anotação. – Ela estava trabalhando pra você, não é?

Dou de ombros.

– Eu dei a semana de folga pra ela. Minha filha estava no acampamento, então senti que não precisávamos dela. Não a vi a semana toda.

Tenho certeza de que vão tentar entrar em contato com Millie, mas estou fazendo o meu melhor para tirá-la da lista de suspeitos. É o mínimo que posso fazer depois do que causei a ela.

– Então você está me dizendo que um homem adulto conseguiu se trancar em um quarto no sótão, sem celular, sendo que o quarto só pode ser trancado pelo lado de fora? – As sobrancelhas de Connors quase alcançam a linha do cabelo. – E que, enquanto estava lá dentro, ele do nada decidiu arrancar quatro dentes?

Do jeito que ele fala…

– Sra. Winchester – diz o detetive. – Você acredita mesmo que seu marido é o tipo de homem que faria algo desse tipo?

Eu me recosto no sofá, tentando não deixar transparecer o quanto meu corpo está tremendo.

– Talvez. O senhor não conhecia ele.

– Pra ser sincero – diz ele –, isso não é inteiramente verdade.

Ergo os olhos bruscamente.

– Como é?

Ai, meu Deus. Essa situação fica cada vez pior. O detetive de cabelos grisalhos tem a idade certa para ser um dos amigos de golfe do pai de Andy. Ou algum outro receptor da incrível generosidade da família. Meus pulsos começam a formigar, antecipando as algemas sendo colocadas ao redor deles.

– Eu nunca o conheci pessoalmente – diz Connors. – Mas a minha filha, sim.

– A sua… filha?

Ele assente.

– O nome dela é Kathleen Connors. Na verdade, que mundo pequeno… Ela e seu marido foram noivos muito tempo atrás.

Pisco para ele, aturdida. Kathleen. A noiva com quem Andy terminou antes de nós dois nos conhecermos. Aquela que tentei encontrar tantas vezes, mas nunca consegui. Kathleen é filha deste homem. Mas o que isso significa?

Ele abaixa a voz, e preciso me esforçar para ouvir.

– O término foi muito duro pra ela. Kathleen não queria falar sobre o assunto. Até hoje, não fala. Ela se mudou pra longe depois disso, até mudou de nome. Nunca mais saiu com homem nenhum.

Meu coração acelera.

– Ah. Eu…

– Sempre me perguntei o que exatamente Andrew Winchester fez com a minha filha. – Ele contrai os lábios, formando uma linha reta. – Então, quando fui transferido pra cá há cerca de um ano e comecei a fuçar um pouco, achei curioso o fato de você alegar que ele te trancava no sótão, mas ninguém sabia dizer se a sua história era real, embora sinceramente me pareça que ninguém se esforçou muito pra descobrir. Os Winchesters costumavam ter muita influência aqui antes de se mudarem para a Flórida, especialmente com alguns policiais. – Ele faz uma pausa. – Mas comigo, não.

Minha boca está seca demais para emitir qualquer som. Apenas o encaro, boquiaberta.

– Na minha opinião – diz ele –, esse sótão é um perigo. Parece mesmo muito fácil ficar preso lá dentro. – Ele se endireita, a voz voltando ao volume normal. – É uma pena que tenha acontecido com o seu marido. Tenho certeza de que o meu amigo que cuida das autópsias também vai concordar. Que fique de lição, certo?

– Certo. – Finalmente consigo dizer algo. – Que fique de lição.

O detetive Connors me encara por um bom tempo, uma última vez. Em seguida, volta ao andar de cima para se juntar aos colegas. E me dou conta de algo incrível.

Não vou sair daqui algemada.

SESSENTA E UM

NINA

Nunca pensei que iria ao velório de Andy.

De todas as maneiras que imaginei que isso fosse acabar, jamais acreditei de fato que terminaria com Andy morto. Sempre soube, lá no fundo, que não tinha coragem de matá-lo. E, ainda que tivesse, ele sempre pareceu imortal. Parecia uma daquelas pessoas que simplesmente nunca morrem. Mesmo agora, enquanto olho para seu belo rosto no caixão aberto, feito de madeira clara, os lábios colados para esconder os quatro dentes perdidos que Millie o forçou a arrancar, tenho certeza de que seus olhos vão se abrir e ele voltará à vida para um susto derradeiro.

Você achou mesmo que eu tinha morrido? Surpresa! Não morri, não! Vamos já para o sótão, Nina.

Não. Eu não vou. Nunca mais.

Nunca mais.

– Nina. – Uma mão pousa no meu ombro. – Como você está?

Ergo a cabeça para olhar quem é. É Suzanne. Minha ex-melhor amiga. A mulher que me entregou para Andy quando contei para ela que meu marido era um monstro.

– Tentando me manter firme.

Fecho com força a mão direita, cheia de lenços de papel, apenas para fazer uma cena. Consegui espremer uma única lágrima o dia inteiro, e foi quando vi Cecelia usando um vestido preto simples que comprei para o enterro. Ela está sentada ao meu lado com esse mesmo vestido, o cabelo louro despenteado. Andy teria odiado.

– Foi um choque tão grande. – Suzanne pega minha mão, e é preciso muito autocontrole para não a puxar de volta. – Que acidente terrível.

Há empatia e pena em seus olhos. Ela está feliz por ter sido o meu marido e não o dela. *Coitadinha da Nina, que má sorte ela tem*. Ela não faz ideia.

– Terrível – murmuro.

Suzanne dá uma última olhada em Andy e segue em frente. Do caixão e com a própria vida. Tenho a impressão de que o enterro amanhã talvez seja uma das últimas vezes que a verei. E isso não me deixa nem um pouco triste.

Olho para meus sapatos pretos simples, sorvendo o silêncio da sala. Odeio falar com as pessoas, aceitar suas condolências, fingir que estou devastada por esse monstro estar morto. Não vejo a hora de tudo isso acabar para que eu possa seguir em frente com a minha vida. Amanhã será a última vez que terei que fazer o papel da viúva triste.

Ouço o som de passos e ergo a cabeça. Enzo lança uma sombra comprida pela porta, e seus passos soam como tiros no silencioso salão. Ele está vestindo um terno escuro, e, por mais que sempre o tenha achado lindo quando trabalhava no meu quintal, ele parece cem vezes melhor de terno. Seus olhos escuros e úmidos encontram os meus.

– Sinto muito – diz ele calmamente. – Não dá.

Meu coração aperta. Ele não está dizendo que sente muito por Andy. Nenhum de nós dois sente por isso. Está se desculpando porque no dia anterior perguntei a ele se, quando tudo isso acabasse, ele viria comigo para o outro lado do país, na Costa Oeste, bem longe daqui. Nunca esperei que ele dissesse sim, mas mesmo assim sua recusa à minha proposta me deixa triste. Este homem ajudou a salvar minha vida, ele é o meu herói. Ele e Millie.

– Você vai ter um novo começo. – Um pequeno vinco se forma entre suas sobrancelhas. – É melhor assim.

– É, sim – respondo.

Ele tem razão. Há muitas lembranças terríveis entre nós dois. É melhor começar de novo. Mas isso não significa que não vou sentir falta dele. E nunca, nunca vou esquecer o que ele fez por mim.

– Fica de olho na Millie, está bem? – peço.

Ele assente.

– Pode deixar. Prometo.

Ele estende o braço para tocar a minha mão uma última vez. Como Suzanne, provavelmente nunca mais o verei. Já coloquei à venda a casa que Andy e eu dividíamos. Cece e eu estamos hospedadas em um hotel, porque não suporto entrar naquele lugar. Tenho quase certeza de que nossa antiga casa é assombrada.

Olho para Cecelia, que está se contorcendo em uma cadeira a poucos metros de mim. Dormimos no quarto do hotel na noite anterior, dividindo uma cama queen-size, seu corpo magro pressionado contra o meu. Eu poderia ter pedido uma cama extra, mas ela quer ficar perto de mim. Ainda não entende muito bem o que aconteceu com o homem que chamava de pai e não perguntou. Só está aliviada por ele não estar mais aqui.

– Enzo – chamo –, você pode levar a Cece? Ela está aqui há muito tempo e deve estar com fome. Talvez você possa levar ela pra comer alguma coisa.

Ele faz que sim com a cabeça e estende a mão para a minha filha.

– Vem, Cece. Vamos comer uns nuggets e tomar milk-shake.

Cecelia pula da cadeira na mesma hora, não é preciso chamar duas vezes. Ela está sendo um amor em ficar aqui comigo, mas é só uma menina. Eu deveria lidar com isso sozinha.

Alguns minutos depois que Enzo sai com Cece, as portas se abrem mais uma vez. Por instinto, dou um passo para trás quando vejo quem está na porta.

São os Winchesters.

Prendo a respiração quando Evelyn e Robert Winchester entram na sala. É a primeira vez que os vejo desde a morte de Andy, mas eu sabia que esse momento chegaria. Eles haviam voltado da Flórida para passar o verão apenas algumas semanas antes, mas Evelyn ainda não tinha ido à nossa casa. Falei com ela só uma vez, quando ela me ligou para perguntar se eu precisava de ajuda para organizar o velório. Falei para ela que não.

Só que a verdade é que eu não estava nem um pouco animada para falar com ela depois de ser responsável pela morte de seu único filho.

O detetive Connors cumpriu todas as suas promessas. A morte de Andy foi considerada um acidente, e nem eu nem Millie fomos investigadas. No final, a história foi de que Andy acidentalmente ficou trancado no sótão enquanto eu estava fora e morreu de desidratação. Nada disso explica as contusões e os dentes perdidos. O detetive Connors tinha amigos no setor de autópsias, mas os Winchesters são uma das famílias mais poderosas e influentes do estado.

Será que eles sabem? Será que fazem ideia de que sou responsável pela morte de Andy?

Evelyn e Robert cruzam a sala em direção ao caixão. Mal reconheço Robert, que é bonito como o filho e hoje está vestindo um terno escuro. Evelyn também está vestida de preto, que contrasta bastante com o branco de seus cabelos e com os sapatos da mesma cor. Os olhos de Robert estão inchados, mas Evelyn parece impecável, como se tivesse acabado de fazer um tratamento de spa.

Abaixo a cabeça quando eles se aproximam de mim. Só olho para cima quando Robert dá um pigarro.

– Nina – diz ele com sua voz grave e rouca.

Engulo em seco.

– Robert…

– Nina. – Ele dá outro pigarro. – Quero que você saiba…

Nós sabemos que você matou o nosso filho. Sabemos o que você fez, Nina. E não vamos descansar até garantirmos que você passe o resto da vida apodrecendo na cadeia.

– Quero que você saiba que eu e a Evelyn estaremos sempre aqui pra você – diz ele. – Sabemos que não tem ninguém, e qualquer coisa que você precisar… você e a Cecelia… é só pedir.

– Obrigada, Robert.

Meus olhos brilham um pouco. Robert sempre foi um homem bom, embora não tenha sido o melhor pai de todos os tempos. Pelo que Andy me contava a seu respeito, ele nunca estava por perto durante a sua infância. Passava a maior parte do tempo trabalhando enquanto Evelyn o criava.

– Obrigada – falo mais uma vez.

Robert estende a mão e toca suavemente o ombro do filho. Fico imaginando se ele fazia alguma ideia do monstro que Andy era. Não é possível que nem desconfiasse. Ou talvez Andy fosse bom demais em esconder. Afinal, eu não fazia ideia até estar raspando minhas unhas na madeira da porta do sótão.

Robert tapa a boca com a mão. Balança a cabeça e resmunga "Com licença" para a esposa, em seguida sai correndo da sala, me deixando sozinha com Evelyn.

De todas as pessoas com quem eu não gostaria de ficar sozinha hoje, Evelyn está no topo da lista. Ela não é burra. Devia saber os problemas que existiam no meu casamento. Como Robert, pode ser que não soubesse o que ele fazia comigo, mas deve ter percebido o atrito entre nós.

Ela deve ter percebido como eu de fato me sentia em relação a ele.

– Nina – diz ela em um tom seco.

– Evelyn – respondo.

Ela olha para o rosto de Andy. Tento ler sua expressão, mas é difícil. Não sei se é tudo Botox ou se ela sempre foi assim.

– Sabe, eu conversei com um velho amigo que tenho na delegacia sobre o Andy.

Meu estômago revira. De acordo com o detetive Connors, o caso está encerrado. Andy sempre me provocou, dizendo que uma suposta carta seria enviada para a delegacia caso ele morresse, mas isso jamais aconteceu. Nunca tive certeza se foi porque nunca houve uma carta ou porque o detetive se livrou dela.

– É? – É tudo que consigo dizer.

– Sim – murmura ela. – Eles me contaram como ele estava quando foi encontrado. – Seus olhos astutos perfuram os meus. – Me contaram que faltavam alguns dentes.

Meu Deus. Ela sabe.

Com certeza, ela sabe. Qualquer pessoa ciente do estado da boca de Andy quando a polícia o encontrou sabe que sua morte não foi acidental. Ninguém arranca os próprios dentes com um alicate. Não de livre e espontânea vontade.

Acabou. Quando eu sair daqui, a polícia provavelmente vai estar me esperando do lado de fora. Eles vão algemar meus pulsos e ler meus direitos. E, depois disso, vou passar o resto da vida na cadeia.

Mas não vou contar a ninguém sobre Millie. Ela não merece ser arrastada para isso também. Foi ela quem me deu uma chance de ser livre. Vou deixá-la fora disso.

– Evelyn – falo com dificuldade. – Eu… eu não…

Seus olhos se voltam para o rosto do filho, para seus longos cílios, fechados para sempre. Ela contrai os lábios.

– Eu sempre disse a ele como a higiene bucal é importante. Falei que ele tinha que escovar os dentes todas as noites e que, se não fizesse isso, haveria uma punição. Sempre há uma punição quando você quebra as regras.

O quê? Do que ela está falando?

– Evelyn…

– Se você não cuida dos próprios dentes – prossegue ela –, perde o privilégio de *ter* dentes.

– Evelyn?

– Andy sabia disso. Ele sabia que essa era a minha regra. – Ela olha para mim. – Quando arranquei um dos dentes de leite dele com um alicate, achei que ele tivesse entendido.

Eu a encaro, com muito medo de falar. Com muito medo das próximas palavras que vão sair de sua boca. E, quando elas finalmente chegam, fico completamente sem fôlego.

– É uma pena – diz ela – que ele nunca tenha aprendido de verdade. Estou feliz por você ter se imposto e ensinado a ele uma lição.

Estou de queixo caído quando Evelyn faz um último ajuste no colarinho branco da camisa do filho. Então ela se retira, me deixando para trás.

EPÍLOGO

MILLIE

– Me fala de você, Millie.

Eu me inclino contra a bancada de mármore da cozinha em frente a Lisa Killeffer. Lisa está impecável esta manhã, os cabelos pretos sedosos presos em um elaborado coque francês, os botões de sua blusa creme, de manga curta, brilhando com a luz vinda das claraboias do que parece ser uma cozinha recém-reformada.

Se eu conseguir este emprego, será o meu primeiro em quase um ano. Fiz alguns bicos aqui e ali desde o que aconteceu na casa dos Winchesters, mas tenho vivido do depósito de um ano de salário que Nina fez em minha conta bancária logo após a morte de Andrew ser considerada acidental.

Ainda não entendo muito bem como ela conseguiu isso.

– Bom… – começo. – Eu cresci no Brooklyn. Tive muitos empregos fazendo tarefas domésticas para as pessoas, como você pode ver no meu currículo. E adoro crianças.

– Que ótimo!

Os lábios de Lisa se abrem em um sorriso. O entusiasmo dela desde o momento em que entrei aqui foi surpreendente, já que deve haver dezenas de pessoas se candidatando a esta vaga de empregada doméstica. Nem sequer me candidatei. Foi Lisa quem entrou em contato através do site no qual coloquei um anúncio oferecendo meus serviços de limpeza e babá.

O salário é ótimo, o que não surpreende, porque a casa cheira a riqueza. A cozinha tem todos os aparelhos mais recentes, e tenho quase certeza de que o fogão é capaz de preparar o jantar sozinho e do zero, sem qualquer intervenção. Quero muito esse emprego, e estou tentando transparecer confiança. Tento pensar na mensagem de texto de Enzo que recebi hoje de manhã:

Boa sorte, Millie. Lembre-se de que eles terão muita sorte em ter você por perto.

E depois:

Vejo você à noite, depois que conseguir esse emprego.

– O que você está procurando exatamente? – pergunto a ela.

– Ah, o de sempre. – Lisa se inclina contra a bancada da cozinha ao meu lado e ajeita a gola da blusa. – Alguém pra manter a casa limpa. Cuidar da roupa. Cozinhar uma coisinha ou outra.

– Posso fazer isso – falo, embora minha situação não tenha mudado muito desde um ano atrás.

Ainda tenho a questão da verificação de antecedentes. Minha ficha jamais vai desaparecer.

As mãos de Lisa deslizam distraidamente para o conjunto de facas na bancada da cozinha. Seus dedos brincam com o cabo de uma delas, e ela a levanta apenas o suficiente para que a lâmina brilhe com as luzes do teto. Eu me mexo um pouco, desconfortável de repente. Por fim, ela diz:

– Nina Winchester recomendou muito você.

Fico boquiaberta. Essa é a última coisa que eu esperava que ela dissesse. Não tenho notícias de Nina há muito tempo. Ela se mudou para a Califórnia com Cecelia logo depois que tudo terminou. Não está nas redes sociais, mas há alguns meses ela me mandou uma selfie dela e de Cecelia na praia juntas, bronzeadas e felizes, junto com algumas palavras:

Obrigada por isso.

Então, acho que a outra maneira de me agradecer é me recomendar para vagas de empregada. Definitivamente agora estou mais otimista de que Lisa vai me contratar.

– Fico muito feliz em ouvir isso. Eu… gostava muito de trabalhar pra Nina, ela era maravilhosa.

Lisa assente, seus dedos ainda brincando com a faca.

– Concordo. Ela *é* maravilhosa.

Ela sorri de novo, mas há algo estranho em seu rosto. Ela puxa a gola da blusa mais uma vez com a mão livre e, quando o tecido muda de posição, é aí que vejo.

Um hematoma em seu braço. Com o formato dos dedos de alguém.

Olho por cima do ombro dela para a geladeira. Há um ímã com uma fotografia de Lisa ao lado de um homem alto e atarracado, cujos olhos estão fixos na câmera. Imagino os dedos daquele homem envolvendo o braço magro de Lisa, apertando forte o suficiente para deixar aquelas marcas roxas profundas.

Meu coração acelera tanto que me sinto tonta. E agora finalmente entendi. Entendi por que Nina me recomendou tanto para essa mulher. Ela me conhece, talvez até melhor do que conheço a mim mesma.

– Então – diz Lisa, deslizando a faca de volta para o bloco de madeira e se endireitando, seus olhos azuis arregalados e ansiosos –, você pode me ajudar, Millie?

– Sim – respondo. – Acho que posso, sim.

PARA VOCÊ, QUE LEU ATÉ AQUI,

Quero agradecer muito por escolher ler *A empregada*. Se você gostou e quiser acompanhar todos os meus lançamentos, basta se inscrever no link a seguir. Seu endereço de e-mail jamais será divulgado, e você poderá cancelar a inscrição a qualquer momento.

www.bookouture.com/freida-mcfadden

Espero que tenha gostado de *A empregada* e, nesse caso, ficaria muito grata se pudesse deixar um comentário. Eu adoraria saber o que você acha, e isso ajuda muito novas pessoas a descobrirem um de meus livros pela primeira vez.

Adoro conhecer quem lê o que eu escrevo! Você pode entrar em contato comigo através da minha página no Facebook.

Confira meu site: www.freidamcfadden.com

Para mais informações sobre meus livros, por favor, me siga na Amazon! Você também pode me seguir no Bookbub!

Obrigada!

Freida

AGRADECIMENTOS

Quero agradecer à Bookouture por dar uma chance ao meu manuscrito e apresentar meu trabalho ao seu público. Um agradecimento especial à minha editora, Ellen Gleeson, que tem ideias incríveis para os meus livros! Obrigada também às minhas leitoras beta, Kate e Nelle. Obrigada a Zack pelos excelentes conselhos. E, como sempre, obrigada a todo mundo que me lê e que tanto me apoia – estou fazendo isso por vocês! E obrigada a Val por seu olho de águia.

CONHEÇA OUTRO TÍTULO DA AUTORA

O segredo da empregada

Achar alguém que não faça mil perguntas sobre a vida – e o passado – de uma candidata a empregada é praticamente impossível. Por isso, Millie mal consegue acreditar quando Douglas Garrick a contrata.

O plano dela é trabalhar na casa da família por um período curto, de preferência sem atrair nenhuma atenção, até alcançar seu objetivo maior.

Só que ao longo dos dias, enquanto ela limpa a cobertura deslumbrante e prepara pratos requintados para Douglas e sua esposa, a Sra. Garrick nunca sai do quarto. Na verdade, as duas não foram sequer apresentadas. E Millie tem certeza de que já a ouviu chorando.

Certo dia, ao colocar a roupa para lavar, ela nota manchas de sangue em uma camisola – e não é a primeira vez. Millie decide então descobrir o que está acontecendo. Quando finalmente consegue entrar no quarto, o que ela vê muda todos os seus planos.

Alguém precisa pagar. E o preço depende unicamente do que Millie está disposta a fazer.

CONHEÇA OS LIVROS DE FREIDA McFADDEN

A empregada
O segredo da empregada
A empregada está de olho